LE
BURNOUT
CHEZ LA FEMME

Éditeur:
LES ÉDITIONS LA PRESSE (1986)

Conception graphique de la couverture:
DIANE GAGNÉ

Traduction française de *Women's burnout*
publiée à la suite d'une entente entre
H. Freudenberger, représenté par Carol Mann
Literary Agency, Brooklyn, N.Y., USA,
et Les Éditions La Presse, Ltée.

(Les Éditions La Presse [1986] sont une division de
Les Éditions La Presse, Ltée, 44, rue Saint-Antoine Ouest,
Montréal, Québec, H2Y 1J5.)

© Copyright, Ottawa,1988

Dépôt légal:
BIBLIOTHÈQUE NATIONALE DU QUÉBEC
4ᵉ trimestre 1988

ISBN 2 89043-261-0

1 2 3 4 5 6   93 92 91 90 89 88

LE
BURNOUT
CHEZ LA FEMME

Herbert J. Freudenberger, Ph.D.
et
Gail North

**Traduit de l'américain
par Yolande Dussault**

éditions

la presse

À Arlene, cet être cher dont l'honnêteté, la bon-
té, le dévouement, l'amour et la compréhension
ont permis la réalisation de plusieurs rêves.

H.F.

À Jeanne, ma mère, Bibsie, ma soeur, Veroni-
ca, ma grand-mère et Belle, ma tante... ces
femmes de ma vie. Et à Harvey, mon père.

G.N.

REMERCIEMENTS

La réalisation de ce livre n'aurait pas été possible sans les réflexions, les sentiments et les expériences de plusieurs femmes qui nous ont gracieusement donné de leur temps précieux. Merci à ces nombreuses femmes, clientes ou participantes des divers ateliers et séminaires qui, au cours des ans, ont contribué à poser les problèmes que nous tentons de résoudre. Leurs préoccupations, leurs efforts, leurs joies, leurs tribulations et leurs éventuelles victoires ont été pour nous une source d'inspiration.

Nous remercions sincèrement Rosaire Appel, Laura Wachtel, Jill Gallen, Joannerie Kalter, Pam Black, Liz Weiner, Rochelle Lefkowitz, Babara Presley Noble, Marian Goodrich, Maya Travaglia, Jessie Shestack, Marie Brown, Louise Bernikow et Kathy Ryan dont la perspicacité, l'impartialité, la confiance et l'appui ont largement contribué à la réalisation de ce livre.

Nous avons aussi une dette de reconnaissance envers notre agent, Carol Mann, qui m'a toujours apporté soutien et encouragement.

SOMMAIRE

Introduction

Si le sujet de ce livre suscite votre intérêt et éveille votre imagination, c'est probablement que vous avez le sentiment de craquer, que vous êtes sur le point de craquer ou que vous êtes inquiète au sujet d'une amie ou d'un être cher qui vous semble sur le point de craquer. En commençant cette lecture, il est important pour vous de comprendre que vous avez déjà commencé à prendre conscience de cette situation. La prise de conscience est la première démarche et la plus importante dans la lutte contre le burnout. Ayant décidé de vous informer sur l'état de burnout, cette prise de conscience est sans doute en progrès et vous êtes assurément sur la voie d'une volte-face pour prévenir et résoudre cet état particulier, peut-être pour le reste de votre vie.

Le burnout chez la femme a été rédigé pour répondre aux questions des femmes qui cherchent un remède aux symptômes du bournout. Plusieurs d'entre vous ne savent peut-être pas encore qu'elles vivent une expérience de bournout. Ses symptômes sont parfois difficiles à identifier. Vous pensez souffrir d'une dépression chronique, avoir perdu le contrôle de votre vie ou être engagée dans un cycle interminable d'exaltation et d'abattement sans recours. Même s'il vous semble plus commode d'expliquer cet état en termes de dépression ou d'exaltation, il serait plus utile et beaucoup plus prudent de chercher les facteurs qui ont provoqué ces symptômes récents et de prendre quelques mesures simples pour remédier à ce qui risque fréquemment de dégénérer en un état grave de burnout.

Si vous découvrez des symptômes qui vous paraissent mener au burnout, il importe avant tout de vous poser cette question : « Qu'est-ce qui me fait croire que ce sont des facteurs de burnout ? » Il se peut que vous ne soyez pas en mesure d'établir immédiatement une relation entre ces symptômes désespérants et la notion d'épuisement. Il est toutefois certain que si votre vie a pris la forme d'une série de contraintes tant intérieures qu'extérieures, et que votre personnalité, votre esprit, vos attitudes et votre fonctionnement vous paraissent négatifs et différents de ce qu'ils étaient il y a six mois, un an ou même cinq ans, la notion de burnout pourrait constituer un outil très utile pour commencer à explorer la nature de votre malaise.

Le burnout chez la femme est devenu très répandu dans notre société moderne. Les contraintes quotidiennes et les pressions exercées sur les femmes sont souvent d'une évidence flagrante, mais elles sont tout aussi souvent subtilement escamotées. Pour plusieurs, la notion d'épuisement est associée aux femmes très efficaces du monde professionnel ou du monde des affaires. Même si ces femmes comptent pour un fort pourcentage de celles qui souffrent des symptômes de burnout, des femmes au foyer, mères, veuves, célibataires, mariées ou divorcées sont tout aussi facilement entraînées dans le remous d'une frénésie émotive qui les mène à l'épuisement. La façon dont les femmes s'épuisent peut varier, mais il existe un dénominateur commun. Lorsque des symptômes insidieux se manifestent dans votre vie, l'attitude la plus courante consiste à s'entêter, à s'accrocher et à considérer ces symptômes comme un adversaire à terrasser. La plupart des femmes abordent le burnout avec la volonté de triompher de son emprise en se surpassant et finissent par perpétuer cet état.

Il existe plusieurs variations sur le thème du burnout, chez les femmes. L'une pense qu'elle peut mener de front ses rôles et ses tâches multiples par la seule force de sa volonté. L'autre tente de surmonter l'impossibilité qu'elle ressent à suivre le rythme des autres en s'identifiant à une personne dont le rythme est totalement différent du sien. Une troisième prétend être à la hauteur des exigences de sa vie, mais se voit devenir revêche et hargneuse avec ses amis, ses collègues, ses amoureux et connaît d'étranges envies de pleurer. Quelle qu'en soit la manifestation, la femme qui souffre d'épuisement pense habituellement qu'en *refusant* les messages qu'elle reçoit de son corps et de son esprit, elle arrivera à surmonter les contraintes et les pressions de sa vie.

La confusion entourant la manière de traiter les symptômes du burnout pousse littéralement les femmes vers d'autres paliers d'épuisement. Plusieurs femmes, il est vrai, croient qu'elles pourraient s'en remettre si elles pouvaient travailler un peu plus fort, s'endurcir et s'en tirer pour la semaine, le mois ou l'an prochain. Leur faiblesse émotive, leur fatigue physique, leur vulnérabilité et leur exaspération pourraient disparaître comme par magie et elles redeviendraient « normales ». Malheureusement, quand il s'agit de burnout, les symptômes sont cumulatifs. La connaissance insuffisante de ses limites et de l'importance de régler son rythme, ou le danger de l'isolement, font que cet objectif demeure une vision à jamais illusoire.

Il est essentiel de comprendre dès le début que ce processus peut être renversé. Une prise de conscience claire est un puissant antidote contre l'épuisement, et, en ce sens, le pronostic pour les femmes devient des plus positifs. Dans la plupart des cas, les femmes saisissent rapidement l'idée du burnout. Puis, une fois l'identification faite et avec l'aide de quelques conseils appropriés, leur prise de conscience augmente et la situation se clarifie. Une fois que vous savez ce qui se passe, vous êtes en mesure de modifier vos habitudes de penser, de vivre et de prendre soin de vous. Les énergies sont récupérées, l'entrain redouble et les symptômes de burnout diminuent, se renversent et finalement disparaissent.

Dans *Le burnout chez la femme,* on fait plusieurs suggestions permettant d'aller au coeur du problème et on propose plusieurs solutions pour prévenir l'accélération du processus d'épuisement. Il faut d'abord saisir la dynamique de votre burnout, ce qui le provoque, l'accroît et comment il se manifeste physiquement et psychiquement. Il devient ensuite possible d'envisager de réévaluer vos désirs et vos besoins et de réorienter vos habitudes de penser les plus destructrices. Les femmes qui ont réussi à tenir tête à leur tendance à l'épuisement et qui ont pu contrôler leurs désirs et leurs besoins, ont réalisé que leurs capacités intellectuelles, émotionnelles et physiques ont non seulement été renouvelées, mais aussi renforcées.

Il est aussi important de savoir que le burnout ne connaît pas d'âge. Cet état ne fait pas de distinction entre la jeunesse et la vieillesse. Malheureusement, les jeunes femmes prennent trop souvent pour acquis leur vitalité et leur jeunesse et assument des fonctions et des rôles qui dépassent leurs capacités ; puis elles se demandent pourquoi elles perdent si tôt leurs illusions. Comme l'affirmait une jeune femme : « Si je maintiens ce rythme pendant encore deux ans, je me retrouverai vieille et exténuée à 27 ans. »

Au cours de la vingtaine, on peut s'activer et fournir des efforts démesurés pour prendre sa place dans le monde du travail, une sécurité qu'on peut s'imaginer ne pouvoir atteindre que par une exploitation excessive de son temps, son énergie, sa générosité et ses compétences afin de prouver qu'on est la personne toute désignée pour obtenir de l'avancement. À la trentaine, pourra se développer le désir de vous faire accepter dans le « club masculin » en étant irréprochable et imperturbable. Plusieurs femmes de cet âge supportent une forte pression pour mener de front leurs rôles de femme au travail et de femme à la maison avec autant d'excellence et d'efficacité. Il est intéressant de voir que tout en démontrant leur aptitude à « tout réussir », à concilier travail, amour, enfants, amis et famille, elles blâment rarement les autres pour leur refus de reconnaître le fardeau de leurs responsabilités, mais elles s'accusent de ne pas être à la hauteur d'un pseudo niveau d'excellence. Les femmes qui approchent la moitié de la trentaine doivent souvent supporter en silence le fardeau additionnel de leur horloge biologique tout en accomplissant d'autres tâches. Après 40 ans, les femmes sont souvent épuisées par des années d'efforts concertés pour élever leur famille, réussir leur carrière et obtenir la reconnaissance de leurs années de service. Elles se laissent souvent aller à une certaine fatigue qui colore autant leur vision du monde que leur perception d'elles-mêmes, de leur capacité et de leur valeur. Les femmes de tous ces groupes d'âges sont candidates au burnout ; soulignons néanmoins que chaque femme doit comprendre qu'il existe des solutions et des remèdes pour le type de pressions qu'elle connaît.

En discutant avec des femmes qui souffrent de burnout, on se rend vite compte que la femme est en quelque sorte honteuse de son incompétence à concilier les multiples aspects de sa vie. Les femmes qui suivent une thérapie pour épuisement recherchent rarement la guérison. Elles cherchent plutôt une méthode qui leur redonnera de l'énergie pour retourner vers leur champ d'activité avec une vigueur renouvelée. Il arrive souvent qu'une femme reconnaisse son malaise en se demandant comment elle pourrait s'améliorer. Au cours du traitement, elle comprend qu'elle n'a rien à se reprocher. Sachant ce qu'on attend d'elle, elle sera peut-être alors en mesure d'apprendre à contenir son rythme, à se dégager, à prendre du recul sans s'isoler et à modifier les situations de tension qui sont devenues insurmontables. Elle sera alors habituellement enchantée d'obtenir la permission de se détendre, de s'amuser, de tenir compte de ses besoins personnels et de revendiquer sa propre vie. La lente accumulation des symptômes inquiétants qui menaçaient de rogner le tracé de sa vie diminuent progressivement et elle pourra voir la vie d'un oeil nouveau.

Dans cet ouvrage, on a pour but de vous mettre en garde contre les stresseurs et les amplificateurs de stress souvent indiscernables, mais qui s'infiltrent insidieusement dans votre vie. On y répond aux questions les plus fréquentes des femmes et on y propose des méthodes qui leur permettront de traiter leurs propres symptômes de burnout. Même si l'épuisement n'est pas un mystère, on refuse souvent d'y reconnaître la cause première d'un certain nombre d'attitudes et de sentiments affligeants. Que vous ayez souffert de burnout ou que vous résistiez couramment à ses effets, l'information contenu dans ce livre peut également servir à aider une autre personne à identifier ces symptômes énigmatiques et inquiétants. Nous espérons que le burnout sera éventuellement démystifié et considéré comme une véritable cause première et non comme une idée incongrue. Ainsi, la connaissance de soi deviendra la norme selon laquelle chaque femme jugera de ses capacités et de ses limites. Le fardeau des contraintes se mesurera selon ce qu'elle connaîtra d'elle-même et non selon les attentes des autres.

Comme vous le verrez, la première moitié du livre porte sur « La nature du burnout chez la femme ».

Dans le chapitre I, « Est-ce que le burnout vous guette ? » on vous aidera à mettre en lumière les causes de la dépression et à faire la distinction entre la dépression chronique et le burnout. Vous apprendrez en outre à identifier le burnout aigu et le burnout chronique et à vous munir d'outils pour détecter les nombreuses façons de refuser votre état de burnout.

Dans le chapitre II, « Pourquoi les femmes souffrent-elles de burnout ? », on traite des quatre principaux thèmes sous-jacents aux tendances au burnout chez la femme : la tendance à surprotéger, la solitude, l'isolement, l'impuissance et l'incertitude touchant la véritable autonomie et la véritable dépendance.

Dans le chapitre III, « Exemples de dynamiques familiales chez les femmes souffrant de burnout », on montre comment le conditionnement que plusieurs femmes ont subi dans leur enfance peut favoriser le burnout dans leur vie d'adultes.

Dans le chapitre IV, « Les symptômes de burnout chez la femme », on décrit en détail les 12 phases du cycle du burnout et les symptômes qui les accompagnent. Espérons que ce chapitre vous permettra non seulement de prendre conscience de vos propres tendances au burnout, mais qu'il vous aidera de plus à en reconnaître les symptômes chez vos amis, vos parents, vos collègues ou vos amoureux.

La deuxième partie du livre a pour objet « Le burnout dans la vie courante des femmes ».

Dans le chapitre V, « Le burnout dans le milieu de travail », on traite des problèmes du perfectionnisme et de la reconnaissance qui surgissent dans les champs d'activité professionnelle et commerciale. On y propose des mesures de précaution et des solutions aux stresseurs et amplificateurs de stress que les femmes au travail doivent subir quotidiennement.

Dans le chapitre VI, « Si peu de temps, si peu d'amour », on décrit les conflits qui se manifestent lorsque les aspects importants de la vie personnelle sont refoulés ou négligés. Vous trouverez également une information importante touchant l'alcool et la cocaïne, ainsi que le stress et les contraintes vécus par les femmes à la recherche d'un conjoint.

Dans le chapitre VII, « Burnout relationnel », on se

concentre sur les causes qui sont de nature à détruire une relation affective. On y offre plusieurs solutions et des mesures de précaution à prendre pour apaiser les conflits que le burnout suscite chez les partenaires.

Dans le chapitre VIII, « Comment aider une personne atteinte de burnout », on suggère un certain nombre de méthodes pour répondre adéquatement aux attentes des personnes de votre entourage personnel ou profession-nel qui vous paraissent menacées de burnout.

Dans la conclusion, « Liste de contrôle en 12 points pour la prévention et la guérison du burnout », vous trouverez une analyse éclair des signaux d'alerte pour détecter l'émergence d'un état de burnout.

L'information réunie dans ce livre a été principale-ment recueillie auprès de femmes traitées pour burnout, et aussi au cours d'entrevues avec des centaines de fem-mes qui ont gracieusement et généreusement pris de leur temps pour parler librement de leur vie privée et professionnelle. Même si l'identité de ces personnes n'est pas révélée, leur propos sont authentiques.

Si vous êtes sur le point de craquer, poursuivez la lecture de ce livre. Vous avez probablement commencé la transformation d'un mode de vie qui vous semblait un cul-de-sac et peut-être êtes-vous sur la voie de reprendre entièrement votre vie en main.

Herbert J. Freudenberger et Gail North

LE
BURNOUT
CHEZ LA FEMME

BURNOUT CHEZ LA FEMME

1. État où vous épuisez vos énergies parce que vous dépassez vos limites : *Le burnout lui enlevait sa bonne humeur et sa vitalité.* 2. Résultat de votre excès d'intensité et de votre perception des personnes et des situations : *Sa persistance dans son rôle de protectrice provoqua son état d'épuisement.* 3. Conséquence du refus de vous accorder de l'attention, du plaisir, des relations d'appartenance, de l'intimité : *La carence émotive l'amena au burnout.* 4. Perte de la motivation due à un attachement excessif à votre mari, à votre amoureux ou à votre travail : *Elle a épuisé ses émotions et n'a plus rien à donner.* 5. Diminution de l'enthousiasme, irritabilité et sentiment d'indifférence causés par le stress, les contraintes et la fatigue : *Quand elle était en train de s'épuiser, elle se voyait en faire trop, mais elle ignorait comment faire autrement.*

PREMIÈRE PARTIE

LA NATURE DU BURNOUT CHEZ LA FEMME

CHAPITRE I

Est-ce que le burnout vous guette ?

« ... ma vie n'avait été qu'une série de courses à pied du 1 500 m en 7 minutes et c'est pourquoi je me sentais si épuisée. »

Monique

« La première fois que j'ai couru le 1 500 m en 7 minutes, il devint extrêmement important pour moi de réaliser cette performance à chaque course. Je mangeais beaucoup d'aliments riches en glucides afin de me donner plus de ressort, et je courais alors comme une folle. Je m'y donnais vraiment à fond — bien au-delà de mes limites normales. La pression était énorme... Je ne me rappelais plus qui j'étais, ni pourquoi je participais à la course... tout ce que je savais, c'est que je possédais une énorme quantité d'énergie qui était concentrée, focalisée sur la réussite de cette performance. J'y avais investi ma propre identité. Je me surpassai, perdis la notion du temps et plus important encore, la perception de moi-même en tant qu'être vivant. Ma frustration augmentait au fur et à mesure que je me fatiguais et me sentais mal ; je m'y donnais davantage encore pour compenser ces faiblesses. À la fin de la course, j'aurais craqué, je serais malade, et... complètement épuisée.

« Un bon jour, je décidai de régler mon allure et de me freiner. J'eus alors l'impression de bouger trop lentement, que tout le monde me dépassait, que j'échouais, que je n'étais pas assez bonne. Toutefois, au bout du 1 500 m, je réalisai que je n'étais qu'à une demi-minute de mon temps habituel. Je compris alors que toute ma vie n'avait été qu'une série de courses à pied de sept minutes et que c'était la raison pour laquelle je m'étais toujours sentie épuisée.

« Je pense qu'il est juste de dire que lorsqu'on se sent nerveuse, que l'on se voit sur le point de craquer, on devrait tenir compte de sa fatigue... écouter le message de son corps. Quand sa propre identité et la perception de soi-même sont entièrement absorbées par l'image d'un but à atteindre, on perd le vrai sens de la course. *Vouloir* à ce point accomplir quelque chose, c'est oublier ses *besoins*. C'est un conflit épouvantable. Réussir devient plus important que vivre. »

Pensez-vous connaître le burnout un jour ? Existe-t-il dans votre vie des situations qui vous fatiguent, vous font mal, mais dans lesquelles « vous foncez encore plus pour compenser ces faiblesses » ? Si, comme Monique, vous jonglez avec ces pensées, vous vous trouvez probablement dans une situation conflictuelle entre ce que vous voulez faire de votre vie et ce qu'il vous faut faire pour équilibrer vos efforts. Vous voulez désespérément réussir au travail, être bien avec vos amis et en amour, il vous faudra lâcher prise si vous voulez y voir plus clair. Vous voulez passionnément continuer de foncer ; il vous faut prendre du recul pour refaire votre équilibre par rapport à certaines situations émotionnelles non résolues. Vous passez d'un sentiment à l'autre, tendue et lessivée, paniquée et surmenée. Il y a conflit entre le but à atteindre et ce qu'il vous faut faire pour l'atteindre. Quelque part dans votre vie, vous avez vite refoulé vos besoins. Vous n'entrevoyez aucune solution possible.

C'est pourquoi vous êtes souvent irritable, harassée et angoissée — certains matins, vous ne voulez même plus sortir du lit !

« Je suis exténuée, mais je ne peux m'arrêter pour y remédier dès maintenant... » Cette phrase est devenue votre rengaine. Vous commencez à vous sentir surmenée et parfois vous craignez d'avoir perdu la capacité de vous détendre ou de vous amuser vraiment. Vous passez beaucoup de temps à chercher comment devenir plus forte, plus résistante, meilleure — tout ce qui pourrait vous aider à continuer sur votre lancée. Il vous arrive d'avoir une grande envie de « vous appuyer sur quelqu'un » mais, vous ne savez pas comment demander de l'aide, vous vous sentez mal à l'aise d'en recevoir, ou vous avez l'impression que votre besoin d'être aidée vous diminue. Vous avez le désir de ralentir pour prendre le temps de repenser votre vie, mais vous êtes convaincue que vous ne le pouvez pas — « Pas maintenant, de toute façon, je suis trop occupée... Je n'ai tout simplement pas le temps. » Aujourd'hui, vous pouvez avoir l'impression que vos services sont irremplaçables — demain, vous penserez qu'ils peuvent se multiplier à l'infini. D'une façon ou d'une autre, vous avez tendance à nier le conflit et à vous y enfoncer plus profondément.

Pensez-y un moment. Êtes-vous souvent troublée en anticipant constamment les demandes exprimées ou sous-entendues de personnes que vous considérez importantes ? Fatiguée de jouer un rôle de protectrice à la maison, au travail et auprès des amis ? Frustrée de passer d'un rôle à un autre et de vous trouver moins avancée encore ? Vous vient-il parfois à l'idée que votre travail pourrait être votre unique amour ? Êtes-vous effrayée à l'idée de constater que quoi que vous fassiez, vous ne serez jamais « assez bonne » ? Et, à l'occasion, vous surprenez-vous à regarder dans le vague en vous demandant « si c'est tout ce qu'il y a » ? Puis vous sentez-vous coupable de perdre du temps ? Si vous bougez la tête en signe d'assentiment, c'est que vous vous talonnez probablement de trop près, en vous attachant avec persistance à ce vieux refrain familier : « Cela m'embête maintenant... Je suis trop occupée. »

Pourquoi les femmes souffrent-elles de burnout ? Les réponses à cette question sont aussi variées qu'il y a de personnalités de femme. Il existe cependant certains dénominateurs communs importants qui mettent en lumière les conflits auxquels les femmes sont confrontées dans notre société contemporaine. Voici un aperçu des types de burnout vécu par cinq femmes interviewées pour les fins de ce livre :

— À 28 ans, Nadine aime parfois évoquer « cette jeune idéaliste qu'elle était — invincible et décidée » qui se jeta à corps perdu dans le mariage, la maternité et une carrière sérieuse. Elle découvrit qu'elle pourrait « tout réussir », mais seulement en s'y consacrant totalement. « J'accepte trop de demandes, dit-elle, et je commence à me sentir surmenée. » Prise entre le problème de la double carrière qui n'a pas été réglé ou même temporairement concilié à la maison, les besoins du bébé, les pressions de son travail, de ses parents et de ses amis — elle se sent constamment coupable, harassée ou les deux à la fois. « Je passe d'un rôle à un autre et je me sens morcelée émotionnellement... »

— Paulette a 33 ans et un succès fou dans sa carrière, mais elle se demande pourquoi elle « ne met pas de rôti au four à 16 h pour le souper familial », pourquoi elle mange seule devant la télévision, « trop de soirs pour les compter ». Elle a toujours été la protectrice du groupe, prenant des engagements démesurés envers ses amis, sa famille et les hommes. Son dévouement l'accompagne au travail où il s'exerce auprès de ses supérieurs et de ses collègues. « J'ai été conditionnée à prendre soin de mon entourage, dit-elle, mais cela ne m'apporte pas beaucoup. » Malgré son engagement auprès de tous les autres, la vie personnelle de Paulette est vide et le soir, sa fatigue est exacerbée par la « hantise d'être seule pour le reste de ma vie ». Paulette s'enrhume fréquemment et a fumé cette année « plus que pendant toute autre période de ma vie ».

— Élaine a 36 ans et remet la naissance d'un enfant jusqu'au moment où elle sera promue à un poste administratif. Elle se tracasse à l'idée d'être peut-être « trop maigre et fatiguée quand viendra le temps de s'occuper du bébé... Je crains maintenant que si je deviens enceinte, je perdrai les avantages gagnés au travail. J'ai passé trop de temps à me rendre nécessaire pour être remplacée par quelqu'un de disponible pendant mon congé de maternité. » Convaincue que la promotion attendue réglera cette question, Élaine se surmène, espérant que l'annonce de sa nomination se fera avant que ne s'arrête son horloge biologique. Elle se plaint de douleurs à l'estomac, et a vu récemment plusieurs médecins pour des kystes qui apparaissent sur son visage et sur sa poitrine.

— Jeannette, 30 ans, est une femme au foyer, mère de deux jeunes enfants. Elle a remarqué récemment une espèce d'obsession pour tout ce qui touche la maison : elle fait et refait sans cesse le ménage sans pour autant trouver sa maison assez propre pour satisfaire son angoisse. « Je bouge sans arrêt, dit-elle, je m'affaire sans motif véritable, contrainte de garder les choses impeccables et bien rangées, afin que ma famille ait une maison parfaite. Je sais que c'est idiot, mais j'y suis poussée malgré moi... » Jeannette suit également une diète sévère, souffre de douleurs lombaires et connaît de « fréquentes envies de pleurer ».

— Suzanne, 44 ans, une femme monoparentale, affirme : « J'aimerais ne pas me sentir aussi culpabilisée et irritée — beaucoup d'autres femmes sont dans mon cas. » Elle doit composer avec un travail, une maison, un enfant, des problèmes financiers, des amis et ce qu'elle appelle « une vie sexuelle qui ne mène nulle part ». Secrétaire de direction, c'est un « emploi sans avenir dans ma compagnie », affirme-t-elle. Son travail ne la satisfait pas, il l'énerve et la rend irritable. « Je finis par me défouler sur mon enfant. Je suis ou trop exigeante, ou trop mère poule. Parfois, j'aimerais l'envoyer chez son père et tout quitter... » Suzanne souffre d'insomnie grave, elle prend des Valium le jour et « quelques scotches avant de se mettre au lit... »

Malgré les différences individuelles dans la vie et la personnalité de ces cinq femmes, chacune d'elles se sent surmenée, irritée, épuisée, parfois de façon insidieuse ; à d'autres moments, elle se sent seule et à bout de force. Elles sont toutes consciencieuses, fiables et laborieuses, mais elles manquent de vitalité et de force vive. L'équilibre entre leurs désirs et leurs besoins est perturbé. Elles croient toutes que si elles ne ralentissent pas ou n'améliorent pas leur qualité de vie, elles souffriront de burnout en moins d'un an.

Si l'une de ces situations vous paraît familière, vous avez sans doute réfléchi au problème du burnout et cherché quelques conseils pour le prévenir. Certaines d'entre vous peuvent ne pas comprendre ce qui leur arrive, tout en sentant que c'est quelque chose de désagréable et de débilitant qu'il faut changer. Les éventuelles épuisées appartiennent au groupe des audacieuses que le statu quo ou la sécurité ne satisfont habituellement pas.

Sinon, ces femmes acquiesceraient passivement, s'abandonnant à un laisser-aller anormal et les transformations importantes ne se seraient jamais produites dans notre société. Au contraire, les femmes souffrant d'épuisement sont combatives, efficaces et exigeantes envers elles-mêmes et leur entourage. Elles ne se demandent pas si elles doivent s'arrêter et tout laisser tomber ; elles ont un idéal et ne manquent habituellement pas de détermination, d'intelligence et de ressources. Néanmoins, c'est justement cet aspect de leur caractère qui peut les égarer. En l'absence de directives ou de modèles, ces traits de caractère sont pris pour de la simple endurance. C'est à ce point que l'engrenage du burnout s'installe dans leur vie.

Alors, si vous vous sentez fatiguée, frustrée ou culpabilisée par le rendement que vous obtenez dans votre vie, ne vous découragez pas. Elle ne doit pas être une série de courses à pied du 1 500 m en 7 minutes, et vous n'avez pas à y faire face seule. Entre l'endurance et la résignation totale, il existe des mesures préventives qui peuvent faire échec à l'expérience de l'épuisement. Il n'y a pas que de l'espoir, il existe des solutions.

LE BURNOUT CHEZ LA FEMME :
UNE DÉFINITION

Le burnout est un état dont l'évolution lente se fait sur une période de stress prolongé et de dépense d'énergies.

Afin de mieux comprendre pourquoi tant de femmes souffrent de bournout, il convient d'en donner une définition.

LE BURNOUT EST UN AFFAIBLISSEMENT ET UNE USURE DE L'ÉNERGIE VITALE PROVOQUÉS PAR DES EXIGENCES EXCESSIVES

QU'ON S'IMPOSE OU QUI SONT IMPOSÉES DE L'EXTÉRIEUR : FAMILLE, TRAVAIL, AMIS, RELATIONS AMOUREUSES, SYSTÈME DE VALEUR OU SOCIÉTÉ, QUI MINENT NOS FORCES, NOS MÉCANISMES DE DÉFENSE ET NOS RESSOURCES. C'EST UN ÉTAT ÉMOTIF QUI S'ACCOMPAGNE D'UNE SURCHARGE DE STRESS ET EN VIENT À INFLUENCER NOTRE MOTIVATION, NOS ATTITUDES ET NOTRE COMPORTEMENT.

Compte tenu de la situation exceptionnelle des femmes dans notre société, cette définition acquiert une portée inattendue. Plusieurs femmes sont devenues tellement aguerries au stress et aux nombreuses pressions reliés à leur vie et à leurs rôles, qu'elles interprètent cette sensation de fatigue comme une situation de vie normale. Se plaindre de la fatigue, avoir moins d'enthousiasme et perdre toute motivation sont considérés comme des éléments du paysage féminin à ne pas être pris trop au sérieux. Ces plaintes sont pourtant souvent les indicateurs d'une situation critique de burnout.

LE BURNOUT CHEZ LA FEMME ET LE REFOULEMENT

Le refoulement est la principale caractéristique du burnout. C'est un mécanisme qui permet à la personne d'éviter de voir la réalité et de se protéger contre une multitude de sentiments, de perceptions et d'expériences désagréables. Si vous pensez être sur le point de craquer, vous avez sûrement adopté une attitude de refoulement dans certains moments difficiles de votre vie. Vous n'avez pas perçu la vraie nature, ni bien interprété la signification de vos situations conflictuelles, qu'il s'agisse d'événements ou de relations affectives. Les contraintes physiques et émotives qui vous accablaient ont probablement été déviées par une protestation comme : « Ça ne peut pas m'arriver à moi. » Si vous refoulez constamment vos frustrations, les menaces pour votre situation, les désordres, les fardeaux, le stress, l'isolement ou la colère, soyez assurée que vous êtes bel et bien sur la voie du burnout. Si en plus vous vous faites du mal en refusant votre besoin de vous laisser-aller dans le plaisir, le rire, le sentiment d'appartenance, l'intimité, la communication, les contacts ou simplement le besoin d'un espace pour réfléchir, vous vous préparez sûrement à souffrir d'épuisement grave.

Écoutez attentivement votre propre langage. Si vous pensez être sur le point de craquer, un signal devrait vous parvenir chaque fois que vous vous rendez compte que vous utilisez le langage du refoulement.

— « Ce qui est arrivé à Jeannette ne peut pas m'arriver. »
— « Un jour, ça ira mieux et cela disparaîtra. »
— « Je sais qu'il est infidèle, mais ce n'est pas pareil. »
— « Ce que vous me dites au sujet de ma santé est tout simplement faux. »
— « Je n'ai pas de sentiments négatifs. »
— « Je ne suis jamais malade, la pression me réussit bien... »
— « Quelques jours me suffiront — un petit congé et je me porterai bien... »

Lorsque vos conversations et, plus important encore, vos pensées sont émaillées de ce genre de justifications, il existe dans votre vie de graves situations d'érosion de vos forces que vous ne désirez pas changer, mais que vous devriez affronter de façon réaliste.

LES TECHNIQUES DU REFOULEMENT

Le refoulement est une technique. En termes de burnout, il commence fréquemment avec le désir d'écarter une pensée ou un sentiment précis concernant une dépense excessive d'énergie physique, mentale ou émotive. La première fois que vous êtes confrontée à quelque chose de désagréable, un gros NON résonne dans votre esprit, qui fait office de barrière entre vous et la réalité de la situation qui se présente. À l'usage, la répétition de ce NON a un effet cumulatif et se transforme en réaction spontanée devant des faits désagréables ou difficiles à accepter. Mais ce n'est que la première phase du refoulement, la plus primaire et la plus facile à contrôler. La réaction négative se transforme rapidement en un piège plus complexe, mettant à l'occasion en oeuvre des techniques de refus de la réalité plus subtiles et moins rébarbatives.

— *La suppression* est la principale technique de refoulement communément utilisée. Quand vous refusez consciemment l'information, quand une vérité ou une prise de conscience sont perçues et enregistrées, pour être ensuite minimisées et mises de côté, vous dissimulez ou vous supprimez cette connaissance qui vous vient de vous-même ou des autres.

— *Le transfert*, par ailleurs, est une technique inconsciente de refoulement. Vous transférez vos sentiments désagréables sur un objet, une personne, une situation qui ont moins de signification. Par exemple, il est plus facile de se mettre en colère contre un enfant ou un collègue que d'admettre que votre mariage est une faillite ou que le travail dans lequel vous avez investi autant de temps et d'énergie ne mène nulle part. N'est-il pas plus facile de vous « perdre » dans le travail que de reconnaître votre solitude ou de vous « fusionner » à une personne aimée si votre travail n'est pas gratifiant.

— *L'humour*, une autre technique de refoulement, est beaucoup plus insaisissable. Son utilisation sert à couvrir et à refuser une condition ou une situation grave. En faisant une blague sur votre fatigue, votre solitude ou votre colère, vous diminuez votre angoisse et du même coup vous brouillez la piste pour les amis concernés. Après tout, ce n'est qu'une bonne blague.

— *La projection* est une autre technique utilisée parfois pour se soustraire aux difficultés. En dirigeant le blâme sur quelqu'un d'autre («S'il était plus fiable, je n'aurais pas à faire le travail de deux!»), vous continuez à refuser le drainage de vos énergies et vous ne prenez aucune mesure pour changer la situation.

— *La fantaisie et la rêverie* sont des techniques de refoulement encore plus subtiles. Elles vous permettent de retarder les confrontations avec la réalité en y substituant une réalité fantaisiste que vous préférez.

— *La mémoire sélective* est une indication fréquente de refoulement. Il s'agit d'un accommodement de la mémoire qui vous permet d'oublier à quel point vous vous sentiez fatiguée. Vous êtes portée à oublier ce que vous avez vécu hier, la sermaine dernière ou l'année précédente et si vous vous rappelez malgré tout de ces impressions d'épuisement, vous aurez recours au mensonge pour les supprimer.

— *Le mensonge* est une méthode consciente de refoulement qui vise deux buts. Il permet de vous en tirer à bon compte avec certains amis, parents ou collègues, et de vous berner provisoirement en croyant être invincible et entièrement maîtresse de vous-même.

— *L'auto-étiquetage* est une technique de refoulement qui sert d'alibi à votre fatigue où à votre irritabilité. «Oui, je suis ainsi, déclarez-vous d'un air détaché, une névrosée, une perfectionniste, un bourreau de travail, une gourde, une noix, une malade...» bref, tout ce qu'on veut pour vous permettre de poursuivre votre cheminement vers le burnout. À l'auto-étiquetage, vous ajouterez l'identification de vos symptômes à votre caractère, à votre personnalité ou à votre style de vie, en proclamant devant les autres : « Je suis du genre tendue, je me mets facilement en colère, j'ai infailliblement des maux de tête en été, je ne suis qu'une solitaire... »

L'incompréhension sélective est une technique qui permet de rejeter ce que vous disent les autres, en refusant de « comprendre » : « Je ne comprends pas ce que tu veux dire quand tu prétends que je ne suis plus moi-même. » Ou bien : « Explique-moi, je ne comprends pas. » Ou encore : « Que veux-tu dire par tu as besoin d'intimité ? » En vous accrochant à ce refus de compréhension, vous pouvez continuer à refouler l'activité autodestructrice et défaitiste du burnout.

L'HABITUDE DU REFOULEMENT

L'utilisation répétée de ces techniques de refoulement peut avoir des effets relativement graves. Le refoulement s'est trouvé un objectif : il vous permet de travailler toujours plus fort et plus longtemps ; d'entretenir une relation qui s'effrite ; de revoir cet homme marié ; d'accepter encore plus de responsabilités au travail ; de prêter vos services à l'école de vos enfants alors que vous êtes déjà débordée ; de continuer à fumer, à boire, à camoufler la fatigue avec de la cocaïne ou des amphétamines ; de maquiller l'angoisse et le stress avec des tranquillisants ; de refuser le plaisir et souvent de vivre sans amour. Progressivement, l'habitude se renforce et peut vous rendre aveugle au danger de la situation. L'angoisse qui signale habituellement la menace d'un danger peut même disparaître. Et il se peut que vous fassiez face aux situations angoissantes avec un courage de pure réaction, affichant une intrépidité d'emprunt pour refouler vos craintes et le sentiment de votre fragilité.

Le refoulement vous fera accepter de plus en plus l'idée que vous êtes plus forte que les autres, plus résistante aux maladies reliées au stress, ou plus apte à supporter l'isolement. En même temps, le refus d'admettre le vieillissement commence à pointer. Vous refuserez du même coup les limitations physiques qui l'accompagnent et tenterez de dépasser vos limites. Vous vous tracasserez outre mesure à propos des signes extérieurs du vieillissement comme les rides autour de la bouche et des yeux, le léger affaissement des traits du visage, le relâchement du tonus musculaire, plutôt que des transformations internes. Souvent, ce refus du vieillissement vous rendra également insensible à l'écoulement du temps. Vous poursuivrez un travail non gratifiant ; remettrez à plus tard votre projet d'avoir un enfant, repousserez le désir de trouver un conjoint et refuserez de reconnaître votre recherche de plus en plus pressante de sécurité financière. Lorsque vous vous êtes coincée dans une situation critique de refoulement, vos préoccupations se limitent habituellement au présent. L'avenir est trop menaçant pour y penser et en conséquence, vous ne lui accordez aucune importance.

LE SENTIMENT DU REFOULEMENT

Au départ, peut-être choisirez-vous le refoulement comme moyen de faire face aux déceptions, à la solitude ou aux sentiments d'impuissance. Puis, vous refoulerez également la fatigue physique, émotionnelle et mentale, ce qui fera de vous une parfaite candidate au burnout. Quand vous commencerez à vous négliger, vous refusant repos et gratifications, votre perception du moi en deviendra subtilement ébranlée. Peu après, vous connaîtrez une distorsion de vos valeurs et un éloignement par rapport à vous-même. Le refoulement s'aggravera avec le temps, et vous vous désintéresserez de votre travail, de vos amis ou de votre conjoint. Ce détachement du monde extérieur engendre un sentiment de dépersonnalisation — une coupure avec votre monde intérieur. Vous commencerez à vous ressentir comme un objet plutôt qu'une personne, tout en continuant à dissimuler votre désorientation par la promesse « d'y réfléchir demain ». Bien sûr, ce syndrome de Scarlett O'Hara est trompeur : les intentions les mieux affirmées y sont fugitives. Privée de compensations physiques ou psychiques, une impression de vide dominera votre vie qui semblera dénuée de sens. Des sentiments de dépression peuvent faire surface, mais l'habitude du refoulement bien ancrée chez vous vous laissera vous enliser dans un burnout complet.

Le sentiment du refoulement a « quelque chose » d'agaçant. Ce « quelque chose » peut d'abord être reconnu puis refusé, malgré le risque de maladie ou de surmenage émotionnel. Il manque un lien entre votre aptitude à percevoir la manifestation des symptômes tels des maux de tête, une toux chronique, des envies soudaines de pleurer, des troubles du sommeil, un côlon irrité et celle de les ressentir comme des symptômes. Vous avez sans doute le désir inconscient ou la volonté consciente de ne pas voir ce lien important et de nier la relation entre les deux aspects. Si vous admettez cette relation de causes à effets, il faudrait peut-être changer complètement de mode de vie, mais ces changements vous paraissent lourds d'incertitude.

Essentiellement, le refoulement est au service du burnout. Il est ainsi facile de comprendre pourquoi il vous paraît nécessaire de minimiser, sinon de supprimer consciemment, vos conflits et votre fatigue. La femme qui s'accommode du refoulement de ses sensations désagréables comme l'ennui, la solitude et même l'outrage, sera aussi celle qui refoulera ou camouflera à l'occasion le stress qu'elle subit dans sa vie. Le stress agit comme une menace à l'ambition et à la réussite. Lorsque vous visez un but et que ce but est la priorité de votre vie, la fatigue en devient l'ennemi. Il est plus facile de nier la fatigue que d'abandonner sa passion pour un objectif.

Dans un cas typique, une femme déclarera après des mois de surmenage : « Je sais que je suis fatiguée, mais c'est une situation temporaire. Ce dont j'ai besoin, c'est une bonne nuit de sommeil pour me remettre d'aplomb. » La fatigue « qu'une bonne nuit de sommeil » fait disparaître n'est pas un symptôme de burnout, mais une surcharge occasionnelle qui est rapidement compensée. Il est important de se rappeler, en effet, que toutes les femmes qui se disent fatiguées ne sont pas nécessairement épuisées. Toutefois, il est tout aussi important de réaliser que lorsque cette « situation temporaire » dure depuis des semaines, des mois ou des années, le refoulement est à l'oeuvre et cette fatigue mérite qu'on s'y arrête sérieusement.

Le seul signe absolument certain du refoulement est l'écroulement physique. Vous pouvez toujours continuer de nier que vous êtes victime d'épuisement jusqu'à ce que vous en souffriez physiquement. Quand le corps se détraque, tous les projets sont remis à plus tard, l'activité s'arrête. Il faut espérer que si vous pensez être sur le point de craquer, vous reconnaîtrez la présence du refoulement et de développements ultérieurs bien avant qu'ils n'atteignent une phase critique.

LE STRESS ET LE BURNOUT CHEZ LA FEMME

Le stress quotidien est un aspect important du burnout chez la femme. Au bout d'une courte période, une « surcharge de stress » rend la personne irritable et capricieuse. Au bout d'une longue période, ce même stress quotidien accapare beaucoup d'énergie et provoque l'épuisement. Cette dépense d'énergie affecte la motivation, les attitudes et le comportement. En fait, lorsqu'on est affaibli, la vie peut se voir réduite à des insignifiances.

Le stress étant toutefois un élément positif dans nos vies, nous poussant à nous développer, à apprendre, à produire et à communiquer, il est essentiel de distinguer le « bon » stress du « mauvais » stress. On reconnaît le « mauvais » stress ou le stress négatif à l'impression qu'il nous donne d'être épuisée par des exigences « excessives ». Quand le stress négatif devient un mode de vie, il prend l'apparence de la routine. Comme le vieux cliché qui dit que « les arbres cachent la forêt », il en va de même pour la progression du stress qui se camoufle sous ses propres manifestations. « Je pensais que c'était la façon dont je devais me sentir », déclarait à plusieurs reprises une femme traitée pour burnout. « Je pensais que c'était dans la nature des choses. J'ai toujours vécu de cette façon. » Ce n'est que lorsqu'on lui fit remarquer que ses mécanismes de défense avaient été usés jusqu'à la corde par les exigences excessives de son monde intérieur, de son environnement et par le peu de compensation qu'elle en recevait qu'elle fut en mesure de prendre conscience du degré et de l'ampleur de son épuisement mental.

STRESSEURS ET AMPLIFICATEURS DE STRESS

Nous savons tous que certaines situations sont des stresseurs inconditionnels dans la vie courante et qu'ils sont inévitables : le fardeau des tâches quotidiennes, des difficultés financières, un enfant malade, le mauvais état de santé d'un parent, la perte de sa maison, la séparation d'un ami cher, d'un conjoint ou d'un amoureux. La menace de perdre son emploi ou la rencontre d'un étranger inquiétant qui vous aborde dans la rue peuvent aussi être des stresseurs. Ces expériences n'arrivent pas tous les jours, mais la réaction de stress qu'elles provoquent dans votre système nerveux n'est ni inattendu ni étrangère. Le réflexe « lutter ou fuir » se déclenche, vous incitant à « lutter » pour conserver votre emploi ou à « fuir » le danger. Ce sont de vieux mécanismes de survie. Le corps tente de s'accommoder de ces stresseurs en s'adaptant et en faisant les ajustements internes nécessaires.

Toutefois, il existe d'autres stresseurs qui ne sont pas aussi bien définis ou apparents, mais qui augmentent la tension reliée au burnout. Ce sont les *amplificateurs de stress*. Toute émotion forte qui est constamment refoulée ou oubliée concourt à augmenter le stress quotidien dans une vie « normale ».

— *La colère refoulée est un important amplificateur de stress*. Dès l'enfance, on interdit aux femmes de manifester leur colère. Si vous devez le faire, c'est subrepticement et rarement devant la personne concernée. La colère ainsi retenue menace fréquemment d'éclater, ce qui ajoute une tension aux relations personnelles et professionnelles.

— *Les conflits affectifs refoulés sont un autre implacable amplificateur de stress*. Par exemple, c'est ce que vivent les femmes qui ont toujours été aux prises avec l'autorité du père ou de la mère et qui portent le fardeau additionnel d'avoir à faire face à des situations hostiles, refoulées ou inexprimées. Les conflits affectifs sont alors refoulés et projetés sur quelqu'un ou quelque chose d'autre ; ils sont sublimés dans des manifestations exagérées d'abnégation, de discipline ou de perfectionnisme.

— *Les besoins négligés sont un amplificateur de stress fort significatif.* Traditionnellement, une jeune fille devait apprendre à se faire protectrice, à être gentille et à faire passer ses besoins en dernier. Vous avez dû en conséquence devenir une source fiable d'attention et de service pour les autres, tout en vous plaçant ainsi dans une position d'abandon. S'il n'y a pas une relation de réciprocité avec votre mari, vos collègues, les membres de votre famille et même votre employeur, vos propres besoins de protection sont condamnés à rester méconnus et sans réponse. Vous connaissez alors un sentiment de solitude qui augmente votre indice de stress.

— *La culpabilité est un amplificateur de stress important.* Si vous êtes mariée et menez de front une carrière, ou encore si vous êtes une divorcée monoparentale, il se peut que vous vous sentiez coupable d'abandonner vos enfants pour le travail. Afin de satisfaire à la vieille mentalité qui définit ce qu'est ou n'est pas une « bonne » mère, vous travaillerez à plein temps et continuerez d'assumer toutes les corvées et les tâches ménagères. La culpabilité peut vous aiguillonner jusqu'au point de vous pousser à vous dépenser au-delà des limites de votre endurance et vous empêcher de réclamer de l'aide, soit de votre mari, soit de vos enfants.

— *Le manque d'estime de soi est un insidieux amplificateur de stress.* L'histoire de la dynamique de votre famille peut servir à illustrer comment le manque d'estime de soi peut augmenter le stress. Supposons que vos parents aient été du type sévère et sermonneur ; à l'âge adulte, vous en avez gardé une pauvre image de vous-même. Le sentiment de ne pas être « assez bonne » vous incite à faire des efforts déraisonnables pour atteindre l'excellence, la reconnaissance et l'approbation des autres, ce qui ajoute un supplément de stress à votre vie.

Ces amplificateurs de stress sont difficilement perçus

et souvent minimisés, mais ils sont tout aussi importants pour la compréhension du burnout chez la femme que les stresseurs facilement identifiables dans la vie quotidienne. Si vous croyez être sur le point de craquer, il est important de commencer par évaluer l'importance des amplificateurs de stress que vous avez assumés jusqu'ici presque inconsciemment.

MALAISES RELIÉS AU STRESS ET PALLIATIFS

Il n'est pas étonnant que le nombre de femmes souffrant de malaises reliés au stress ait été en progression au cours des 20 dernières années. Les stresseurs et les amplificateurs de stress peuvent attaquer le système immunitaire et affaiblir la résistance à la maladie. Les femmes qui ont neutralisé leurs sentiments et qui continuent à refuser ou à négliger l'ensemble de leurs besoins particuliers sont sujettes à des malaises physiques qui se manifestent sous forme de symptômes et de maladies diverses.

La tension et les migraines sont parmi les plus courantes, ainsi que les maux d'estomac et de dos.

Les femmes vivant dans un état de stress continu sont prédisposées aux maladies typiques suivantes : le rhume chronique, une toux tenace, la constipation ou la diarrhée, un côlon irritable, les éruptions cutanées, l'étourdissement, l'insomnie ou l'assoupissement narcoleptique, parfois la colite et même des malaises coronariens.

Paradoxalement, dans une tentative de diminuer l'angoisse créée par un stress trop intense, celles qui en sont victimes chercheront des «palliatifs» pour enrayer la progression vers le burnout : l'alcool, le tabac, les tranquillisants et les amphétamines, la cocaïne, la caféine euphorisante et l'excès ou la privation de nourriture. Lorsque le stress est trop fort, que vous êtes exténuée ou tout simplement fatiguée, vos perceptions et votre jugement sont faussés. Vous pourriez être en proie à des sentiments de paranoïa ou d'inutilité, à une perception confuse de la durée du temps, à des angoisses d'identité et à des accès de masochisme. Vous chercherez peut-être alors le palliatif capable de transformer votre univers interne, le rendre vivable et masquer temporairement ces symptômes. Vous reviendrez ainsi sur la voie de l'épuisement avec une vigueur renouvelée, indifférente au fait que le palliatif n'aura servi qu'à camoufler et exacerber vos tendances néfastes. La solution des palliatifs ne fait que vous fermer les yeux sur le fait que vous pénétrez encore plus profondément dans le cycle du burnout et que vous vous éloignez encore plus des vraies solutions.

CYCLE DES SYMPTÔMES ET PHASES DU BURNOUT

Les femmes deviennent victimes de burnout quand elles sont trop stressées et qu'elles refusent de le reconnaître. Vous pouvez à bon droit vous demander, comme plusieurs autres l'ont fait : « Quand donc commence vraiment le burnout ? » Ou : « Comment savoir si c'est de l'épuisement, après tout, j'en connais plusieurs qui se sentent coincées et trop stressées. »

Il n'existe évidemment pas de méthode infaillible pour reconnaître exactement l'origine du processus. Malheureusement, une femme épuisée admet rarement qu'elle a des problèmes avec les contraintes de sa vie, encore moins qu'elle se sent accablée. La plupart des femmes souffrant de burnout sont fières de leur endurance et de leur aptitude à se multiplier et à venir à bout de leurs nombreux rôles. Ce n'est que devant la maladie qu'elles avouent leur accablement. Une fois de plus, la fatigue est ignorée. Ce n'est habituellement que lorsque l'état d'épuisement est perçu avec certitude que les femmes demandent de l'aide, des conseils ou des solutions réelles. Il faut se rappeler que toutes les femmes fatiguées ne souffrent pas nécessairement d'épuisement. Comme on l'a souligné plus haut, si une bonne nuit de sommeil peut refaire vos énergies et vous remettre dans une saine disposition d'esprit, il ne peut s'agir que d'une surcharge circonstancielle. Le cycle des symptômes du burnout comprend 12 phases identifiables qui révèlent un état d'épuisement. Cette liste vous aidera à faire la différence entre une fatigue temporaire et la naissance d'un état d'épuisement.

Voici de façon succincte les phases du cycle des symptômes du burnout :

1. Le besoin compulsif de s'affirmer
2. L'intensité
3. L'oubli de soi
4. La dénégation
5. La distorsion des valeurs
6. Le refoulement
7. Le désintéressement
8. Les changements notables de comportement
9. La dépersonnalisation
10. Le vide intérieur
11. La dépression
12. Le burnout complet

Si vous souffrez de burnout, vous éprouverez simultanément des symptômes liés à l'une ou à plusieurs de ces phases. La progression du burnout n'est pas toujours celle d'un scénario bien déterminé. Les phases se confondent souvent. Vous pourriez vous arrêter à une phase ou sauter de l'une à l'autre. Les effets liés à une phase en particulier peuvent vous échapper alors que l'intensité d'une autre phase vous apparaîtra comme insupportable. La durée et l'intensité de ces phases dépendent de votre état individuel, de votre personnalité, de vos tendances, de vos antécédents et de votre aptitude à vivre avec le stress.

Pour un développement plus élaboré des diverses phases du burnout, passez au chapitre IV intitulé « Les symptômes du burnout chez la femme ». Chaque phase du cycle y est exposée, accompagnée d'exemples qui vous permettront d'identifier vos propres symptômes. L'important est pour le moment de comprendre que vos symptômes s'aggraveront si vous ne les enrayez pas, si vous les refoulez ou les masquez avec des palliatifs. C'est pour cette raison qu'il est essentiel d'éviter de se laisser embourber dans ce qu'une femme appelait justement « la roue sans cesse en mouvement du refoulement ».

LE BURNOUT EST-IL UNE DÉPRESSION ?

Plusieurs femmes profondément engagées dans le cycle des symptômes du burnout se décrivent elles-mêmes comme étant « déprimées ». Comme vous avez pu le constater dans la liste des phases, la phase II est celle de la dépression. Toutefois, la dépression qui découle de l'épuisement et la dépression chronique se ressemblent beaucoup. C'est un point sujet à beaucoup de confusion et trop de femmes qui se plaignent d'un manque d'énergie, de l'impression d'être coupée du monde et d'un défaitisme croissant, sont traitées pour dépression plutôt que pour épuisement. *Il s'agit d'une grave erreur de diagnostic.*

C'est assez simple. La dépression chronique et la dépression qui découle d'un épuisement se manifestent de la même façon. Toutefois, leurs causes et leur traitement respectif diffèrent largement. Le burnout est causé par un excès de stress et de fatigue. Il est caractérisé par la diminution de votre énergie et des changements d'attitudes. Après un certain temps, les pressions impitoyables et l'incapacité de contrôler son environnement ou de surmonter les exigences et les attentes internes provoquent une transformation de vos perceptions et de vos sentiments. La dépression est causée par le choc d'un événement ou d'une série d'événements déclenchés par une perte et se caractérise par la tristesse, l'affaissement et une sensation de deuil. La mort d'un conjoint ou d'un parent, un divorce ou le départ d'un compagnon, un déménagement dans une autre ville, un congédiement, le traumatisme d'un accident ou de blessures, ou tout autre événement violent et inattendu peuvent vous plonger dans la dépression.

Si vous souffrez de burnout, vous vous sentirez dégoûtée, vidée ou déçue au travail ou à la maison, mais pas nécessairement en société. Ou encore, vous serez épuisée au travail, mais requinquée par la présence de quelques bons amis. Les combinaisons sont variées. Une dépression affecte vos sentiments et votre humeur sur tous les plans. Quoi que vous fassiez, il y a peu ou pas de joie du tout. Des sentiments d'inutilité, d'ennui ou de mécontentement s'infiltrent dans tous les aspects de votre vie. Rien ne peut influer sur ces sentiments de perte. Cet état nécessite souvent les soins d'un médecin et une médication.

Enfin, une personne déprimée a tendance à tout lâcher. Ce qui n'est pas le cas pour une personne qui souffre de burnout. Elle cherchera à retrouver ses énergies perdues dans les drogues et l'alcool. Elle pourra avoir recours aux palliatifs pour retrouver son ardeur, son enthousiasme et sa motivation. La femme déprimée quant à elle cherche dans les drogues ou l'alcool l'oubli des sensations douloureuses de la dépression. C'est du répit qu'elle demande, et non pas de l'enthousiasme.

Il devient encore plus difficile d'établir la différence entre la dépression et le burnout quand une femme engagée dans le cycle du burnout passe à la phase II, celle de la dépression. Dans ce cas, il ne faut pas oublier que la dépression est le symptôme d'un état d'épuisement — le résultat d'un stress prolongé — et non d'un événement soudain. Le burnout est souvent diagnostiqué, par erreur, dépression chronique parce que les symptômes superficiels des deux états se ressemblent. Toutefois, si vous voulez faire la distinction entre les deux, il faudrait commencer par examiner votre propre histoire.

Pour souffrir de dépression chronique, il faut avoir connu dans votre vie des événements qui ont eu sur vous des effets démoralisants. Leur apparition soudaine a ébranlé votre système et vous avez maintenant l'impression de vivre un deuil perpétuel. Vous trouvez difficile de travailler ou de manger, ne pouvant vous concentrer, vous exprimer ou réagir sans y mettre beaucoup d'efforts. Vous vous sentez dépérir et êtes impuissante à mettre fin à ce malheur qui vous accable.

Si vous souffrez d'un burnout qui se manifeste par la dépression, c'est que vous vous êtes débattue depuis trop longtemps pour atteindre des objectifs ou des satisfactions qui sont soit inaccessibles, soit disproportionnés par rapport à votre attente. Ou encore, vous vous êtes privée de relations intimes depuis trop longtemps et vous vous êtes détachée de vous-même. Après un certain temps, votre personnalité subira probablement une série de changements. Ainsi dans votre comportement, de calme et posée que vous êtes, vous deviendrez irritable et maussade ; vos attitudes deviendront cyniques, votre perception du monde, peu rassurante et votre jugement irrationnel. La dépression progresse selon un régime de baisse et de reprise de l'énergie.

La dépression qui découle d'un épuisement doit et devrait être reconnue et traitée comme un symptôme très sérieux du cycle complet du burnout. En tenant compte de ces distinctions, vous serez sûrement en mesure d'identifier la cause de la dépression et de prêter attention aux méthodes de prévention et de guérison du burnout.

Si vos doutes persistent et que la nature de votre état ne vous semble pas évidente, il vaudrait mieux chercher l'aide d'un professionnel : psychiatre, psychanalyse, psychologue ou travailleur social.

LE BURNOUT AIGU ET CHRONIQUE CHEZ LA FEMME

« J'ai l'impression d'avoir été épuisée toute ma vie. »

« Je pense être du genre à être épuisée. »

« Le burnout, c'est pour moi un genre de vie... »

L'une de ces déclarations vous semble-t-elle familière ? Si oui, vous souffrez probablement de burnout chronique. Ces affirmations reflètent un style de vie dont les caractéristiques sont l'angoisse et la fatigue. Les femmes qui se décrivent ainsi viennent probablement de réaliser que la majeure partie de leur vie émotive et physique s'est passée à combattre les symptômes de l'épuisement.

« J'ai l'impression d'avoir fonctionné à toute vapeur presque toute ma vie », déclare une femme. « Je ne me suis jamais complètement détendue. Mon esprit est toujours en mouvement, la roue tourne, et même quand je pense que je suis détendue, je ne le suis pas. Mentalement, je fais des listes, je me tracasse, j'essaie d'améliorer mon apparence, ma personnalité, mes talents, mes amitiés... C'est fou, quoi ! N'importe quel événement ou situation devient un prétexte d'activité toujours plus effrénée... Je me fatigue. Il ne semble pas y avoir d'issue. Parfois je pense que je m'épuise à vivre... »

Les épuisées chroniques cherchent constamment des solutions pour échapper à leur épuisante vie intérieure. Leurs mécanismes de défense ont tendance à devenir de plus en plus inefficaces et elles évoquent souvent leur impression d'être «crevées» ou «vidées». Il leur arrive d'être vidées de toutes leurs énergies et elles sont projetées vers des phases plus critiques du cycle du burnout. Ce processus a tendance à être répétitif.

Si vous soupçonnez être sujette à l'épuisement chronique, vous opterez consciemment ou inconsciemment pour de nouveaux mécanismes de défense qui amoindrissent les blessures et les déceptions que vous subissez, mais vos choix répondront rarement à vos besoins. Étant donné votre fébrilité mentale, vous pourriez être exposée à passer d'un extrême à l'autre.

Une semaine, votre déception portera sur le monde extérieur : vous refoulerez vos réactions émotives («Je ne suis pas en colère !») ; vous rejetterez le blâme sur une circonstance indépendante de vous («C'est la faute de cet appartement ; je devrais en trouver un nouveau...») ; vous critiquerez les autres («Ce sont ces incompétents qui sont la cause de...»), et vous aurez une tendance à la paranoïa («On ne peut pas se fier à personne ici...»). La semaine suivante, vous vivrez le contraire avec de longues périodes de doutes sur vous-même, de remords et de dénigrement. Vous passerez inconsciemment d'une attitude à l'autre, sans jamais arriver à vous rendre compte que vous vous brûlez vous-même et que vous ne recevez aucun des supports émotifs qui vous aideraient à vivre.

La plupart des femmes vivant un burnout chronique ont un tempérament de protectrice qui s'exerce au foyer ou à l'extérieur, et ont consacré une grande part de leurs énergies à donner des soins, de l'attention et de l'affection aux autres. Fille du syndrome «donner pour recevoir», mais souvent aussi favorisée par un apprentissage précoce, cette générosité est devenue une réaction compulsive à votre connaissance intuitive des besoins des autres. Il arrive fréquemment que les femmes se sentent mal à l'aise de recevoir le réconfort dont elles ont besoin. Vous aurez l'impression que vos demandes affectives éloigneront les personnes dont vous vous occupez, ou que vous, vous n'auriez pas besoin d'être réconfortée si vous étiez tout à fait autonome. Par compensation, vous irez vers des palliatifs du plaisir comme l'alcool, la cocaïne, l'orgie alimentaire, les achats extravagants au-delà de vos moyens, un « party » quand vous êtes exténuée, ou encore des rapports sexuels d'occasion. Mais vous continuerez de vous sentir vide et absente de vous-même. Ce qui a pour effet d'intensifier votre épuisement et d'accélérer les symptômes sournois du cycle du burnout.

Le burnout chronique trouve principalement sa source dans des exigences et des jugements, réels ou imaginaires. Votre activité mentale est en constante ébullition. En l'absence de personnes ou de situations qui vous les imposeraient, vous créez vous-même ces exigences. Votre besoin compulsif de faire vos preuves ou de tout réussir à la perfection englobe indifféremment toute votre activité. Vous pensez devoir exceller sur tous les plans. Vaincue par la fatigue, vos propres limites personnelles, le manque de temps ou de talent, votre échec servira de mesure à votre définition de vous-même. C'est ainsi que la vie deviendra pour vous « une série de courses à pied du 1 500 m en 7 minutes ».

Le burnout chronique s'inscrit dans la longue histoire d'une dynamique familiale où vos besoins tant physiques que psychiques ont été délaissés. La plupart des femmes qui souffrent de burnout chronique passent beaucoup de temps à se tracasser, à savoir si elles sont à la hauteur, si elles sont attentives aux besoins et aux caprices de ceux qui les entourent, en s'y donnant de plus en plus à fond. Prises dans l'étreinte des amplificateurs de stress comme la culpabilité, la colère, l'hostilité, le manque d'estime de soi ou la négligence de leurs besoins, elles traînent avec elles un vieil attirail psychologique dépassé. Toutefois, il arrive souvent de voir une épuisée chronique, quel que soit son niveau d'énergie, se montrer à la hauteur de la situation de façon fiable et efficace pour répondre à des exigences extérieures. Par la suite, elle retombera dans les profondeurs de son angoisse et de sa fatigue. Ce mécanisme est souvent répétitif.

Le burnout aigu *n'est pas* un état progressif dans la vie d'une femme, mais un état qui survient à la suite d'une ou de plusieurs conditions qui ont été soit choisies, soit imposées. Un travail, une relation, des problèmes financiers, les enfants, la famille, la maladie ou tout autre événement ou suite d'événements, peuvent vous jeter dans un burnout aigu. Vous relèverez le défi avec des idéaux et des espoirs considérables, mais après un certain temps, vos énergies s'épuiseront de plus en plus et votre ardeur à la tâche diminuera. Pour certaines, le travail deviendra leur intérêt principal aux dépens de leur vie sociale. Pour d'autres, les occupations domestiques accapareront tellement leur temps qu'elles en oublieront leurs besoins de solitude. Comme toujours, ce qui est désiré se confond avec ce qui est nécessaire et vous ne savez plus trop quelles sont vos vraies valeurs. En crise de burnout aigu, vous vous verrez répondre à toutes les urgences extérieures, mais à aucun de vos besoins les plus profonds.

Contrairement à celle qui souffre de burnout chronique, la femme qui souffre de burnout aigu ne reconnaît pas les symptômes d'épuisement. Sa vie n'a pas été une série de courses à pied. Elle aura entendu parler de l'épuisement et compris qu'il s'agissait de fatigue, mais elle n'a pas connu cette opiniâtre lassitude vis-à-vis ses sentiments et ses attitudes. Comme le déclarait une femme traitée pour burnout aigu : « Je ne me suis jamais sentie ainsi de toute ma vie... Je ne fais que donner, donner, et je ne ressens plus rien. Je n'ai jamais été aussi peu maîtresse de moi... Je veux qu'on me laisse seule. Je n'ai plus de concentration, j'ai l'impression de crier après tout le monde, je ne discute plus avec mon mari, je ne fais que le quereller, et j'ai perdu tout mon enthousiasme pour mon travail. Je me sens comme une morte vivante... Je ne suis plus *moi*... »

Les femmes qui souffrent de burnout aigu ne sont pas habituellement submergées comme les épuisées chroniques et n'ont pas non plus l'habitude de chercher des solutions. Leur vie n'a pas été désorientée de la même façon. Elles prétendent pouvoir « effacer cette chose » et se renforcer, convaincues que les contraintes se dissiperont, seront résolues ou disparaîtront tout simplement et qu'elles s'en relèveront. Toutefois, à l'instar de sa consoeur, épuisée chronique, la femme dont le burnout est aigu ne comprend habituellement pas qu'elle a désespérément besoin d'une source extérieure de soutien émotif et d'attention.

Les épuisées chroniques et aiguës souffrent réellement d'attentes et de réprobations imaginaires, mais la victime de burnout aigu ne souffre pas des mêmes amplificateurs de stress. Elle n'aura probablement pas à mener d'aussi grands combats contre les vieux conflits psychologiques familiaux. Et à moins d'être entraînée dans les phases critiques du cycle des symptômes du burnout, elle ne prendra pas ses défaites pour une définition d'elle-même.

Toutefois, quelques femmes souffrant de burnout aigu verront cette expérience se répéter plus tard dans leur vie, mais ce sera naturellement pour d'autres causes. Elle pourrait dans ce cas fournir l'explication suivante : « L'an dernier, c'est une relation amoureuse qui a été la cause de mon épuisement... J'y avais tout mis et je m'y suis perdue. Il était toute ma vie... mais c'était trop intense. Ni lui ni moi ne pouvions le prendre. J'ai juré que jamais plus je ne m'engagerais aussi intensément. Cette année, mon épuisement, c'est le travail. Quand j'y pense, les symptômes sont exactement les mêmes, sauf que cette fois je m'en rends compte plus tôt... »

Vous aimeriez savoir si vos tendances vous prédisposent à un burnout chronique ou aigu ? Comment les imaginez-vous dans votre vie ? N'oubliez pas, surtout, qu'aucun de ces burnouts n'est insurmontable et que les deux sont réversibles. Nous envisagerons un certain nombre de méthodes pour rétablir l'harmonie entre vos désirs et vos besoins, de façon à vous permettre de trouver les solutions qui vous conviennent, y compris celle de savoir désapprendre le refoulement.

Mais auparavant, après avoir appris la nature du burnout, peut-être désirez-vous connaître quelles en sont les causes et pourquoi les femmes en souffrent.

CHAPITRE II

Pourquoi les femmes souffrent-elles de burnout?

« Je pense que pour toutes les femmes il existe un conflit fondamental entre la façon dont nous avons été éduquées et le monde réel... Les femmes ont toujours été partagées entre ce qu'on attend d'elles et ce qu'elles sont véritablement. »

Cécile

SUR LA GÉNÉROSITÉ

« Ma mère avait coutume de me dire que la « sympathie attire la sympathie », et que si je voulais être aimée, je devrais être un bon exemple pour les autres... Je souhaite parfois qu'elle n'ait rien dit. Je m'épuise à prévenir les besoins des autres. Je me sens coupable quand je dis « non » ou quand je fais une remarque négative sur quelqu'un, mon mari ou mes amis. J'ai été horrifiée la première fois qu'on m'a demandé de congédier une collègue. Elle se présenta quand même au travail le jour suivant. Je la réconfortai de mon mieux, mais elle n'a jamais compris mon intention. »

Janine, 28 ans

SUR LA SOLITUDE

« Lorsque vous avez travaillé fort et que vous vous sentez épuisée par votre travail, il est difficile de se passer d'une présence chez soi. À la longue, cela prend des proportions... vous vous mettez à désirer ardemment sympathie et intimité. J'ai passé des années à courailler les rendez-vous et les « parties », couchant à gauche et à droite... et puis j'ai manqué de souffle. J'étais fatiguée de m'organiser une vie sociale, de recevoir à dîner, de me trouver des amis et de tout faire seule. Maintenant, je passe trop de soirées seule et j'ai peur que ce soit ainsi que se passera le reste de ma vie. Quand j'étais jeune, l'idée d'être seule à l'âge adulte ne m'avait jamais effleurée. Personne ne m'en avait jamais parlé... personne n'aurait jamais osé évoquer cette possibilité... »

Dorothée, 35 ans

SUR L'IMPUISSANCE

« Je ne suis certainement pas sans moyen, mais je commence à me sentir démunie au travail. On m'a toujours dit que si je faisais du bon travail, si j'étais douée et bonne collaboratrice, je serais récompensée et on me demanderait de me joindre au club. Mais il s'agit du « club masculin » et quoi que je fasse, j'y suis toujours bannie. Tout cela est très subtil. Vous pensez faire partie d'une équipe et vous découvrez qu'on vous exclut du jeu. Le capitaine de l'équipe vous parle quand vous êtes sur le banc des joueurs, mais en moins de deux, il vous met à l'écart du jeu. Je ne me sens pas à l'aise dans ce monde et cette exclusion m'épuise... »

Catherine, 41 ans

« Il est difficile d'être autonome, indépendante et maîtresse de ses émotions... Je me sens parfois très dépendante et cela me bouleverse. C'est comme si on voyait de la boue sur mes chaussures. Si je ne l'essuie pas, je perdrai contenance et tout le monde m'évitera. Je mets beaucoup d'énergie à dissimuler mes besoins... Je m'efforce d'avoir plus d'assurance et de tenir tête aux gens. Mais je pense qu'il s'agit là d'une autonomie de façade. Il se passe quelque chose en moi que je n'aime pas... Je ne ris plus jamais comme auparavant. Je passe d'un rôle à un autre et change d'identité, mais tout demeure comme avant. Je pense qu'il existe un conflit fondamental entre la façon dont nous avons été éduquées et le monde réel... Les femmes ont toujours été partagées entre ce qu'on attend d'elles et ce qu'elles sont véritablement. »

Cécile, 26 ans

Janine, Dorothée, Catherine et Cécile présentent toutes des symptômes de burnout. Elles sont aux prises avec les causes de l'épuisement chez les femmes. Les problèmes qu'elles soulèvent ont quelque chose en commun. Chacune de ces femmes se pose la même question ambiguë : Comment vivre avec les nouvelles exigences socio-culturelles tout en restant soi-même ?

Votre éducation féminine vous imposait certaines valeurs qui se manifestent dans le tissu de vos vies, en tenant compte de la diversité des dynamiques familiales, des personnalités et des dispositions de chacune. Votre condition présente est inscrite dans le passé : la famille, la culture, la politique et les médias vous ont façonnée. C'est le handicap dont souffrent la plupart des femmes qui se battent contre l'épuisement. Elles veulent savoir comment accorder leur conditionnement passé à leur nouvelle conscience. Seules les femmes rencontrent cette difficulté.

Mariée ou célibataire, veuve ou divorcée, avec ou sans enfants, les femmes qui sont engagées dans l'une des phases du cycle du burnout se sentent « en manque ». Un besoin essentiel demeure insatisfait. Cet élément mystérieux de votre vie devrait être décodé. Votre première action défensive consiste à localiser en vous-même la « région troublée », puis à essayer de la circonscrire. La « région troublée » révèle souvent le conflit entre les vieilles attitudes solidement ancrées et les récents changements culturels concernant les rôles. Comme il est en quelque sorte plus facile de modifier son comportement que de transformer une façon de penser, plusieurs femmes s'efforcent de changer leur comportement. « Il faut que je devienne plus assurée, déclare une femme, je suis beaucoup trop timide avec les gens. » « Il faut que je devienne plus objective et moins émotive », affirme une autre. Une troisième veut essayer de réagir plus vite et de moins parler pour mieux contrôler sa vie, tandis qu'une dernière constate qu'elle est devenue trop autoritaire : « Je dois être plus accommodante. Je fais fuir les gens. »

Ces femmes sont aux prises avec des idées conflictuelles concernant les rôles qu'elles doivent ou ne doivent pas jouer et le comportement à adopter. La plupart d'entre vous ont été encouragées par leurs familles à une certaine passivité, à se comporter avec certains égards, à accepter une dépendance de principe. Par ailleurs, la société vous pousse à vous affirmer, à revendiquer vos droits et vos convictions, à vous exprimer librement. Pour plusieurs, ce conflit des rôles, des problèmes d'attitudes et de modifications du comportement constituent un facteur constant de stress qui épuise leurs énergies. « J'essaie d'être tout à la fois », déclare une jeune vendeuse. « Je fais des efforts pour rester humaine et dévouée ; je cherche à être reconnue pour mes qualités ; je m'efforce d'avoir un comportement autonome et professionnel et je tente de mener une vie personnelle qui m'apporte un peu de plaisir. Je n'y arrive pas... Je me sens prise dans un étau et sur le point de claquer. »

C'est de ces graves pressions dont plusieurs femmes tentent de se libérer. L'accumulation de dilemmes et de conflits trop nombreux risque de provoquer un dégoût de la vie. On peut toutefois explorer séparément les conflits entre les valeurs anciennes et les nouvelles et entrevoir une solution satisfaisante. Pensez-vous souvent que l'on vous considère comme faisant partie du décor ? L'isolement ou peut-être même la solitude se sont-ils installés dans votre vie ? L'impression d'incapacité assombrit-elle votre vie personnelle et / ou professionnelle ? Les notions d'autonomie et de dépendance sont-elles devenues pour vous une source de frustration et de confusion émotive ? La question importante reste cependant la suivante : À quel point ces quatre problèmes vous ont-ils vidée de vos ressources et harcelée jusqu'au burnout ?

LE BURNOUT ET LA FEMME PROTECTRICE

Êtes-vous aux prises avec le besoin de donner ou de recevoir et peut-être même avec le droit aux sentiments qui y sont liés ? Il se peut que l'habitude de donner soit si fortement ancrée dans votre comportement que ce geste soit devenu partie de vous-même. Si vous êtes de nature protectrice, c'est sûrement que vous avez été entraînée à jouer ce rôle vis-à-vis des hommes, des enfants et autres personnes de votre entourage. Et vous supposez que sans cela, vous perdriez ce que vous imaginez représenter votre vraie valeur. Certaines femmes se sentent ébranlées et vulnérables lorsqu'elles commencent à orienter leur attention vers un travail ou une carrière.

D'autres se sentent désorientées quand le travail devient le seul domaine où elles peuvent manifester leur nature protectrice. Celles qui retournent sur le marché du travail après avoir fondé une famille soulagent leur sentiment de culpabilité en redoublant de générosité à la maison, tout en intensifiant leur rendement au travail. Mais la partie est perdue d'avance. Dans leur lutte pour se réaliser, elles tentent d'escamoter leurs propres besoins de protection, refusant même parfois d'admettre qu'elles en ont. En prenant cette distance émotionnelle, elles commencent à souffrir de stress, de fatigue et entre dans les premières phases du burnout.

Le problème devient encore plus compliqué si vous ne savez pas recevoir. Vous penserez alors que votre seul véritable rôle est menacé ; que vos prérogatives de femme protectrice sont usurpées. Ou vous penserez que vos attentions protectrices sont à troquer, que vous pouvez librement faire commerce de vos émotions. Ou vous vous sentirez tout à fait mal à l'aise de recevoir, parce que ce n'est pas compatible avec votre image et que vous craignez à la longue d'être assujettie en quelque sorte et de perdre le contrôle. Le plus souvent, toutefois, une protectrice ne sait pas comment demander et n'est même pas sûre que sa demande soit convenable ou réalisable. Elle continue alors à donner, consciente que même si elle se sent satisfaite de sa façon d'agir, elle sera en proie au vide intérieur.

Cette tendance protectrice, toutefois, n'est pas toujours gratifiante. Certaines femmes la trouvent excessive, comme Janine, 28 ans, qui à propos de sa difficulté à congédier une employée évoquait les attitudes protectrices de sa mère :

> « Elle n'était jamais contente de ce que vous acceptiez d'elle ou de ce qu'elle donnait. Aux repas, en compagnie d'invités, elle n'était contente que lorsque les invités en demandaient trois fois... Elle insistait jus-

qu'à la tyrannie pour dire que les invités avaient encore faim. «Si vous n'en reprenez pas, disait-elle, je penserai que vous n'aimez pas cela», forçant un invité timide à se faire servir de nouveau. Ces manières autoritaires semblaient combler un besoin profond...»

Dans ce cas, l'attitude protectrice ou nourricière est une façon de chercher à dominer une partie d'une vie par ailleurs vouée à la soumission. Pour la mère de Janine, c'était le seul exutoire à la domination qu'elle supportait. Pour d'autres femmes, l'attitude protectrice leur donne de l'importance, une forme de présence. Dans les cas extrêmes, donner devient une frénésie. Une femme peut y perdre tout sens des proportions et toute intuition. Elle ne peut vivre que si elle est dérangée, autrement elle se sent envahie par l'horrible vide de sa vie.

Ce sont les aspects négatifs du problème. La plupart des femmes ont été amenées par leur éducation à des attitudes protectrices qui consciemment ou inconsciemment se sont greffées sur leur vie. Cette éducation est bien «reçue», mais plus tard, à l'âge adulte, elles accepteront difficilement d'accepter que leurs besoins soient comblés.

Voyons maintenant comment, de façon générale, se fabrique une femme protectrice.

A. *Anatomie d'une femme protectrice*

Le besoin de donner n'est pas nouveau pour la femme protectrice. Savoir être prévenante est souvent l'une des premières leçons qu'apprend consciemment ou inconsciemment la petite fille. Elle en portera le poids toute sa vie. Sa mère lui aura généralement servi de modèle de prévenance. C'est la première personne qui prodigue ses soins à l'enfant, qui satisfait sa faim et son besoin d'affection, qui le soigne. Même si personnellement la mère a son lot de besoins non comblés, elle sait que sa fonction principale est de prendre soin de son enfant et offre à sa fille une image qui lui permettra de s'identifier. Les mères ont aussi été des filles qui ont reçu une même éducation.

Les enfants des deux sexes se perçoivent d'abord à travers les soins qu'ils reçoivent, mais en tant que petite fille, vous avez probablement ressenti que plus tard votre tour viendrait de prendre soin des autres. À regarder faire votre mère, vous pouviez prédire les besoins de chacun et la façon d'y répondre. Vous saviez intuitivement qui était en colère, qui avait besoin d'attention et à quels moments il fallait être sage et charmante. Vous avez sans doute également appris à divertir, habileté qui découle de la prévenance. Les enfants de sexe féminin emboîtent le pas à leur mère et comprennent qu'une personne de bonne compagnie doit être agréable, aimable, joyeuse, intéressante, souvent flirteuse et parfois drôle. Ayant fait des sensations et des sentiments votre univers, vous savez, en tant que jeune femme protectrice, exploiter et souvent même manipuler les émotions avec plus de succès que vos frères. Vous avez été entraînée à écouter.

Apprentie en prévenance, vous avez acquis une sensibilité aiguë aux besoins des autres, mais vous n'avez pas nécessairement le sentiment que vous maîtrisez votre environnement ou que vous pouvez le modeler. Vous avez peut-être compris qu'il vous est impossible de vous tailler une place et de vous faire reconnaître par raisonnement pur, mais que vous pourriez très bien vous imposer par le moyen de ce que vous avez perçu comme étant des « caractéristiques féminines ». On apprend souvent aux filles que la faiblesse « petite fille » peut avoir son impact, que la séduction, ça marche parfois, mais qu'être « bonne », c'est vraiment la clé du succès. La « bonté » élimine toute trace de colère ou de méchanceté. Elle comporte l'idée de générosité, de prévenance, de douceur, de gentillesse et d'abnégation. De plus, si votre ingénuité vous a permis de recevoir l'attention recherchée, vous savez que vous risquez d'être punie pour votre audace. Dans plusieurs familles, les deux attitudes sont nettement tranchées. Si on accepte une touche de gentille impertinence, il vous faut éviter d'y apparaître comme une petite peste trop futée. Quand ces comportements sont approuvés, ils se gravent de façon indélibile dans votre conscience comme des méthodes d'affirmation de vous-même, ou même parfois de survie.

Les petites filles qui sont conditionnées à devenir protectrices comprennent qu'elles ne seront «bonnes» que si elles savent reconnaître avec précision les humeurs des principaux membres de la famille. Elles doivent développer une sensibilité extrême aux expressions des visages, au langage du corps, aux styles vestimentaires, aux timbres de voix et autres symboles visuels et auditifs. Une femme interviewée décrivait ainsi son enfance :

> «Je n'avais qu'à regarder la cravate de mon père pour savoir s'il avait passé une bonne nuit. Si le noeud était bien en place à son retour à la maison, je courais l'embrasser. Si le noeud était défait ou relâché, je courais dans ma chambre et j'attendais... Je pouvais prévoir le comportement de ma mère aux bruits de la vaisselle dans la cuisine. Je savais qu'il y aurait une vive discussion quand le choc des assiettes sur la cuisinière montait en décibels.»

C'est bien l'essence même de la prévenance : interpréter les signaux des caprices et des désirs de votre entourage avant de choisir la façon d'y réagir. C'est l'une des premières qualités requises de la femme protectrice. Toutefois, *en aucune façon cette leçon ne tient compte du besoin de protection de la jeune fille, de son habileté à le réclamer ou à l'accepter.*

Quand la jeune protectrice devient plus âgée, elle ajoute des nuances à son répertoire de générosités. Elle incorpore dans ses perceptions les colorations subtiles et les textures des personnes et devient assez experte à prédire leurs réactions émotives aux situations et aux événements. Mais comme son attention aux autres ne fait qu'obscurcir ses propres besoins, elle se propose et offre ses services dans une élégante chorégraphie de générosité, simulacre qu'elle reproduira toute sa vie. «Je suis bien, merci», répond-elle. Ou bien: «Ne vous inquiétez pas pour moi.» «Puis-je vous offrir quelque chose à manger?» Elle grimpe aux arbres ou joue au base-ball à l'extérieur, mais dans l'intimité, elle refrène ses attitudes expansives, se contentant de lire et d'observer les autres. Si elle est en colère, elle ravale son émotion, ayant compris que, selon la dynamique propre de sa famille, si elle l'exprime, elle perdra le soutien psychique de sa mère, de son père et de parents plus âgés. Lorsqu'elle est offensée, elle ne fustigera pas impulsivement, ce qui amènerait des conséquences fâcheuses. Elle prendra plutôt sur elle en tentant de retenir ses larmes, se demandant ce qu'elle a fait de mal.

Ces expériences vécues dans l'enfance évoquent-elles, pour vous, des souvenirs? Si vous vous reconnaissez dans ces sentiments, vous vous souviendrez d'avoir compris que vous étiez entièrement dépendante de vos parents pour votre équilibre et votre sécurité psychiques et que vous avez graduellement appris à dissimuler vos besoins, vous entraînant à contrôler vos émotions. Vous vous êtes probablement rendu compte que vous ne pourriez pas gagner l'affection des autres en étant un fardeau pour eux. À moins qu'il n'ait expérimenté de tels besoins, votre père aura délaissé ceux de sa fille et un surcroît de demande émotive aurait émergé et surchargé votre mère. En réaction, vous êtes devenue secrète et n'avez plus manifesté votre mécontentement qu'à travers le sarcasme ou le sous-entendu. Ce sont là des formes anodines d'autoritarisme qui sans doute ont eu peu de conséquence dans la famille, surtout si leur interprétation est demeurée imprécise. Le plus souvent, on aura répondu à vos remarques caustiques par une plaisanterie cassante comme «Elle change, c'est son adolescence» ou «À cet âge, elles savent tout». Si ces réparties vous rappellent quelque chose, c'est que vous avez sans doute senti qu'elles tendaient à réprimer votre individualité et démontraient une incompréhension que vous espériez surmonter dans votre vie d'adulte.

Avec votre sens aigu de l'observation, vous aurez remarqué qu'il existe une complicité entre femmes, votre mère et ses amies, par exemple. Ces femmes parlaient ouvertement et de façon expressive de leur vie privée, mais vous ne saviez probablement pas trop comment intégrer dans votre vie leurs valeurs et leurs expériences. Vous avez sûrement entendu plus de plaintes que de revendications, plus d'expressions des valeurs propres à leur génération que celles plus radicales de la vôtre. À les écouter, vous vous sentiez secrètement déphasée ou anormale, vos propres désirs étant beaucoup plus vastes que ce que la vie pouvait offrir, selon elles. Même si vous avez entretenu le fantasme de créer votre propre paradis, vous avez sans doute eu peur de ne pas avoir le talent, l'habileté, l'énergie ou même l'intelligence suffisante pour y arriver.

Janine a également parlé des fantasmes qu'elle entretenait à l'âge de 14 ans :

> «Lorsque je me sentais blessée, trahie ou oubliée, je m'allongeais dans le bain pour planifier mon avenir. J'avais un emploi utile, reconnu et même intéressant ; j'étais même une étoile de cinéma... mais l'important, c'est que j'étais avec un homme qui faisait tout pour moi. Je ne vivrais pas la vie de ma mère. Je serais appréciée et aimée pour moi-même. *On me comprendrait*, j'aurais un mari qui me respecterait et qui m'adorerait et puis je partirais à la conquête du mon-

de. Je me souviens avoir pensé que je pourrais m'occuper de tout et de tout le monde et je *serais* tellement compréhensive que les autres le *seraient* pour moi. Je ne me sentirais jamais plus oubliée... Imaginer mon avenir était une façon de m'évader. Je ne savais comment faire pour amener les gens à me comprendre dans le présent... Je croyais ne pas être assez intelligente, ni même assez jolie... Je n'en sais rien. J'étais démunie en tout. »

Pour plusieurs femmes, le réconfort qu'elles ont reçu dans leur jeunesse a été remplacé par des expressions d'approbation. Nous convoitons toutes l'approbation qui aide à s'aimer soi-même. Toutefois, souvent l'approbation n'offre pas cette chaleur et cette sympathie qui combleraient vos désirs secrets. Vous aurez alors pensé que si vous désiriez toujours plus, c'est que vous n'étiez pas normale et que quelque chose vous manquait. Même si vous avez appris à vous gagner à l'occasion l'approbation des autres, cela ne semble pas vous guérir du sentiment d'abandon. Vous avez pensé ne pas avoir fait assez d'effort. En apparence, personne d'autre ne semble réagir comme vous et vous vous êtes crue égoïste de vouloir être libérée de ce sentiment d'abandon. Pour dissimuler des imperfections mal définies, vous avez cherché à devenir encore plus généreuse et à vous occuper des autres, en essayant parfois de vous endurcir. Peut-être, pensiez-vous qu'il était possible d'étouffer vos propres besoins affectifs et de vous concentrer encore plus intensément sur vos capacités mentales et intellectuelles. Vous auriez pu ainsi atténuer ce besoin obsédant de réconfort qui vous est apparu « mauvais ». Cette attitude à adopter par rapport aux autres est devenue pour vous une idée fixe.

À ce propos, vous êtes peut-être tout à fait branchée sur les réactions des autres, mais vous êtes mal équipée pour capter vos propres besoins. Comme Janine, vous avez fantasmé la satisfaction de vos besoins, mais vous pouviez difficilement les préciser. Il vous était impossible de les formuler. Vous pouviez toutefois très bien entendre ou lire le langage des besoins des autres et appliquer pour y répondre votre propre chorégraphie de générosités.

B. *La femme protectrice et le travail*

Jeune femme déterminée à vous tailler une place, vous avez choisi une carrière intéressante pleine d'avenir, mais vous vous retrouvez souhaitant quelque chose d'autre que vous ne pouvez exprimer avec précision. Votre performance de femme protectrice n'a plus cours ici. Peut-être même découvrirez-vous que vos talents de protectrice ne sont pas toujours avantageux ni même bienvenus. En étant très exigeante envers vous-même et conséquemment envers les autres, vous travaillez fort pour vous montrer digne de votre emploi et inspirer confiance. Mais vous découvrirez rapidement qu'il est plus facile d'y arriver avec des amis qu'avec des collègues.

Au travail, vous prévenez maintenant les besoins de vos collègues, de votre patron et des clients. Dans le but d'étouffer votre angoisse croissante, vous redoublez d'efforts et ressentirez probablement le besoin d'être reconnue. Vous accepterez plus de travail que vous pouvez en faire, ferez du temps supplémentaire, travaillerez les week-ends et aiderez les autres à accomplir leurs tâches. Cependant, vous découvrirez rapidement que vos efforts ne sont pas récompensés, que vous devenez progressivement un accessoire, une illustre inconnue dans la puissante structure. On ne vous remercie plus, on exige. Vous êtes alors en butte à des sentiments qui ressemblent étrangement à ceux que vous avez ressentis quand vous étiez petite fille.

Ariane, adjointe à la commercialisation chez un manufacturier de vêtements, décrit cette expérience :

« J'ai travaillé très fort pour devenir compétente et être appréciée à mon travail ; j'étais tellement bonne, je pouvais faire le travail des autres aussi bien que le mien. Alors, tout le monde compte sur moi. Quand il y a un surplus de travail, les autres adjoints savent qu'ils n'ont pas besoin d'être là, que je ferai le travail à leur place. Ils s'absentent parfois du travail en sachant que je suis là... et que je suis une sorte de « machine ». On me demande parfois d'accepter un projet qui n'est pas de mon ressort parce que l'intéressé sait que je le ferai mieux que son propre adjoint. Pendant un temps, je me suis sentie extraordinaire, mais, maintenant je me sens exploitée comme si cela allait de soi... Je ne sais pas comment parvenir à changer leur attitude envers moi... Je suis vraiment fatiguée de tout cela... »

Si vous êtes dans la même situation qu'Ariane, vous avez pensé pendant un certain temps qu'il était préférable qu'on vous recherche et qu'on compte sur vous et que tôt ou tard vous récolteriez la reconnaissance et les bénéfices de votre bonne volonté. Les bénéfices se sont fait attendre. C'est particulièrement frustrant si une autre qui n'est pas aussi dévouée passe devant vous et occupe un poste qui vous revient.

Le besoin d'excellence a tendance à croître en pareil cas et peut vous pousser à en faire encore plus. Vous réaliserez que vous ne savez pas quand, ni comment, vous soustraire ; vous n'avez pas appris à faire la distinction entre attachement et détachement. Il est devenu clair pour vous que trop d'attachement peut être néfaste ; cette attitude encourage la dépendance envers les autres et l'oubli de soi. Trop de détachement peut cependant vous faire craindre de devenir une personne froide, réservée et distante. Passer sans cesse d'un extrê-me à l'autre devient fatiguant. Il vous semble que vous n'arrivez pas à trouver le bon équilibre. N'ayant pas encore maîtrisé votre compétence professionnelle et les techniques de protection apprises à la maison ayant peu d'impact au travail, vous vous sentirez inefficace, mal à l'aise et impuissante. L'indifférence remplacera éventuellement l'empressement. En comprenant que quelque chose ne va pas, vous manquerez progressivement d'énergie pour maintenir votre rythme et commencerez à vous plaindre de burnout.

Il n'y a pas que les célibataires qui soient la cible de la dynamique conflictuelle et du stress de la femme protectrice au travail. Comme femme mariée, vous étendrez le sens de vos responsabilités familiales à vos collègues de travail. Si vous vous sentez émotionnellement négligée à la maison ; s'il y a des querelles ou un froid dans votre ménage, vous serez portée à offrir votre protection à la famille que constitue votre milieu de travail, comme relation compensatoire en vue de satisfaire vos besoins affectifs. Si vous retournez dans le milieu du travail après une longue absence, ou après une longue période de mariage qui s'est terminé brutalement, vous trouverez dans cette «famille au travail» le seul endroit où vous vous sentez nécessaire. Si vous êtes de nature protectrice, votre travail deviendra la seule référence de votre valeur personnelle. C'est ainsi que vous découvrirez probablement que votre niveau d'endurance diminue, que votre expérience est souvent synonyme de fatigue et vous verrez apparaître les premiers symptômes physiologiques du burnout.

C. *La femme protectrice et ses amoureux*

C'est dans la vie personnelle d'une femme protectrice qu'on peut découvrir quelle reconnaissance elle recherche. Peut-être avez-vous rencontré un homme ou une femme et connu le bonheur parfait pendant les premières six semaines ? C'était le paradis tant convoité. La personne aimée répondait à vos besoins, à vos gestes et à votre amour. Vous vous juriez fidélité et franchise, d'affronter ensemble les problèmes, d'être présents l'un à l'autre et de ne jamais vous coucher sur un désaccord. Vos tendances protectrices n'étaient pas étouffées ; la personne aimée jouissait de la faveur de votre attention et vous la rendait avec gentillesse. Puis vous découvrez un jour que la ferveur de votre amoureux diminue. Vous vous sentez prise au dépourvu et une nouvelle vague d'angoisse vous envahit. Encore une fois, vous accentuerez probablement vos tendances protectrices en prévenant les humeurs, les caprices et les désirs de la personne aimée en espérant qu'elle répondra à vos attentes. Vous découvrez alors rapidement qu'une fois de plus vous n'êtes appréciée que pour ce qu'on attend de vous. Quand vous tentez d'exprimer vos besoins, l'autre se fait distant ou se tient sur la défensive. Vos techniques d'affirmation le font paniquer. Ce que vous avez toujours craint se réalise : il vous manque quelque chose. Sinon, vous pourriez vous faire reconnaître et vos exigences ne seraient pas prises pour des reproches. Obsédée par la crainte de perdre cette relation, même si elle vous apporte si peu, vous n'avez que l'idée d'en finir et plus précisément de tout lâcher. Fatiguée de livrer continuellement des batailles perdues d'avance, vous confierez à une amie : « Je pense que le burnout me guette. »

D. *La femme protectrice et ses amies*

Vous êtes célibataire, mais vous vivez avec une amie ou une compagne qui est elle aussi aux prises avec des tendances protectrices. Même si vous considérez toutes les deux cet arrangement comme temporaire, vous vous construisez néanmoins un petit monde intime dont vous dépendez. Votre amie se fait alors un amoureux et vous vous trouvez soudainement seule un samedi soir, stupéfaite par la colère qui vous envahit. Ce sentiment d'être trahie vous humiliera : après tout, vous n'étiez que des amies ; ne vous étiez-vous pas souvent parlé de votre désir de trouver un amoureux ? Vous dévriez vous en réjouir, mais vous vous sentez abandonnée. La culpabilité s'ajoute à l'impression d'être trahie et la honte vous enfonce encore plus dans l'isolement. Vous prendrez vos distances avec votre amie ou, par réaction de défense, vous projetterez sur elle le phantasme romantique de la « grande amie » de la « personne idéale », de la « fille généreuse » et vous refoulerez vos sentiments d'envie et d'abandon. Exprimer ces sentiments révéleraient cette vieille mesquinerie qui, toutes les femmes protectrices ne le savent que trop bien, est interdite. Votre refoulement rejoint maintenant vos tendances protectrices : vous vous percevrez bientôt comme une « petite » personne et vous vous rendrez compte que vous êtes aux prises avec le burnout.

E. *La femme protectrice et monoparentale*

Dans votre rôle de femme monoparentale, votre nature protectrice est mieux définie, mais plus compliquée. Vous n'aviez jamais imaginé devoir élever un enfant seule et vous êtes obligée de surmonter une grande anxiété en vous consacrant entièrement à cette tâche. Rapidement, toutefois, votre besoin de vie personnelle s'immiscera dans votre dévouement. Votre sentiment de culpabilité se développera dès que vous commencerez à sortir avec des hommes ou à vous regrouper avec des femmes. Frustrée d'avoir peu de temps pour vous-même, de manquer d'intimité dans vos relations sexuelles, d'avoir à réclamer la pension alimentaire promise pour l'enfant et qui n'arrive jamais à temps, d'avoir à travailler, à faire des emplettes, à chercher des gardiennes et des garderies, il pourra vous arriver d'être en proie à ce sentiment de mesquinerie tant redouté. Vous vous révolterez à l'occasion, mais vous le regretterez par la suite. Pour masquer ces « défaillances », vous vous ferez mère poule et recommencerez à refouler vos besoins. En discutant avec des amies, vous pourriez déclarer en toute franchise : « J'ai peur d'être en train de craquer. »

F. *La femme protectrice et la double carrière*

En tant que femme mariée au travail, surtout si vous avez un enfant, vous vous trouverez en contradiction avec la valeur que vous attachez au fait d'être mère. Le rôle de la « bonne protectrice » que votre éducation vous a permis d'intégrer est mis au défi par les aspirations qui vous attirent hors de la maison. En poursuivant votre carrière, vous avez l'impression d'abandonner votre famille et d'être en proie à la culpabilité. Vos propres ambitions seront en guerre avec la mère en vous et se transformeront en haine contre votre mère. Le syndrome culpabilité/haine perpétue l'érosion de vos forces psychiques. Le seul fait de demander à votre mari d'accomplir une tâche domestique ou d'entendre votre enfant vous demander : « Es-tu obligée d'y aller, maman... » renforce votre impression de mal agir. Bionique, vous deviendrez supermère et superfemme pour compenser ce que vous croyez être votre incapacité de jouer tous les rôles que vous assumez, de satisfaire votre enfant et votre mari sans trahir les attentes de votre mère. Vous vous plaignez le moins possible, ce serait admettre la défaite ; vous manifestez de la bonne volonté et vous vous appliquez à tout bien faire pour tous, sauf pour vous-même. Cette adnégation continuelle augmente encore votre anxiété et vous rend instable psychiquement.

Il vous arrivera à vous aussi d'être déçue par certains aspects de votre vie et de réaliser que vous êtes près du burnout.

Ce ne sont, bien sûr, que quelques exemples de la dynamique qui brime la vie d'une femme protectrice. Les tâches qui la réclament ne manquent pas. Vous vous sentirez obligée d'être à l'écoute, d'être disponible à toutes les urgences émotives, d'être disposée à prêter ou donner de l'argent, des vêtements, d'apporter deux plats quand on n'en demande qu'un pour participer à une fête, d'être en mesure d'aider, de soutenir, de conseiller, en plus d'être capable de capter l'imperceptible et de créer une ambiance chaleureuse dans votre entourage. Il n'est donc pas surprenant qu'une femme protectrice ne puisse pas avoir le droit de dire « non » ou de réclamer quoi que ce soit pour elle-même, même ce qui lui est dû. Et s'il arrivait qu'on ait ce même souci envers vous, vous ne sauriez trop qu'en faire. Vous vous sentiriez envahie par la timidité et la gratitude, ou par la culpabilité de ne pas être plus forte et plus autonome que vous ne l'êtes.

Les femmes protectrices sont prédisposées au burnout chronique. Il arrive parfois qu'elles trouvent réponse à leur générosité, mais comme nous l'avons vu plus haut, leur attitude protectrice est la plupart du temps devenue pour elle une façon d'être. Il est facile de comprendre que leur tendance protectrice en fait des candidates à l'épuisement.

LE BURNOUT : ISOLEMENT ET SOLITUDE

Un grand nombre de femmes qui investissent beaucoup d'énergie et d'efforts ne trouvent rien, ni personne pour s'occuper d'elles en retour. Si ce n'est pas la maladie, c'est la fatigue, le désespoir, l'isolement et la solitude qui arrivent à les terrasser. Quand une femme joue pleinement son rôle de protectrice, c'est-à-dire plaire, servir et s'occuper de tous, sauf d'elle-même, la carence affective se transforme en un sentiment d'isolement et d'aliénation. C'est une expérience pénible et épuisante à vivre.

Si vous êtes célibataire, veuve, divorcée ou séparée, vous savez que vous êtes entièrement responsable de vos finances, de votre vie sociale et familiale probablement pour le reste de votre vie. Cette perspective est un lourd poids émotif à porter, surtout chez celles qui ont toujours envisagé leur avenir en partageant la vie d'un conjoint.

Comment parviendrez-vous à vivre seule, alors que vous avez été formée pour une vie totalement différente ? Cet état comporte un double danger. D'abord, l'isolement, c'est-à-dire une absence de relations intimes avec autrui, puis la solitude qui est ressentie comme un éloignement de soi-même. Ces facteurs d'isolement et de solitude surprennent et déclenchent souvent un état de panique. La perception d'avoir à porter seule tout le poids de cette responsabilité vous atteint parfois avec la force d'un choc électrique, vous forçant à réévaluer rapidement vos priorités et vos choix.

Lise, assistante en recherches dans un laboratoire pharmaceutique, décrit ce choc :

> « Je venais d'avoir 35 ans et je venais de rompre une liaison qui durait depuis un certain temps. Je comptais bien rencontrer quelqu'un d'autre prochainement, mais au fur et à mesure que le temps passait, j'ai compris que cela n'arriverait pas et qu'il y avait peu d'hommes acceptables autour de moi. J'ai réalisé que je n'avais jamais eu de relations vraiment intimes dans ma vie, puis cela me frappa. « Mon Dieu, pensais-je, je suis responsable de ma vie et je le serai probablement toujours. Mon travail n'est pas très lucratif

et il est fort possible que je ne me marie jamais. » Je savais que je devrais être mon propre soutien... Il me fallait rapatrier ma vie, et vite ! Puis, je suis devenue inquiète et craintive. »

Ébranlées par la possibilité de, peut-être, ne plus jamais avoir de conjoint avec qui se lier d'amitié, pour partager les responsabilités financières et familiales, personne pour partager leur lit ou leur amour, les femmes sur le point de craquer deviennent angoissées, ce qui augmente leur anxiété et leur peur de l'avenir. La femme au petit chien devient le symbole de tout ce qui ne va pas bien. Elle représente la désolation, les sans-abri, les mal-aimés et les abandonnés. Trop, beaucoup trop de femmes s'identifient à ce personnage. C'est une véritable menace.

Pour chasser cette terrifiante perspective, vous vous entourerez de beaucoup d'amis que vous inonderez de vos manifestations protectrices, ce qui vous permettra de vous sentir valorisée et en sécurité. Une grande activité peut masquer l'apparition du sentiment de solitude. Il vous arrivera souvent d'en faire trop et de vous exténuer à vous occuper sans cesse de tous et de chacun de vos amis. Dorothée, 35 ans, représentante en publicité, a vécu cette expérience :

« J'ai passé beaucoup de temps à courir de gauche à droite, sans répit, m'assurant de n'être jamais seule. J'avais des dizaines d'amis et mon téléphone n'arrêtait pas de sonner. J'avais parfois 15 appels enregistrés sur mon répondeur... je me sentais appréciée et en sécurité. S'il n'y avait qu'un ou deux appels, je paniquais. Je distribuais généreusement conseils et réconfort. Je savais ce que les gens attendaient et quels étaient leurs projets. J'étais aussi très occupée à organiser des rencontres, des soirées, des dîners... J'étais incapable d'être seule. Tant qu'on me réclamait, je ne m'inquiétais pas... j'étais trop occupée. Mais j'étais aussi démolie... Puis je me suis repliée. J'ai refréné ma nature protectrice. Trop d'amitiés commençait à m'épuiser. Mais j'ai exagéré et j'ai passé trop de temps seule. Je n'arrive pas à me résigner à cette panique ou à cette solitude... avec mon lit vide. Je n'aime pas ça. Qu'arrivera-t-il si je ne rencontre personne ?... »

Il existe vraiment un conflit pour Dorothée. Elle a cherché à maintenir l'équilibre entre l'agitation et le repli. Elle possède déjà une partie de ce qu'elle souhaite : une carrière, des amis fidèles, un semblant de sécurité financière, mais elle est privée de ce qu'elle recherche vraiment : la sympathie, l'intimité et une relation privilégiée avec un homme. Sa perception de l'avenir butte continuellement sur l'absence d'un conjoint.

L'appréhension d'avoir à assumer seule sa propre responsabilité s'intensifie à la rupture d'une relation primordiale qu'elle croyait lui être due. Non seulement perd-elle le partenaire de sa vie, mais elle perd aussi une source de réconfort, son support intime a été supprimé. Sa vie est aussitôt accaparée par des exigences qui prennent des proportions énormes. Toutes ses décisions sont prises dans un climat d'urgence. Il lui faut le plus rapidement possible se trouver un emploi sûr ; gagner assez d'argent, faire un plan de carrière, accepter une promotion sur-le-champ ou changer d'emploi, mettre les enfants à l'abri, s'offrir une vie sociale intéressante et, ce qui est plus difficile, apprendre à modifier radicalement ses projets d'avenir, de façon réaliste peut-être, mais non moins éprouvante.

L'appréhension d'un avenir d'isolement ou de solitude s'impose aussi sournoisement. Souvent, elle éclate d'un coup, ou elle s'insinue tout doucement, sans tambour ni trompette. Les femmes qui ont entouré leur vie d'un mur de refoulement seront souvent plus vulnérables aux crises d'isolement ou de solitude les jours de fête. Géraldine, 42 ans, divorcée depuis six ans, décrit son expérience :

« Quand j'étais jeune, notre maison, durant la période des Fêtes, devenait un centre d'activités. Ma mère et moi faisions de la cuisine pour tout un régiment... Nous invitions des amis et d'autres personnes que ma mère appelait « les oubliés ». C'était des gens qui n'avaient ni famille, ni d'endroit où aller fêter. J'étais particulièrement gentille à leur égard, je ne pouvais comprendre comment ils pouvaient être si seuls. Une fois mariée, ma maison est aussi devenue un centre d'activités et, durant les Fêtes, je « devenais ma mère ». Je perpétuais la tradition en invitant des amis intimes et tous « les oubliés » que je connaissais. Après mon divorce, les Fêtes sont devenues un cauchemar pour moi. Après avoir passé deux Noëls seule, je fus invitée chez des amis, un couple. J'ai compris alors que j'étais devenue à mon tour une « oubliée ». La prise de conscience a été brutale... »

Certaines femmes sont obligées de réévaluer leur vie et leur avenir au cours des années qui précèdent ou qui suivent leurs grossesses. Il y a aussi des femmes qui réalisent soudainement que leur plan de carrière ne leur offre pas le milieu social qui compenserait la solitude qu'elles éprouvent à d'autres moments de leur vie. Enfin, il y a celles qui craignent les risques d'isolement ou de solitude, faute de relations amoureuses. « Je ne sais pas où je pourrais rencontrer des hommes et je suis fatiguée d'en chercher », se plaignent couramment plusieurs femmes célibataires. Lise raconte :

« Après ma rupture, tout le monde me disait que je ne devais pas me laisser abattre. C'est ce que j'ai fait... J'assistais à des réceptions, des soirées, des conférences... À la suggestion de mes amies, je visitais les musées durant les week-ends. — « Tu ne sais jamais où tu rencontreras quelqu'un, Lise... » J'ai appris comment, au cours d'une soirée, demander à un homme son numéro de téléphone. J'ai fait quelques appels et je suis sortie quelques fois. Mais cette façon de faire me déplaît. Je me considère comme une femme émancipée, mais je pense qu'au fond, je suis conformiste. J'ai du mal à intervertir les rôles... ce n'est pas ainsi que j'ai été éduquée. Je me sens obligée de le faire... J'adopte un comportement que je n'approuve pas... Cette recherche d'un conjoint m'épuise. »

Plusieurs femmes sont dans la situation de Lise. Prises entre le conditionnement d'un vieux code de comportement et les balbutiements d'un nouveau, ces femmes se sentent vidées et fatiguées de combattre. À l'autre extrémité, cependant, attendre d'être invitée, attendre d'être choisie ou attendre qu'on vous téléphone sont des comportements décrits comme démoralisants. Peu de femmes acceptent ce vieux comportement d'attente et se révoltent contre cette attitude passive. Mais elles sont toutefois prises dans un carcan culturel. « Nous ne pensons qu'à nous tenir occupées », ajoute Lise :

« À mon bureau, les conversations téléphoniques sont un indice de la fébrilité féminine. Lundi et mardi, vous entendez des gens se demander ce qu'ils ont fait au cours du week-end. Le mercredi, il y a accalmie. Le jeudi, on se demande ce qu'on fera le week-end prochain et, le vendredi, c'est la foire ! « Qu'est-ce qu'on fait ce soir ? Où devrions-nous aller ? Puis-je venir avec toi ? Je ne veux pas passer la soirée seule... » La panique du week-end est une grande consommatrice d'énergie. »

Le sentiment de solitude est un besoin psychique et émotif d'intimité, un besoin d'être avec quelqu'un ou de participer à quelque chose. Quand vous n'arrivez pas à exploiter vos désirs de femme protectrice, vous placez toutes vos énergies dans une relation essentiellement stérile et peut-être même destructrice. Vous aurez tendance à choisir un homme ou une femme extrêmement dépendants, un alcoolique ou un drogué, en un mot, quelqu'un que vous pouvez aider, soutenir ou redresser. Certaines femmes parlent de burnout à propos de la solitude dans leur mariage ou avec leur conjoint. La crainte d'être seule à la rupture de ces relations propage le refoulement. Vous vous attacherez à une illusion d'intimité pour éviter un avenir d'insécurité. Souvent, en l'absence d'un conjoint masculin ou féminin, vous éloignerez la solitude en canalisant toutes vos énergies dans un travail ou une carrière, comme activité gratifiante pour atténuer votre solitude.

Tous ces facteurs d'isolement ou de solitude, ou leurs palliatifs, peuvent provoquer le type d'obsessions ou d'activités physiques qui alimentent l'épuisement. La plupart des femmes n'ont pas été éduquées en vue de vivre seules ou préparées à cette éventualité et comme notre culture ne rend pas la vie facile aux femmes qui vivent seules, les possibilités d'un partage d'intimité acceptable devraient être repensées. Si vous continuez à refouler votre solitude trop longtemps, vous pourrez entrer dans des phases critiques du cycle du burnout.

LE BURNOUT ET L'IMPUISSANCE

Les causes du burnout sont intimement liées aux motifs qui amènent les femmes épuisées en consultation ou en psychothérapie. Plusieurs de ces motifs tiennent à des attentes sociétales, — occupations et définitions culturelles des femmes — et trouvent souvent leur origine dans l'élimination de leur rôle protecteur, l'isolement, la solitude et la perte de contrôle de leur vie. C'est dans ces domaines que s'aggravera le conflit entre vos véritables aspirations (sentiments et besoins) et votre vie extérieure (comportement et image). Au cours de votre socialisation, vous avez sûrement appris qu'en accomplissant votre travail à la perfection, tout en vous dévouant aux autres, vous obtiendriez récompense et approbation. Toutefois, les choses ne sont pas toujours aussi claires. Vous découvrez que l'authenticité et le dévouement ne sont pas spontanément récompensés. Le plus souvent, les personnes en situation de pouvoir, tant au travail qu'à la maison, rejettent un comportement qui menace leur rang et leur statut.

Les femmes sont souvent rejetées des cercles du pouvoir et doivent se battre pour y pénétrer et s'y faire reconnaître. Par ailleurs, si vous êtes admises, vous sentirez que vous devez non seulement faire votre tâche de façon impeccable, mais aussi en faire deux fois plus que votre collègue masculin pour prouver que vous avez gagné le droit d'être là.

Catherine, une femme engagée pendant des années dans une telle bataille, propose cette vision :

> « Je pense que les femmes se laissent gagner à cette vision moderne : si vous êtes vraiment très bonne dans ce que vous faites, vous serez éventuellement acceptée et récompensée. Je ne suis pas sûre que c'est ainsi. La structure du pouvoir étant protégée contre les importuns, un grand nombre de femmes poursuivant une carrière doivent aujourd'hui surmonter cet obstacle... C'est harassant... »

Refouler des ressentiments et des frustrations tout en agissant de façon optimale et impeccable cause un stress paralysant. Vous pourriez vous sentir une fois de plus prise dans l'inextricable processus de votre propre amélioration. Si vous flanchez, vous vous y consacrerez plus tenacement encore. Vous deviendrez une perfectionniste, ce qui devrait vous attirer l'approbation, bien sûr, mais, plus encore, la reconnaissance et les gratifications qui s'ensuivent. Toutefois, contrairement à votre collègue masculin, si vous flanchez, c'est d'abord vous-même que vous mettrez en cause. N'avez-vous pas toujours su qu'il vous manquait quelque chose... ce quelque chose d'indéfinissable. Vous deviendrez confuse et désarmée, vous commencerez à douter de vos capacités et à contester votre compétence. Finalement, vous vous blâmerez pour vos prétendus défauts.

Assez généralement, chaque femme croit être seule à vivre son expérience au travail. Étant donné votre surplus de responsabilités au travail, vous pourrez toujours prétendre ne pas avoir le temps de discuter avec les autres femmes de leurs doutes et de leurs angoisses. Ou peut-être ne faites-vous pas assez confiance aux autres pour chercher leur approbation. Quand vous fraterniserez avec vos compagnes et commencerez à comprendre que l'impuissance est votre condition commune, plusieurs de vos craintes diminueront. Vous pourriez cependant demeurer paralysée par votre impuissance professionnelle et continuer à sentir qu'il faut encore vous perfectionner.

Certaines femmes peuvent croire que si elles sont assimilées à la structure dominante, elles seront reconnues telles et que, même elles ne sont pas tout à fait acceptées, elles pourront au moins être promues et payées en conséquence. Le fait d'adopter l'allure des personnes en place vous donnera l'illusion du pouvoir et vous aidera à cacher vos faiblesses. On ira même jusqu'à vous suggérer de changer votre style, votre rythme, votre façon de vous exprimer, vos vêtements, votre sens de l'humour. Dans un accès de détermination, vous tenterez de vous conformer, mais vous vous sentirez vite désorientée, devenant « quelqu'un d'autre ». Même si vous réussissez as-

sez bien à imiter l'agressivité, les extraordinaires ma-
noeuvres de compétition, les manipulations adroites et à
vous joindre à l'avant-garde des politiques de la compagnie, vous ne récolterez pas nécessairement les satisfactions attendues. Si vous êtes promue, vous découvrirez
plus tard que vous ne gagnez pas le même salaire que
vos collègues masculins et cette constatation deviendra
paralysante.

Quoi qu'il en soit, vous serez toujours mise à la porte
de ce que plusieurs appellent le « club masculin » et continuerez de vous y voir subtilement exclue. À ce propos,
Catherine déclarait :

> « On me voit aux rencontres avec les clients, mais je
> suis poliment et systématiquement repoussée vers le
> distributeur d'eau réfrigérée. Les hommes ont leur
> propre culture. Quand ils racontent des blagues qui
> vous échappent, qu'ils « oublient » de vous informer du
> résultat d'une transaction, ou qu'ils sont rattachés à
> un groupe spécial de travail, vous commencez à expé-
> rimenter une véritable aliénation. Après un certain
> temps, cet ostracisme finit par vous épuiser... »

Ce type d'impuissance se transforme en colère, en
frustration et en un sentiment envahissant d'inutilité.
Plusieurs femmes, incapables de trouver des solutions,
prennent cet ostracisme comme une critique personnelle et se replient sur elles-mêmes pour évaluer leurs « la-
cunes ». Cette mise en cause erronée n'aide pas à contenir le processus de l'épuisement. Elle a au contraire pour
effet d'enfoncer encore plus les femmes vers les dernières phases du cycle du burnout.

LE BURNOUT ET L'INCERTITUDE TOUCHANT L'AUTONOMIE ET LA DÉPENDANCE

Afin de surmonter le sentiment d'impuissance dans votre vie, vous essaierez de faire le point entre le degré acceptable de dépendance et votre besoin d'autonomie. Au cours des dernières années, l'autonomie est devenue synonyme de salut pour la femme, et la dépendance s'est fait une mauvaise réputation. Colette Dowling, dans *Le Complexe de Cendrillon*, a bien illustré d'une part les frustrations des femmes financièrement dépendantes des hommes et d'autres part leurs désirs secrets de dépendance. Le message était clair. Assumez vos propres choix ; vous pourriez ainsi « déconditionner » votre « impuissance » et devenir un être humain autosuffisant, spontané et apprendre enfin à vous aimer.

Les femmes ont compris l'idée de Dowling, à savoir se libérer de toutes les dépendances, comme solution finale à leurs pénibles conflits. Un bon emploi et la responsabilité financière amèneraient la libération émotive. En laissant libre cours à leurs ambitions, les femmes trouveraient la bonne façon de changer leurs vieux modes de comportement et commenceraient à vivre sans porter le joug de leur impuissance. L'analyse de Dowling était juste, mais le point de vue était limité. Plusieurs femmes ont confondu l'autonomie avec le fait de se débrouiller seule et la dépendance avec le désir de créer des liens.

Au cours des dernières années, ces problèmes sont devenus plus complexes qu'on s'y attendait. Plusieurs d'entre vous ont été séduites par l'idée d'autonomie, mais éprouvaient de la répulsion à l'idée d'abandonner l'ensemble de leurs besoins de dépendance. Des conflits nouveaux et inattendus se sont présentés, chargés d'ambiguïté et de contradictions. La progression de l'autonomie financière dans le domaine professionnel a peut-être soulagé quelques femmes, mais le contexte, le milieu où oeuvrent les femmes par nécessité ne s'est pas toujours montré conciliable avec leurs valeurs ou leur formation. Il en va de même dans le domaine privé : les relations personnelles n'ont pas répondu à l'éveil de la prise de conscience féministe. Alors que les femmes tendaient vers l'autonomie familiale et tentaient de modifier l'équilibre des pouvoirs dans leurs relations personnelles, plusieurs besoins émotifs étaient empreints d'inhibition. « Comment avouer que je suis blessée ou menacée ou que je me sens négligée quand, par ailleurs, j'essaie d'être indépendante et autonome ? » déclarait une femme. « Je me sens coincée. Il me faut être logique pour qu'on me prenne au sérieux, mais je sens que je ne le suis pas... Être vigilante, c'est très fatiguant... » Effrayée par ce que laisse entrevoir ces sentiments contradictoires, elle essaie de découvrir quels compromis elle peut se permettre pour éviter d'avoir l'impression de régresser. Certaines femmes disent qu'elles ont honte. Ayant fait ce qu'il fallait faire, elles disent se sentir encore inadaptées, irritables et souvent affolées. D'autres femmes assument leur adhésion au principe d'autonomie, mais elles sont embarrassées par leur besoin de ce qu'elles appellent « autre chose ». Elles craignent que cet « autre chose », ce besoin humain élémentaire d'intimité et d'appartenance corresponde à cette dépendance tant détestée qui revient les hanter.

Incapables ou peu disposées à exprimer vos besoins émotifs ainsi identifiés comme des ennemis de l'indépendance, vous refoulerez vos sentiments véritables et prétendrez vous accommoder d'un comportement qui semble courant. Souvent, vous ignorez comment formuler vos besoins et quand vous y parvenez, vous vous trouvez exigeante ou hargneuse à la maison, ou trop autoritaire au travail.

Cécile, 26 ans, analyste financière depuis un peu plus d'un an, raconte l'anecdote suivante qui exprime bien ce conflit:

> « J'ai réussi au travail à me créer une image qui est, je le crois, convenablement professionnelle... Quand j'entre dans le bureau, je sais qui je dois être et comment je dois me comporter. Mais occasionnellement, on me fait des remarques qui me déconcertent complètement. La semaine dernière, par exemple, un collègue m'a dit: « Je pense que tu es une de ces femmes de carrière qui ne se mariera jamais. » Je me sentis soudainement affolée. J'ai cru que j'étais devenue trop indépendante, que c'était ainsi qu'on me voyait. Mais n'était-ce pas au travail l'image que je voulais projeter? Dans ce milieu, ce serait plutôt positif. Mais personnellement, eh bien, ça me dérange... C'est terriblement déroutant. »

L'histoire de Cécile est courante. Comme plusieurs d'entre vous, elle s'évertue à démêler les rôles et à accepter son aspiration à une vie privée et à une vie professionnelle. Quand son besoin d'intimité est refoulé pendant de trop longues périodes, son calme apparent s'en trouve menacé. Comme Cécile, certaines femmes deviendront sensibles aux critiques. Face à ce problème, vous craindrez que l'on vous considère soit « trop indépendante », soit, selon l'expression d'une autre femme, « dépendante et désespérée ». Le jeu du refoulement se fait ainsi plus serré.

Ces femmes tentent de se dissimuler la recherche essentielle d'une appartenance. « Agir seule » peut paraître d'un rigoureux individualisme, mais ne satisfait pas ce besoin d'intimité avec une ou plusieurs personnes, ou d'appartenance à un groupe. Le désir d'être comprise, d'être vue, entendue, écoutée, acceptée ou simplement de s'appuyer un moment sur quelqu'un, fait inextricablement partie du sentiment de dépendance. Confrontées avec leurs désirs d'appartenance, plusieurs femmes ont peur et doutent de leurs sentiments. C'est là la source du conflit : pour devenir autonome, il vous faut renoncer à vous laisser influencer par vos besoins humains les plus élémentaires. C'est la nature même du burnout.

De nos jours, quand une femme exprime le désir profond d'avoir un conjoint et laisse entendre qu'elle se sent seule sans l'autre ; si elle recherche une appartenance pour le réconfort qu'elle lui apporte, il est possible qu'elle en éprouve une certaine gêne. Son attitude ne concorde pas avec ses sentiments. Elle croira que pour être vraiment autonome, il lui faudra vivre dans une souveraineté inconfortable en se faisant l'égal de ses pendants masculins qui, le plus souvent, sont coupés de leurs besoins profonds.

En faisant des pieds et des mains pour trouver l'équilibre entre ce que vous désirez, soit l'autonomie ou le droit de faire vos propres choix et ce dont vous avez besoin, soit la dépendance ou le droit de vous reposer sur les autres et d'y prendre plaisir, vous vous sentirez bizarre, ne sachant quoi faire, indécise entre les gains et les pertes que chaque choix représente. L'autonomie envisagée ici est à la fois attrayante et menaçante. Elle promet de faire de vous une personne forte et remplie de confiance, mais elle peut aussi vous plonger dans l'isolement. De même, la dépendance est à la fois rebutante et désirable. Vous avez pu en souffrir dans le passé, mais elle fait essentiellement partie de toute relation intime et chaleureuse. Est-il possible d'être indépendante et d'y trouver le réconfort dont vous avez besoin ? Pouvez-vous espérer compter sur les autres sans y perdre ce que vous aviez gagné ?

Décontenancée par l'absence de réponses à ces questions, vous deviendrez extrêmement vulnérable aux demandes d'autrui et à vos propres aspirations. Le seul fait de les envisager à la lumière des nouveaux stéréotypes de notre société sera pour vous une source de fatigue. En conséquence, vous pourriez au mieux refuser de reconnaître le conflit ou au pire, vous priver de toute possibilité d'intimité. Avec le temps, les contraintes se répétant, vous découvrirez que vous avez pris la route du burnout.

Les femmes s'éloignant des rôles subalternes qui leur avaient été attribués et les anciennes normes se transformant lentement, les critères qui vous avaient permis de vous définir deviennent flous. Quel est pour vous le possible et le réalisable? Où est l'excès? La difficulté d'indentifier les raisons qui provoquent l'épuisement chez les femmes vient de la confusion entre leurs aspirations contradictoires. Que faut-il considérer comme «normal»? Que faut-il condamner comme «excessif»? Quand devrez-vous reculer et quand passer à l'attaque? Seul un examen rigoureux permet de distinguer entre un effort «normal» pour faire face à un défi et les excès qui favorisent le burnout.

Si vous vous êtes butée contre un mur de limitations et continuez à vous entêter sans l'avoir sérieusement ébranlé, on peut dire que vos attentes sont «excessives» et que vous êtes une excellente candidate au burnout. Si par ailleurs, réalisant qu'il vous est impossible de franchir ce mur, vous reculiez et cherchiez des solutions de rechange, comme grimper le mur, en faire le tour et le percer et si, ces tentatives ne donnant pas de résultat, vous changiez complètement de direction, on pourrait dire que vos attentes sont réalistes et que vos efforts pour relever un défi sont normaux.

Catherine décrit ainsi son expérience:
«Toujours faire des efforts est psychologiquement très fatiguant. Mais c'est quand vous vous trouvez devant un mur que vous croyez, du moins consciem-

ment, vous être trompée. Cela signifie que lorsqu'une relation commence à s'effriter, que ce soit au travail ou en amour, vous devez soit changer, soit quitter ; vous devez ou la modifier ou vous échapper. Comme dans une mauvaise histoire d'amour, c'est une question de temps ; ou vous serez évincée ou vous vous épuiserez. »

C'est par la rigidité ou la flexibilité, l'intensité et le degré de votre contrôle, de votre jugement et de votre implication que l'on peut faire la différence entre un défi normal et le processus du burnout. Lorsque vous vous sentez épuisée par votre attitude surprotectrice, votre isolement, votre solitude, votre impuissance ou par votre trop grande autonomie, la seule véritable mesure qui s'applique est celle de votre propre expérience intime.

CHAPITRE III

Exemples de dynamiques familiales chez les femmes souffrant de burnout

« Ce n'est qu'au cours des dernières années que j'ai pensé qu'il serait agréable d'avoir une fille. Ce serait merveilleux d'avoir une petite fille qui ne vivrait pas ce que moi j'ai connu... »

Béatrice

Arrêtez-vous un moment. Avez-vous déjà eu cette impression, même si vous voyez une adulte vivant dans un monde d'adultes, que votre vie intime est une réplique de votre enfance? Les sensations que vous éprouvez dans votre vie sont-elles monotones et épuisantes? Votre façon de vous épuiser peut-elle se retracer dans la dynamique familiale de votre enfance? Prenez donc quelques minutes pour jeter un coup d'oeil sur la liste de questions suivantes. Avant d'y répondre, réfléchissez sur chacune d'elles et essayez de vous rappeler avec précision les scènes de votre passé qui s'y rapportent:

1. Vos parents vous ont-ils empêchée de penser par vous-même?
2. Vos parents étaient-ils trop sévères et trop exigeants?

3. Votre mère se comportait-elle comme si elle était moins importante que votre père ?
4. Votre père était-il distant, peu communicatif ou peu démonstratif ?
5. Votre mère ou votre père étaient-ils alcooliques, toxicomanes, névrosés ou perturbés ?
6. Aviez-vous honte de l'un ou de vos deux parents ?
7. Votre mère insistait-elle pour faire les choses à « sa façon » ?
8. Aviez-vous un frère qui avait plus de privilèges que vous ?
9. Aviez-vous une soeur avec laquelle vous étiez en compétition ?
10. Étiez-vous l'enfant unique et privilégiée qu'on encourageait prématurément à devenir adulte ?
11. Étant la plus jeune et la plus privilégiée, étiez-vous récompensée parce que vous étiez mignonne ou gentille ?
12. Hésitiez-vous à manifester des sentiments comme celui de vous sentir blessée, déçue ou triste devant vos parents ?
13. Vous sentiez-vous obligée de dissimuler vos caprices et vos aspirations ?
14. Étiez-vous privée de toute intimité ?
15. Vous laissait-on libre de votre conduite et, dans ce cas, étiez-vous sévère avec vous-même ?
16. Vous a-t-on déjà dit que vous étiez bizarre, paresseuse, laide ou stupide ?
17. Quand vous désiriez quelque chose, vous accusait-on d'être égoïste ou égocentrique ?
18. Vous sentiez-vous coupable d'être plus brillante que les autres membres de votre famille ; dissimuliez-vous votre intelligence ?
19. Vous considérait-on comme jamais assez « bonne » ?
20. Vous fabriquiez-vous une façade pour camoufler vos véritables sentiments ?

Si vous avez répondu « oui » à plus de six ou huit de ces questions, il y a de fortes chances qu'une grande partie de votre énergie soit présentement drainée par des problèmes qui remontent à votre enfance. Il est très important, en vue d'identifier et de stopper l'*action sournoise du burnout*, de comprendre le jeu des relations entre les membres de votre famille, son effet sur vous et son impact sur votre façon de voir le monde.

Nous sommes tous guidés, jusqu'à un certain point, par des impressions passées de notre vécu familial. Ces impressions laissées par les messages que vous avez reçus et intégrés, messages de votre mère, de votre père, de vos frères et soeurs, ne s'effacent pas facilement, que vous ayez rompu avec la tradition ou que vous soyez conformiste. La famille, ce microcosme culturel, a son propre langage et ses propres lois. Sa philosophie imprégnait l'atmosphère de la maison et vous dictait des recettes de survie dans le monde extérieur. Cette philosophie incluait les allégeances des membres de la famille, les rôles que chacun devait assumer, la qualité de la communication, les principes familiaux, exprimés ou tacites, qui vous étaient transmis comme des règles de bonne conduite. Ces relations fort complexes sont devenues aujourd'hui pour vous des modèles d'action, de pensée et de sentiment par rapport à vous-même et aux autres. Malheureusement, plusieurs de ces modèles sont inefficaces dans un monde d'adultes. Certains de ces comportements ayant été inspirés par l'angoisse et la peur sont loin d'obtenir les résultats escomptés quand on les applique à des personnes ou à des situations nouvelles.

Vous êtes-vous déjà sentie démoralisée par vos réactions à certaines personnes ou événements de votre vie ? Une partie de cette lassitude morale vient du fait que vous revivez constamment les vieux thèmes imposés par votre famille. En étendant à des étrangers ou à des situations nouvelles les comportements et les sentiments appris au cours de votre enfance, vous vous mettez sur la voie de ce qu'on appelle le transfert.

LE TRANSFERT ET LE BURNOUT

Cette action sournoise du burnout évoquée plus haut est souvent rattachée au transfert. La principale caractéristique de ce phénomène psychologique est un état affectif éprouvé pour une personne qui est projeté sur une autre qui n'est pas concernée, en vertu d'une association avec le passé. Une impression oubliée refait surface. Vous ne vous rapportez pas à la réalité de la personne qui vous fait face, mais à une vieille réaction émotive à quelqu'un d'autre qui, il y a des années, vous avait affectée. La réaction de transfert est habituellement impropre et inapplicable à cette situation. De tels retours du passé déforment la situation et qu'il s'agisse d'une réaction exagérée ou inhibée, ils altèrent ou faussent le sentiment d'identité.

Par exemple, quand vous avez quitté la maison de vos parents pour vivre ailleurs, il vous aurait paru bizarre de vous servir de la même clef pour ouvrir la porte de votre nouveau logis. La clef de la maison de vos parents ne pouvait pas servir. Vous aviez conservé la clef de la maison familiale en cas de visites éventuelles. Pour ouvrir la porte de votre nouveau logis, vous choisissez automatiquement la bonne clef. Sa nouvelle dentelure correspond au barillet. Cet exemple s'applique aussi bien aux personnes qu'aux situations que vous vivez. Les vieux sentiments, comme les vieilles clefs, ne desservent pas nécessairement les nouvelles situations, ou les nouvelles serrures.

Il est tout aussi difficile de faire échec aux réactions de transfert qu'il est difficile de les identifier. Alexandra, une femme de 42 ans dont les enfants étaient nés d'un mariage précédent, a essayé d'éliminer ce problème avec Jean, son fiancé. Voici ce qu'elle en dit :

« Nous avions toujours raison tous les deux. Qu'importe celui qui cédait, au cours de nos disputes, aucun de nous ne voulait abandonner sa position. Jean me disait que je ressemblais à ma mère et je répliquais en disant qu'il ressemblait à la sienne. Il hurlait : « Je ne suis pas ton père ! et je répliquais, tu es comme *le tien* ! » Un soir que nous nous querellions, il me vint à l'esprit que lui et moi, nous faisions six dans la pièce : ses parents, les miens et nous deux. Nous n'arrivions pas à nous considérer comme des individus, nos parents nous servaient de paravents et nous faisions appel à de vieilles méthodes de défense pour parer aux nouvelles attaques... Sa peur de moi était une copie conforme de son passé et ma colère remontait à plusieurs années avant notre rencontre. Nos difficultés étaient réelles, mais tous les deux nous avons réussi à faire des efforts pour nous attaquer à nos problèmes actuels... »

Les réactions de transfert d'Alexandra ne se limitent pas à ses relations amoureuses. Elles se manifestent à son travail, avec ses supérieurs, dans la compétition avec ses collègues, mais aussi dans ses rapports d'amitié et dans ses relations avec les personnes influentes. Ces réactions ne sont cependant pas toujours la répétition des doutes, des colères ou des craintes anciennes, elles manifestent aussi un désir d'accomplissement. La plupart d'entre vous peuvent évoquer certaines failles dans leur éducation. Dans une tentative pour corriger le passé, les réactions de transfert ont parfois pour objet une personne ou une situation perçues à travers l'image déformante du sauveur idéalisé. Vous perdez alors votre lucidité d'esprit et aurez souvent l'impression d'être déçue, blessée ou trahie.

Plusieurs femmes souffrant de burnout disent qu'elles refont toujours le même mauvais choix d'amoureux, de confidents ou de collègues à qui elles font confiance. D'autres femmes remarquent qu'elles réagissent toujours de la même façon devant des femmes âgées, des hommes puissants, empressés ou autoritaires, des personnes très riches ou très pauvres, ou des êtres réservés et introvertis. Les exemples sont illimités. Il est toutefois important que vous sachiez que votre problème peut être disséqué et analysé. Face aux comportements qui vous abattent et vous empêchent de progresser, vous devriez tenir compte de vos réactions de transfert qui découlent directement d'une vieille dynamique familiale.

Avant d'aborder ce problème, essayez de trouver quels étaient vos alliés dans la famille et comment vos relations avec ces personnes peuvent avoir de l'influence sur vos attitudes actuelles.

LES ALLÉGEANCES FAMILIALES ET LE BURNOUT

Les allégeances au sein d'une famille se construisent fréquemment autour d'ententes tacites conclues depuis longtemps mais que le temps a raffinées et rendues inébranlables. Ces ententes déterminent jusqu'où doit aller l'expression de votre fidélité. Elles reposent la plupart du temps sur l'identification avec celui des parents qui représentait pour vous le plus de pouvoir ou offrait le meilleur soutien. Par exemple, votre mère était-elle la personne de la famille qui manifestait le plus de sympathie, d'affection et de compréhension ? Cependant, en tant que fille, vous avez peut-être dû vous ranger à regret du côté de votre père au cours d'une dispute, tout en vous sentant déchirée parce que vous cherchiez désespérément l'approbation de votre mère. Un conflit en est résulté. Inversement, si votre père était d'une nature sympathique et généreuse, et votre mère exigeante et pointilleuse, l'entente tacite devait stipuler que vous demeuriez loyale à votre père au détriment de vos relations plus fréquentes et plus quotidiennes avec votre mère. Si le conflit devenait trop lourd à porter, vous avez peut-être conclu une entente secrète avec vous-même choisissant de maintenir l'équilibre dans la famille en manifestant votre allégeance à vos deux parents ou à aucun d'entre eux en particulier, tout en gardant le secret de votre désacord.

Ce ne sont que quelques exemples. Il existe des ententes tacites entre soeurs et frères et entre les autres membres de la famille. Ces combinaisons sont complexes et établissent le mode, sinon le modèle de votre façon d'agir et de réagir plus tard aux personnes et aux situations. En vous souvenant de vos propres ententes avec votre mère et votre père, pensez à quel point ces allégeances ont maintenant de l'influence sur votre comportement. Ne l'oubliez pas : l'histoire se répète.

Voici quelques attitudes qui répondent à des allégeances passées :

— Quand une dispute éclate entre un homme et une femme, vous prenez immédiatement partie pour la femme, qu'elle ait raison ou non, en accord avec l'allégeance ou la sympathie qui vous liait à votre mère.

— Au travail, vous vous sentez émotivement attirée par l'homme qui a le plus de pouvoir parce que la réaction de transfert vous fait reproduire l'expérience du temps où vous vouliez gagner l'approbation de votre père.

— Vous vous sentez déloyale et coupable quand vous n'êtes pas d'accord avec un ami au cours d'une dispute publique.

— Pour éviter d'être mêlée à un conflit, vous faites l'indifférente devant une prise de bec entre des amis ou des collègues.

Comme vous pouvez le constater, la dynamique des allégeances familiales vous atteint jusque dans votre vie présente et agit comme amplificateur de stress. Ainsi, vos relations adultes peuvent être empreintes d'une multitude de conflits que vous vivrez comme des situations de contrainte dont vous voudrez vous débarrasser.

LES RÔLES FAMILIAUX ET LE BURNOUT

Vous rappelez-vous quels étaient dans votre famille les rôles assignés à chacun de ses membres et qui les assumait ? Ces rôles étaient-ils immuables ou étaient-ils interchangeables au gré des besoins ? Dans une famille, les rôles sont souvent spécifiques et influencés par la culture.

Qui accomplissait les tâches domestiques chez vous ? Qui les distribuait ? En confiait-on quelques-unes aux hommes ? Qui gagnait la vie, payait les comptes ? Était-ce la chasse gardée de votre père ou si vos deux parents se partageaient cette besogne ? Votre mère devait-elle quémander de l'argent pour l'ordinaire ou pour son usage personnel ? Qui organisait les loisirs ? Qui invitait des amis à la maison ou acceptait des invitations ? L'un de vos deux parents se faisait-il tirer l'oreille pour faire une sortie familiale, puis pour admettre par la suite que c'était amusant ? La division des rôles et du travail dans votre famille a sûrement beaucoup influencé vos idées à propos de ce qui est « facultatif » et de qui est « obligatoire » dans votre vie, que vous ayez adhéré ou non aux traditions familiales.

Certains de ces rôles sont habituellement prédéterminés, d'autres ne sont pas aussi clairement définis, tout en ayant autant de poids. Reportez-vous à votre façon de vous percevoir ou à la perception qu'avaient de vous les autres membres de la famille. Il sera plus facile de vous souvenir de votre rôle en évoquant les échanges qui avaient lieu au cours des repas. Le moment des repas paraît éveiller chez les femmes les souvenirs les plus concis et les plus puissants.

Étiez-vous la « conciliatrice » de la famille qui désamorce les discussions ou le début d'une altercation en cédant aux demandes ? Ou étiez-vous la « négociatrice » qui prévient les difficultés et les fait dévier avec bienveillance ? Si vous teniez le rôle de l'« arbitre », vous avez dû vous faire vigilante pour reconnaître les règles du jeu et de la médiation à table. Peut-être étiez-vous la « généreuse » sur qui tout le monde compte pour recevoir un appui sympathique parce que vous savez rester calme. Quelques femmes se souviennent d'elles comme d'une « animatrice » qui savait attirer l'attention et désarmer ses parents par son enthousiasme et un répertoire d'anecdotes scolaires. D'autres ont tenu le rôle de « comédienne » dont l'humour sert à détourner ou prévenir les confrontations, les soupçons ou la colère. Dans une gamme différente de rôles, vous avez peut-être été l'« agitatrice » qui provoque les passions familiales pour s'attirer l'attention, ou encore la « lâcheuse » qui assure sa position en se ménageant une sortie rapide en cas de dispute. Beaucoup plus de femmes se sont toutefois décrites comme des « amortisseurs » dont le silence était signe d'acceptation. Cette acceptation silencieuse annonçait sans doute votre incapacité ou votre refus actuel de dire ce que vous pensez, souvent à vos dépens.

Ces rôles ne sont pas toujours explicites au sein des familles, ils sont parfois assumés dans un esprit communautaire et de collaboration, mais il arrive tout aussi souvent qu'on accepte ces rôles pour maintenir une identité, contrer l'angoisse ou apaiser le sens du danger. À bien y penser, vos relations actuelles entrent probablement encore dans le cadre du rôle que vous vous êtes reconnu. Vous recherchez probablement encore l'approbation d'hommes et de femmes ayant les mêmes affinités que ceux qui assistaient au repas de famille. Une des attitudes suivantes vous rappelle-t-elle quelque chose ?

- Quand une personne ou un événement provoque une situation angoissante, vous avez tendance à faire l'« animatrice » exploitant votre personnalité pour vous assurer le contrôle.
- Au cours d'une réunion d'affaires, vous êtes plus attirée par ceux qui sont sur la sellette et perdez plus de temps à les aider intérieurement qu'à vous concentrer sur les problèmes soulevés.
- S'il y a menace de confrontation, vous préférez vous excuser et vous abstenir.
- Malgré le fait que vous auriez pu vous impliquer en d'autres circonstances, vous devenez muette devant une menace de dispute et vous allez même jusqu'à prétendre que vous n'étiez pas là.

Encore une fois, les rôles assumés dans le passé refont surface dans votre vie présente, mais ils ne sont pas nécessairement fonctionnels. En fait, quand vous êtes poussée à toujours répéter dans de nouvelles circonstances les mêmes rôles dépassés, votre spontanéité est gênée par ces préjugés touchant ce que vous êtes ou ce que vous devriez être. Vous êtes sans doute restée accrochée à des réactions de transfert qui drainent vos énergies et vous exténuent.

COMMUNICATION FAMILIALE
ET BURNOUT

Les façons de communiquer au sein de votre famille sont des indices importants de votre niveau actuel d'énergie. La communication entre les divers membres de la famille se réfère aux relations intimes qui vous étaient soit refusées, soit spontanément accordées.

La famille manifeste ses sentiments dans les échanges ou les carences affectives, que ce soit par la parole ou le silence, par les discussions ou le jeu. Découvrir avec quelle personne vous vous sentiez à l'aise ou mal à l'aise devient révélateur si vous vous rappelez exactement les façons de communiquer de chacun des membres de votre famille. Votre famille fonctionnait-elle comme une unité cohérente et solidaire ? Aurait-on pu dire au contraire que vous étiez des égoïstes et des égocentriques ? Vos intérêts étaient-ils mutuels ou s'il y avait un membre qui dominait tous les autres et drainait leurs énergies par des critiques ou des demandes excessives ? Aviez-vous l'impression de partager l'intimité de votre famille ou si vous vous y sentiez observatrice ? Les discussions étaient-elles une occasion d'en resserrer les liens ou favorisaient-elles l'isolement et la crainte ? Savoir jusqu'à quel point la communication y était favorisée ou entravée est important pour comprendre le niveau de stress qui a pu vous être imposé dans votre enfance. Peut-être reproduisez-vous encore aujourd'hui ces comportements inutiles et épuisants ?

L'exercice suivant vous permettra de vous faire une bonne idée de l'état de la communication dans votre famille. Écrivez sur un bout de papier les souvenirs que vous gardez de votre famille. Considérez d'abord chaque personne individuellement, puis par groupe de deux ou de trois. Comment ces personnes communiquaient-elles entres elles et avec vous ? Quel était le principal contenu de cette communication ; était-il logique ? Changeait-on d'attitude si quelqu'un d'autre se présentait à la porte ou en répondant au téléphone ? Comment ressentiez-vous vos relations avec chacune de ces personnes ? Notez tout ce que vous pouvez vous souvenir.

Quels étaient vos modes de communication ? Il en existe plusieurs, à part le langage. Par exemple, un de vos parents aurait pu avoir un répertoire de « mimiques », d'expressions du visage qui dénotaient l'approbation, la désapprobation, le ridicule, l'ennui ou l'amour. Un autre aurait pu se servir du silence pour affirmer son autorité ou imposer des punitions. Des soupirs ou des grognements auraient pu être des signaux de découragement, de manque d'affection ou d'un refus de répondre dans le style « J'y penserai plus tard ». Certains gestes significatifs comme avoir les bras étroitement croisés, la tête penchée, les mains sur les hanches ou se balancer la jambe auraient pu aussi être des invites à la communication ou à son rejet. Certaines femmes rapportent que leur père, par ailleurs distant, communiquait avec elles en leur offrant des cadeaux et de l'argent, tandis que leur mère manifestait son amour en les nourrissant.

Essayez de vous souvenir des façons de communiquer de vos parents. Le contenu des communications est aussi important que le style. Les parents qui transmettent des messages contradictoires favorisent la méfiance. Une mère angoissée peut vous avoir communiqué son amour verbalement, tout en continuant de critiquer votre façon d'entretenir votre chambre, de vous vêtir ou de vous occuper de vos amis et de vos intérêts. Le message aurait pu être interprété comme « Je t'aime, mais à la condition que tu agisses comme je l'entends ». Il pouvait aussi y avoir un sous-entendu négatif : « Tu es incapable de penser par toi-même ; tu es stupide et tu n'y arriveras jamais. » Un père anxieux aurait pu avoir l'air de se ficher de votre vie personnelle, tout en s'acharnant à vous pousser à la réussite scolaire, à l'excellence académique. Le message aurait pu s'interpréter comme suit : « Passe cette épreuve et tu auras mon approbation, mais il y aura toujours une nouvelle épreuve. » Et en sous-entendu : « Tes demandes ne sont pas importantes, elles sont même idiotes, peut-être trop « féminines » ; seul le succès et la réussite te mériteront d'être aimée. » « Ne sois pas égoïste », est un exemple classique de messages contradictoires souvent adressés aux femmes, habituellement suivi d'un refus d'écouter vos problèmes. Le message sous-entendu est le suivant : « Votre vie intérieure n'est pas importante, elle est donc mauvaise », ce qui dans plusieurs cas accentue le gauchissement de vos propres pensées et sentiments.

Votre mère vous parlait-elle de façon différente selon que vous êtiez seule ou que votre père était présent ? Votre père se faisait-il le complice de votre mère en sa présence, puis devenait un confident gentil quand elle n'était pas là ? Aviez-vous à l'égard d'un frère ou d'une sœur un attachement particulier qui se transformait en présence de vos parents ? Y avait-il chez vous des territoires ennemis et des refuges ? Médisiez-vous des absents ? Peut-être avez-vous appris à vous méfier de certains groupes de personnes et, devenue adulte, transférez-vous cette méfiance par rapport à de nouvelles relations ?

Votre attitude par rapport à chacun des membres de la famille est importante parce qu'elle vous éclaire sur vos réactions intimes actuelles aux autres personnes. « Je me sentais incompétente et paresseuse, je pense, déclare une femme. Ma mère faisait tout très rapidement ; elle ne s'arrêtait jamais de bouger, de faire le ménage, les emplettes, le jardinage et de la cuisine. Elle se fâchait si je m'asseyais pour lire et cela l'ennuyait quand je ne faisais pas de menus travaux domestiques. Je marchais plus vite quand elle me regardait... je m'efforçais d'avoir l'air heureuse. Avec mon père, je me sentais frivole et naïve et je lui posais ce que je croyais être des questions importantes sur la politique ou les sports. Je me sentais comme une gardienne pour mon jeune frère. Étant l'aînée, je devais le surveiller, mais comme c'était un garçon, il avait plus de liberté que moi. » Une autre femme se souvient s'être mise en colère devant l'impuissance de sa mère, méfiante à l'égard de son père parce « qu'il faisait la loi », et jalouse de sa soeur qui « attirait toute l'attention ». Ces expériences la suivent dans sa vie de femme adulte et elle transfère tout simplement ses émotions sur les autres dans sa vie professionnelle et sociale et dans ses relations personnelles.

Le burnout est en étroite relation avec les modes de communication acquis. Les femmes sont souvent marquées par des conflits non résolus, sinon par toutes leurs luttes antérieures, c'est pourquoi elles entrent souvent à moitié exténuées dans le monde du travail, le mariage ou la maternité. Les techniques de communication transmises dans les familles ne sont pas toujours pratiques et efficaces. Et ce n'est pas en reniant ces techniques au profit de nouvelles méthodes de communication plus fiables que les messages du passé disparaîtront. Les réactions de transfert peuvent s'emparer de vous de nouveau, vous obligeant à « voir » et à « entendre » avec un équipement sensoriel désuet. L'une des expériences suivantes vous est-elle familière ?

— À votre travail, prenez-vous comme une attaque personnelle la critique d'un supérieur parce qu'elle évoque pour vous un « blâme » familial ?

— À force de vous démener au travail, vous arriveriez à gagner l'approbation du patron qui, vous en êtes certaine, a les mêmes exigences que votre parent le plus pointilleux.

— Vous êtes heureuse quand on vous dit que vous avez fait du bon travail, mais vous vous demandez comment vous avez pu aussi bien réussir.

— Vous parlez franchement avec une amie, mais vous sentez monter l'angoisse si un homme entre dans la pièce.

Ce ne sont que quelques exemples qui illustrent le processus de transfert d'identité et montre comment le stress peut gagner, subtilement et sournoisement, votre corps et votre esprit. Communiquer ne se limite pas uniquement à ce que l'on dit et fait, cela s'applique aussi à ce que l'on voit et entend et comment on décode les messages reçus.

LES PRINCIPES FAMILIAUX ET LE BURNOUT

« Les femmes se marient toujours dans notre famille » est un exemple de principes familiaux dont le contenu intrinsèque est facteur potentiel de burnout. « Les femmes de notre famille se marient toujours jeunes » en est un raffinement subtil encore plus contraignant. « C'est à 22 ans que les femmes de notre famille ont leur premier enfant » renforce encore plus l'emprise de ce principe. Enfin, « Les femmes de notre famille ne divorcent jamais » peut préparer chez la jeune fille un terrain propice à l'épuisement. Ces quatre déclarations vous renseignent sur les règles à suivre pour vous assurer l'appui et l'approbation de toute la famille. Vous vous sentirez sous le coup d'une menace ou d'une réprimande si les principes et les valeurs adoptés par votre famille entrent en opposition directe avec vos convictions intimes ou les craintes que vous entretenez. En agissant selon votre propre personnalité, vous aurez l'impression de bouder l'autorité en silence. En conséquence, vous aurez l'impression de « mal agir ». L'inhibition pourra aussi vous faire craindre d'agir de votre propre chef.

« Nous savons ce qu'il y a de mieux pour toi » est un principe familial dont les implications sont subtiles, mais dont les conséquences sont souvent flagrantes. C'est la voix du pouvoir qui s'exprime. N'ayant peut-être pas osé le mettre en question, vous deviez admettre que vous étiez d'accord et donc que c'était vos conceptions qui étaient fausses. Si vous aviez été une enfant perspicace, vous auriez compris par intuition que vos parents projetaient leurs craintes sur vous, qu'ils ne savaient pas tellement ce qui valait mieux pour vous, mais ce qui valait mieux pour eux et pour l'image de la famille qu'ils voulaient maintenir. Cette dynamique est culpabilisante pour les enfants. Quand une enfant commence à tenir secret ce qu'elle connaît de ses parents, elle n'est habituellement pas en accord avec ce qu'ils lui proposent de faire. En prétendant ignorer ce qu'elle sait en réalité, elle en vient à se sentir coupable.

LE MOI-FAÇADE
ET LE VRAI MOI

Vos efforts pour vous conformer aux principes familiaux et agir comme si vous étiez d'accord vous confronteront sans doute à un grand vide émotif et intellectuel. À la longue, et pendant un certain temps, vous pourriez perdre contact avec vos véritables intuitions et sentiments. Écrasée sous le poids de la « vérité » parentale et accablée par vos propres révoltes, vous en viendrez à accepter votre propre déception comme inéluctable. Puis vous commencerez à penser que vous partagez les principes et les valeurs de vos parents, ce qui facilite les choses. Telle est la genèse du moi-façade.

Le moi-façade est un mécanisme de survie qui vous permet de demeurer affable et rassurante. Il s'installe dans la dynamique familiale pour ensuite accaparer votre vie adulte. Il est difficile à ébranler.

Une femme explique comment fonctionne son moi-façade :

> « Je peux le voir chaque fois que j'arbore un sourire factice, quand je ris sans raison, quand je suis joyeuse pour cacher une déception, quand je riposte par une plaisanterie à une parole qui me blesse. Ces comportements n'ont rien à voir avec les gens concernés... J'agissais ainsi quand j'étais une enfant et cela me vient maintenant automatiquement. Il me faut parfois me concentrer profondément pour connaître mes véritables sentiments... »

Quand elle était jeune fille, cette femme était tellement d'accord avec les principes et les idées de sa famille qu'elle en a maintenant oublié ses propres convictions et ses véritables sentiments. Elle sait par contre qu'elle vit dans l'angoisse et qu'elle veut sans cesse plaire aux autres, qu'elle les aime ou non.

Avez-vous déjà vécu ce genre de situation ? Savez-vous comment être animée et « branchée » à la commande d'un signal intérieur ?

Agir et se comporter selon le système du moi-façade, au travail, à la maison, avec des amis, avec des amoureux et en famille, pourraient vous mener vers une situation conflictuelle grave. Le moi-façade vous pousse intérieurement à « faire ce qui convient », mais le vrai moi, celui de vos convictions et de vos sentiments véritables, vacille à la périphérie de la conscience et menace d'apparaître. Entre le vrai moi et le moi-façade surgit un conflit important, aggravé par l'énergie dépensée à maintenir l'apparence du moi-façade. Si le moi-façade continue de l'emporter, il est presque certain que vous souffrirez éventuellement de burnout.

Le moi-façade joue le rôle d'une conscience dont la voix couvre vos jugements et vos perceptions authentiques. Vous aurez à l'occasion l'impression de danser selon deux rythmes différents ou de vivre deux vies contradictoires. Il n'est pas facile d'échapper à l'habitude de vivre, de travailler et d'aimer sous l'égide du moi-façade, d'autant moins que vous ignorez la nature de votre vrai moi, ce qu'il ressent, ou même s'il existe vraiment. Prendre en main son vrai moi exige un effort considérable d'observation de soi afin de saisir les messages subtils qu'il émet, mais il émerge parfois par inadvertance, surtout si vous êtes épuisée et commencez à vous sentir détachée de votre milieu. Il se manifeste souvent par l'envie de tout envoyer promener ou d'exprimer pour une fois votre pensée. Rendue à ce stade, parce que vous avez trop délaissé vos véritables besoins, le vrai moi devient habituellement cynique et désabusé. Il s'agit de couper la route au moi-façade et de commencer à miser sur vos vrais sentiments, avant de vous trouver sur la voie de l'épuisement.

Ce que vous avez accompli et réalisé dans votre vie par le jeu du moi-façade ne vous semble pas tout à fait juste. Vous avez vécu vos victoires comme des désastres, les ayant payées trop cher pour vous laisser aller à la joie ; vous vous sentez obligée d'en faire encore plus et de triompher sur tous les plans. Votre désir d'avoir prise sur le rationnel et le concret commence à éclipser vos besoins émotifs. Le moi-façade vous ordonne de vous comporter scrupuleusement selon la norme. Ce comportement ne procurant pas de satisfaction profonde, vous paraîtrez souvent faussement heureuse, ayant bien la situation en main. Cette double vie gruge vos réserves d'énergie et sera ressentie comme un manque de volonté.

Si vous êtes engagée dans le cycle du burnout, vous ne reconnaissez probablement pas les vraies limites de vos capacités physique et mentale. Vous tombez en grande partie sous la domination des «tu dois» et «tu devrais» de votre moi-façade et vous vous lancez au-delà des limites de votre endurance personnelle. Votre vrai moi, au contraire, rétablirait l'objectivité de votre jugement. Votre perception et votre appréciation des gens et des situations seraient justes et réalistes et *vous sauriez à quel moment il faut vous dégager.*

Les épuisées chroniques peuvent avoir de la difficulté à découvrir quand et comment leur vrai moi, c'est-à-dire leurs valeurs, principes et sentiments propres, a été étouffé et supplanté par le moi-façade. Si vous souffrez de burnout aigu, peut-être n'avez-vous appris que récemment, ou depuis quelques années, que les anciennes voix qui vous indiquaient de «faire ce qui convient» étaient en train de vous épuiser. Elles vous incitaient à vous charger de toutes les responsabilités en faisant taire vos besoins. Il serait très utile pour combattre l'épuisement de comprendre que «ce qui convient» est un succédané des valeurs intégrées à la dynamique familiale de votre enfance. Toutefois, les femmes qui souffrent de burnout, chronique ou aigu, y sont poussées par un ensemble de réactions apprises dans leur enfance. En s'observant, elles en apprendront beaucoup sur la manière dont elles ont assimilé de fausses valeurs et pourquoi.

Si vous avez l'impression d'avoir perdu la capacité de reconnaître vos propres besoins, de discerner le vrai du faux, et constatez par ailleurs que votre comportement est inefficace et déphasé par rapport à vos sentiments, dans la seconde partie de ce livre, on vous propose des techniques qui pourront vous aider. Les ententes tacites conclues avec votre famille, le jeu des rôles, les modes de communication et l'inculcation des principes familiaux ont pu tisser une toile invisible qui vous a prise au piège de sentiments accablants comme celui de la culpabilité

et du ressentiment. Vous projetez peut-être ces sentiments sur les partenaires de votre dramatique adulte.
Une fois que vous aurez rétabli le contact avec votre vrai
moi, vous serez étonnée de constater jusqu'à quel point
vous vous étiez identifiée à votre moi-façade. Vous serez
également surprise de réaliser à quel point vous étiez
fatiguée, vidée, irritée et angoissée et vous arriverez
même à vous percevoir comme une personne qui n'a pas
été elle-même depuis trop de temps.

PHILOSOPHIE DE LA FAMILLE ET BURNOUT

Rappelez-vous que la philosophie de la famille sert à
protéger l'unité familiale. Voyons rapidement deux
exemples de philosophies familiales, pour comprendre
comment elles ont pu mener deux femmes au burnout
physique et psychique.

Dans ces deux exemples, il s'agit d'épuisées chroniques qui viennent de familles où l'un des parents avait
une influence extrêmement négative. Vous verrez comment le vrai moi se fait lentement éclipser par le moi-
façade. Aussi, pourquoi et comment une femme peut
être entraînée à nier ses besoins les plus élémentaires.

1. *« La vie a été dure pour moi, pourquoi ne le serait-elle
   pas pour toi ? »*

   Le père de Béatrice

Béatrice est l'une de ces épuisées chroniques, mariée
depuis 17 ans et mère de 2 enfants. Elle travaille actuellement comme adjointe à l'administration d'une grande
entreprise en alimentation. À 37 ans, elle doit faire face
à un stress qui remonte à son enfance et qui est cause
d'angoisse et de maladie pouvant aller jusqu'au burnout.

Ses deux parents, des immigrants, étaient arrivés au pays aigris et mécontents. Béatrice est arrivée, assez tristement, dans un foyer sans amour. Voici ce qu'elle en dit :

« Mes parents n'étaient pas des gens chaleureux ni aimables. Mon père ne savait que travailler et crier. C'était un homme grincheux, coléreux et d'humeur changeante. Il m'aimait, je le réalise maintenant, mais à l'époque, je n'en savais rien... C'est quand j'ai eu vraiment besoin de le savoir que j'aurais pu transformer ma vie. Je me souviens avoir apporté à la maison mon bulletin scolaire avec un 98%... j'en étais très fière... et mon père m'a dit : « Qu'as-tu fait des deux autres points ? » Parce qu'il avait eu une vie très difficile, il ne voulait pas nous voir souffrir... mais il était si jaloux et manquait tellement de sécurité qu'il ne voulait pas non plus que nous recevions d'attention spéciale. Pour me réconcilier, je m'excusais à propos de tout, du bien comme du mal, et je m'esquivais le plus possible ou j'essayais d'avoir l'air occupée et utile.

« Ma mère était une personne triste et inquiète. Elle ne nous a jamais caressés ni embrassés... elle ne pouvait tout simplement pas s'exprimer. Je pense que secrètement elle détestait sa vie et que mon frère et moi aggravions son fardeau et ses déceptions. Elle et moi étions des adversaires silencieuses... elle ignorait ce qu'était l'amour maternel ou en avait peur. Mais ma grand-mère vivait avec nous ; elle était extraordinaire... elle était mon salut. Son affection ne se manifestait pas verbalement, mais je savais qu'elle m'aimait. Elle était toujours discrètement à ma disposition.

« On me demandait à l'occasion pourquoi je ne quittais pas la maison pour vivre en appartement. C'est difficile à expliquer. L'oppression de mon père était telle que je n'aurais pu quitter la maison qu'en me mariant. Autrement, il m'aurait considéré comme une « putain ». C'était un véritable piège. Et puis, il y avait tant de disputes ces années-là... on ne ratait jamais une occasion de se bagarrer. Je me retirais et je m'affairais. C'est ce que ma mère, à sa façon, m'a enseigné, c'est ce qu'elle faisait. Mon père y allait de ses critiques violentes et ma mère restait là sans rien dire. C'est ce que je faisais également. Je me taisais et je pleurais.

« Je pleure aussi maintenant quand je suis stressée. J'ai conservé plusieurs de ces réflexes de défense dans ma vie adulte. Après mon mariage, mon père n'était pas plus satisfait parce que je n'étais pas devenue enceinte immédiatement. Je *devais* avoir un bébé... c'était la raison d'être des femmes. Il ne cessait de me demander : « Tu n'es pas encore enceinte ? Qu'est-ce qui t'arrive ? » Je ne voulais pas avoir de bébé à ce moment-là... Je me suis sentie prête quelques années plus tard, mais je ne l'étais pas à ce moment-là. Parce que mon père insistait et que j'avais grandement besoin de son approbation, je suis devenue enceinte prématurément avec le résultat que je ne fus pas une très bonne mère, moi non plus. Je ne savais pas ce que je ressentais, je n'avais jamais eu la liberté de penser par moi-même. Je m'affairais en voyant à tout, nettoyer la maison, empêcher le bébé de pleurer quand mon mari était à la maison, nourrir tout le monde, bien mener mon emploi, maintenant la paix conformément à un projet imaginaire incrusté dans mon esprit. J'avais peur et je me trouvais stupide. J'enterrais tous ces sentiments sous un tas d'activités futiles.

« En vieillissant, il m'a été difficile de croire que des femmes de carrière, élégantes et intelligentes, pouvaient penser du bien de moi. Je me sens toujours un peu intimidée et un peu jalouse d'elles. Je n'ai pas connu dans mon entourage de femmes qui travaillaient dans ce que j'appelais le monde des hommes. J'ai eu plusieurs emplois, mais je n'y attachais jamais beaucoup d'importance. Mon mari et moi nous nous sommes démenés les premières années de notre vie commune et je sais que nous avons fait un bon mariage qui dure encore. Le fait que mes deux enfants soient très intelligents et même heureux est une sorte d'accomplissement. Nous avons tenu le coup. Nous sommes tous les deux prédiposés au burnout. Nous avons appris à en reconnaître les signes chez l'un et l'autre. Quelques-unes de mes nouvelles amies disent qu'elles sont un peu ébahies par la durée de notre couple. C'est stupéfiant. Je me suis sentie tellement exténuée durant presque toute ma vie.

« Je pense que je commence à tout comprendre maintenant. Je connais mes besoins, ma valeur et plus encore, je sais comment éviter de sombrer dans le silence et l'isolement. Mais j'avais besoin d'aide pour apprendre tout cela... Je sens que tout est changé pour le mieux... »

Lorsque Béatrice se présenta en consultation pour la première fois, elle paraissait faussement maîtresse d'elle-même. Elle avoua souffrir occasionnellement de périodes dépressives, mais elle n'en connaissait pas la cause. Après avoir étudié son cas et examiné en détail le récit de ses activités quotidiennes, il apparut évident que Béatrice était dans un état de burnout à la fois physique et émotif. Ses périodes dépressives provenaient de son désintéressement et du désir de combler son vide intérieur par une activité fébrile du corps et de l'esprit.

Avant de consulter pour son burnout, Béatrice craignait beaucoup les hommes et affrontait cette peur en se mettant à leur service. Elle se rendait indispensable auprès de ses patrons masculins ; elle se taisait et ne discutait jamais. Par ses réactions de transfert, elle identifiait tous les hommes à son père dont elle désirait désespérément l'approbation. Elle passait d'un emploi à un autre. S'il arrivait qu'un patron se montrât chaleureux et gentil à son égard, cette intimité nouvelle pour elle l'effrayait. Elle devait alors quitter son emploi parce qu'elle était sûre de décevoir l'attente de son patron.

Au début de son mariage, Béatrice était effacée et ne pouvait imaginer une vie autre que celle de se dévouer pour son mari. Elle ne croyait pas avoir le droit d'agir différemment. Elle cherchait constamment à être assurée qu'elle ne serait jamais quittée. Être abandonnée était l'ultime punition. Dans sa famille, il ne fallait compter que sur ses propres moyens ; il n'était jamais question de sympathie ou de soutien. Le moi véritable de Béatrice était totalement obnubilé par son moi-façade qui, apeuré, lui imposait d'être serviable. Manifester ses besoins ou ses sentiments était mal vu dans sa famille où seul survivre comptait.

À l'âge adulte, les femmes élevées dans des familles où toute émotion est refusée se sentent souvent stupides dans un contexte social ou professionnel. Quand une petite fille passe son enfance à craindre d'être mal prise, à éviter la colère, les confrontations pénibles et les punitions, il lui reste peu de temps pour la fantaisie, le travail intellectuel ou pour exercer dans le calme sa créativité. Se développe alors un manque d'attention pour les détails. Leur déséquilibre intérieur leur interdit les attitudes et les paroles gentilles que les gens échangent en société, le développement d'une perception ou d'un jugement justes. Elles possèdent par ailleurs une aptitude particulière à pressentir les dangers ou les conflits qui menacent leurs relations. Pressentant sa nature protectrice, l'enfant apprend à prévoir et à identifier l'événement incontrôlable bien avant qu'il ne se transforme en catastrophe. Pour assurer leur survie, les femmes éduquées dans ce système s'appliquent inconsciemment à ressentir le moindre petit signal d'alarme comme le bruit du vent sifflant sur la rivière avant l'orage. Par ailleurs, elles ignorent les diverses façons qu'ont les gens d'établir sans crainte des liens entre eux. Elles possèdent les outils de la socialisation, mais n'ont pas ce qui les rend efficaces, ni la confiance, ni l'expérience. C'est ainsi qu'elles développent un profond sentiment d'infériorité, d'inadaptation et qu'elles manquent presque toujours de courage pour expérimenter la réalité. Habituellement, une femme possédant de tels antécédents adopte dans sa vie des comportements formels, ritualisés ou rigides. Elle ne fait pas confiance à ses impulsions ; elle ne fait confiance qu'au système qu'elle s'est imposé et qui est tout à fait inflexible. L'autonomie est la clé de ce comportement. Compétence, serviabilité et perfectionnisme deviennent les principales caractéristiques de sa vie et se manifestent dans son travail, ses besognes quotidiennes et ses relations personnelles. Le travail, la peur et l'angoisse sont souvent les causes de son burnout.

Béatrice a caché sa fatigue au fond d'elle-même pendant des années. Elle travaillait discrètement, élevait son fils et sa fille, aidait son mari à accéder à l'école commerciale, et comme sa mère, gardait pour elle-même ses plaintes et ses besoins. « J'assumais tout pour tout le monde », déclarait-elle. « De plus, j'avais besoin de tout faire par moi-même. J'avais besoin d'être occupée, d'avoir toujours quelque chose à faire. Quand j'avais terminé les travaux ménagers, je regardais la télévision... j'étais devenue une mordue de la télévision pour me distraire du tourbillon de mes idées et de mes sentiments et, cela me revient maintenant, pour me reposer l'esprit. »

À l'âge de 30 ans, elle connut des crises d'affolement :

« Elles étaient terribles. Je me sentais assaillie intérieurement, puis ma tête devenait légère, et mon

coeur se mettait à battre fort. Mes jambes s'engour-
dissaient et ma vue s'embrouillait. Je pensais vraiment que j'étais malade ou que j'allais mourir. Je ne
pensais pas devoir m'appuyer sur mon mari et j'ai
commencé à paniquer la nuit. Je me levais et je pouvais me mettre à frotter le plancher de la cuisine...
n'importe quoi pour me tenir occupée. Plus tard, je
devins vraiment malade... J'ai fait plusieurs pneumo-
nies. Le médecin me disait que j'avais besoin d'un
grand repos... que j'étais complètement épuisée. »

L'histoire de Béatrice est un cas extrême, mais elle
montre bien jusqu'où peut conduire le développement
de la dynamique familiale si rien ne vient s'y opposer.
Béatrice avait placé son « salut » dans sa grand-mère, la
seule personne pour qui elle ressentait de l'amour. Les
autres relations familiales la repoussaient et se tradui-
saient par l'abus et l'indifférence. Son rôle fut celui d'un
témoin silencieux dont le silence signifie acceptation.
Dans sa famille, on communiquait en élevant la voix
dans un grand vide émotif, ce qui signifiait pour Béatrice qu'elle n'était que tolérée. Les principes familiaux
étaient clairement exprimés : « Jusqu'à ton mariage, tu
n'es rien, et si tu quittes la maison avant, tu es une
putain. » Les réactions de transfert de Béatrice furent
désastreuses. Elle devait craindre tous les hommes et se
méfier des femmes parce qu'elles étaient de connivence
avec les hommes.

Ces jugements ont non seulement poursuivi Béatrice
jusque dans sa vie adulte, mais, faute d'en faire une critique et une évaluation sévères, elle se les appliqua. Le
stress et la pression qu'elle s'imposa pour se valoriser lui
coûtèrent presque la vie. Ironiquement, ce sont ces crises soudaines d'affolement qui ont agi comme signal en
lui indiquant qu'il fallait s'arrêter et chercher de l'aide.
Elle aurait pu autrement être gravement malade.

Elle déclare aujourd'hui :

« J'ai vraiment intégré plusieurs événements du passé dans ma vie présente. J'ai souvent tendance à l'oublier. Quand je laisse des gens me blesser... quand je me fais du mal à moi-même. Je sais que je ne pourrai plus jamais vivre dans cet état d'abattement... Je dois m'arrêter, me replier et me rappeler qui je suis, ce que je veux être et quels sont mes besoins. Je suis beaucoup plus souple par rapport aux tâches à accomplir. Je ne me laisse tout simplement pas intimidée... Je ne me rends plus au bout de ma corde... Je ne sens plus le besoin de prouver quelque chose... »

2. *« Ma façon est la seule façon... »*

Le mère de Julie

Julie a déclaré au début de l'entrevue : « Je ne pense pas être du genre à vivre un burnout », tout en émaillant sa conversation de références au burnout. Elle préférait attribuer ses symptômes : rhumes fréquents, douleurs lombaires, angoisse et fatigue à sa faiblesse de caractère. Comme plusieurs autres femmes, Julie n'arrivait pas à saisir la nature de l'épuisement et répugnait à admettre qu'il puisse affecter sa vie. Elle laissa entendre qu'en se déclarant épuisée, cela lui donnait une excuse pour ne pas fonctionner à la perfection. Alors fatigue et maladie furent rejetées comme vulgaires. Elle avait l'impression que s'abandonner à l'une ou à l'autre, c'était se laisser aller, comme sa mère l'en avait convaincue dès son plus jeune âge.

« Ma mère était hypercritique et pointilleuse, frisant l'hystérie. La maison était toute sa vie... tout devait être fait à sa façon, sans rien y changer. Il y avait une façon de suspendre les vêtements à la corde à linge, une façon de laver la laitue, une façon de plier les chandails... une façon de s'habiller. Elle croyait même qu'il y avait une façon de se réveiller et de sortir du lit. La façon de dormir de mon frère la dérangeait parce qu'au matin, le couvre-lit n'était plus fixé au pied du lit.

« Elle était toujours très occupée et commençait sa journée en faisant une liste de choses à faire et, bon sang, elle y parvenait avec une efficacité extraordinaire ! Quand elle ne faisait pas de repassage, elle courait les magasins, coupait des légumes, lavait le carrelage, passait l'aspirateur, n'arrêtant jamais. Je la vois toujours une éponge dans une main, un linge à épousseter dans l'autre. Elle jugeait les gens selon qu'ils savaient « dresser une jolie table », que leurs enfants étaient propres, que leur pelouse était bien entretenue. Il y avait beaucoup de règles à suivre...

« J'ai essayé de plaire à ma mère en me montrant occupée et épanouie. S'asseoir et penser n'étaient pas bien vus, c'était « paresseux ». Lire était considéré comme un geste agressif, à moins que ce ne soit pour un travail scolaire et que je le fasse sagement dans ma chambre. J'avais réellement peur d'être triste ou déprimée devant elle... Je savais que c'était inquiétant. Elle présumait qu'il n'y avait pas de difficulté aussi longtemps qu'elle était occupée et que mon frère et moi l'étions également. Elle rayonnait alors et son merveilleux sourire apparaissait. Mais elle ne pouvait faire face à rien d'émotif, rien de ce qui touchait à mes sentiments ou à mes pensées intimes... J'imagine que je les avais enterrés... Je pensais qu'ils étaient mauvais.

« Mon père l'adorait et soulignait ses qualités. Pourquoi pas ? Elle n'exigeait rien de lui. Il était l'« homme » et, j'imagine que pour des raisons biologiques, il était privilégié... Il pouvait se permettre d'être négligent. Il travaillait toute la journée à vendre de l'assurance et le message était très clair : « Laisse ton père tranquille, il a eu une dure journée. » S'il laissait une serviette traîner sur le plancher de la salle de bains, elle souriait d'un air entendu, la ramassait et en moins de deux, la serviette était lavée et suspendue à la corde à linge. Mon père exerçait son pouvoir le soir, ma mère, le jour. Il croyait réellement que ma mère était une femme parfaite et me disait souvent qu'il espérait que je lui ressemble. Avec l'âge, les comparaisons, du moins pour moi, devinrent ahurissantes. Je me sentais inepte et grossière à côté d'elle. L'intimité que m'accordait mon père dépendait de mes relations avec ma mère. Si j'étais déprimée ou triste, il me parlait en particulier, secrètement... me disant toute la chance que j'avais d'avoir une mère aussi parfaite. C'était les seuls moments où nous nous parlions sérieusement, mais j'avais toujours l'impression que nous partagions un secret, ce qui me donnait le sentiment d'être quelqu'un de particulier... non, plus que particulier... d'être convenable.

« Mon papa et moi avions aussi une sorte d'entente tacite. Il y a à peine quelques années que j'ai découvert à quel point cette entente était explicite... Si je ne faisais aucune difficulté, si j'étais serviable et gentille, j'aurais droit à ce clin d'oeil de mon père. Il avait une voix douce et irrésistible et je pensais que c'était par le son de sa voix qu'il me protégeait. Les mots que j'entendais avaient moins de sens que sa voix, parce que ce qu'il m'enseignait, c'était comment arriver à améliorer mon comportement, comment être agréable et gentille... Je lui souriais beaucoup... à ma mère aussi. Avoir toujours l'air heureuse faisait toute la différence... »

Adulte, Julie était continuellement stressée. À 42 ans, elle fumait deux paquets de cigarettes par jour et, au retour du travail, buvait dans la soirée jusqu'à trois vodka-tonic pour se calmer... Depuis son divorce il y a quatre ans, Julie occupe un poste de cadre moyen dans une entreprise en électronique et subvient aux besoins de deux adolescents.

Elle passa une grande partie de sa vie matrimoniale aux prises avec l'esprit critique de sa mère qu'elle avait intériorisée, essayant de séparer ses propres valeurs de celles qu'un faux système lui avait imposées. Ce fut une tâche complexe. Elle n'arrivait jamais à savoir où commençaient les unes, où se terminaient les autres. Sa mère ne lui avait jamais donné la permission d'être une personne distincte, de fonctionner à son propre rythme et surtout d'explorer ses propres besoins.

Si comme Julie, vous venez d'une famille où les jugements et les critiques étaient omniprésents, il est fort possible que vous conceviez le monde, de façon générale, comme un parent sévère et exigeant. Julie n'a pas confiance en elle et trouve difficile, sinon parfois impossible, de prendre des décisions la concernant ou concernant quelqu'un d'autre. Passive et prudente dans son comportement et dans ses pensées, elle s'inquiète des opinions de tous et chacun. Elle se remet sans cesse en question et souffre d'un manque de confiance en elle. Elle trouve pour chaque décision des motifs défendables « au cas où quelqu'un les lui demanderait ».

À sa sortie du collège, Julie devint enseignante, puis se maria. « Enseigner aux petits enfants semblait me convenir », affirme-t-elle. « Je connaissais ma matière et je contrôlais bien les enfants. Si leurs exigences m'épuisaient, je mettais cela sur le compte de ma faiblesse de caractère. Je veux dire que j'aurais dû être capable de tout endurer. Je me sentais coupable et honteuse quand les enfants m'agaçaient... Je voulais être forte, d'une force positive pour leur formation. Je désirais qu'on se souvienne de moi, plusieurs années plus tard, comme une sorte de «représentante de la morale». En plus d'avoir intériorisé le caractère sévère de sa mère et d'en avoir fait le juge de sa vie, Julie s'est vue «devenir comme sa mère» en imposant un comportement très strict à ses élèves. «J'aurais fait l'impossible pour m'assurer que je dominais les problèmes de chacun. J'étais devenue aussi envahissante que ma mère.»

«Quand mon fils et ma fille étaient petits, j'ai décoré leur chambre comme une vraie chambre d'enfant. Il y avait beaucoup de jeux et ils pouvaient toucher à tout. Ce n'était pas le cas de ma chambre d'enfant conçue plus pour être vue que pour être utile! Je voulais que mes enfants se sentent chez eux. Mais en même temps je voulais que leur chambre soit parfaite comme dans les revues de décoration. Je me faisais une image de mes deux enfants, sagement assis devant leur petit pupitre, très propres et très ordonnés. S'ils dérangeaient quelque chose, j'avais une terrible impression de désordre; rien n'était plus comme ce devait être. Cela me perturbait et me rendait nerveuse. Je ne pouvais pas m'empêcher de tout ranger et de demander aux enfants, *tout comme ma mère l'aurait fait*, de garder leur chambre propre.»

Julie s'évertue à tout faire à la perfection ce qui, dans son esprit, lui méritera l'approbation maternelle. Elle a le sentiment de n'être pas parfaite et connaît des périodes de dépression liées à l'épuisement causé par ses incessantes exigences. «J'entretenais beaucoup de culpabilité à propos de mes enfants», affirme-t-elle. «J'ai le sentiment qu'en tant que mère je devrais en faire plus. Être *mère* vient en conflit avec ce que je suis en réalité. Si je ne suis pas sévère et exigeante avec mes enfants, j'ai l'impression de les abandonner... Si je suis sévère et intransigeante, je me trouve grincheuse.»

La permanence de ce conflit intérieur la mène au burnout. Des femmes comme Julie s'imposent des tâches qui les condamnent à aller au-delà d'elles-mêmes et à se surmener physiquement et mentalement. Elles n'arrivent pas à se détendre un moment et ce n'est qu'en regardant la télévision, un film ou en lisant un livre qu'elles réussissent à se sentir totalement à l'aise. Leur personnalité imprévisible menace leur structure mentale et leur prise sur l'entourage. La vieille dynamique familiale incrustée dans les replis de leurs pensées et de leurs sentiments menace de ressurgir si elles cèdent à leurs impulsions fougueuses mais incontrôlées. Comme Julie, elles souriront souvent, mais ce sourire masque un désir profond de se rebeller, de libérer leurs véritables sentiments. Julie, ne pouvant se libérer, boit le soir pour relâcher les entraves de son enfance et peut-être même les briser.

Quand son mariage menaça de s'effondrer, elle décida de quitter l'enseignement et de se diriger vers l'entreprise privée. Ses talents d'organisatrice et d'administratrice étaient à la hauteur, mais le doute l'habitait. En apparence, elle avait la capacité d'aborder ce travail, mais intérieurement elle trouvait difficile d'établir des rapports avec ses collègues féminins ou ses supérieurs. En cherchant constamment à plaire, elle faussait ses relations avec les femmes. Elle présentait son moi-façade trop impatient, trop effacé, trop inquiet. Mais elle accomplissait bien son travail.

« J'éprouvais les mêmes sentiments au travail. Tout devait être net et ordonné. Je suis méticuleuse, mais je ne suis jamais sûre que j'ai fait le travail « comme il le fallait ». Chaque nuit je me tracasse à propos du travail qui n'est pas terminé, me demandant qui pourrait s'en rendre compte. Mon superviseur immédiat était une femme formidable, mais j'étais tendue en sa présence... J'étais certaine qu'elle ne m'aimait pas...

qu'elle me prendrait en faute... ou qu'elle était sur le point de me congédier chaque fois qu'elle me convoquait à son bureau. J'étais beaucoup plus amicale avec les hommes du bureau, surtout ceux de mon niveau ou d'un niveau inférieur... »

Pendant des années Julie refusa d'adhérer au mouvement féministe. Le fait de rejeter ces changements culturels lui donnait l'impression de rester une *fille bien*. Les dirigeantes du mouvement représentaient une menace pour ses acquis. Et bien entendu, sa mère et son père la traitaient de féministe chaque fois qu'elle s'affirmait. Son transfert était si complet que même les personnes qui auraient pu la soutenir étaient perçues à travers le filtre de la sévérité maternelle. La voix de son père, « douce et irrésistible », lui demandant d'être agréable et gentille, amplifiait sa crainte de s'impliquer dans les groupes féminins. Son double message la confondait et lui faisait peur. Son père semblait lui offrir la chaleur de l'amour familial, mais ses paroles en elles-mêmes étaient culpabilisantes. Comme il était la seule personne qui lui offrait appui et encouragement, elle intériorisait leur relation et restait fidèle au souvenir de leurs conversations intimes.

La loyauté de Julie envers son père correspondait évidemment à ce qu'elle attendait des hommes. Elle cherche toujours des hommes dont l'attitude distante est déguisée en gentillesse, qui paraissent émotivement disponibles, mais qui en fait, ne peuvent ou ne pourront jamais répondre à ses besoins. « Je ne suis pas certaine que mes besoins soient légitimes », dit-elle. « En réalité, je ne sais pas comment faire la part entre mes besoins infantiles et mes besoins adultes, ni si c'est important... Je ne sais pas si mes demandes sont justes, si je demande trop ou pas assez... » Quand elle était mariée, Julie évitait de demander ou même de supposer qu'elle avait des besoins « personnels », mais elle se sentait toutefois obligée « de prévoir toutes les humeurs de son mari et d'être à l'écoute ». Après son divorce, elle réalisa que son mari n'avait jamais su qui elle était vraiment ; elle non plus d'ailleurs. Mais quand ils se sont séparés, elle s'est sentie « démolie » et pensait « mourir ». Quand l'homme est disparu, elle disparut elle aussi et la mère sévère réapparut en elle, lui reprochant mentalement son incapacité de « garder un homme ». L'attention d'un homme procurait à Julie des sentiments de valorisation, d'importance et de *normalité*. Quand elle est privée de cette relation, elle se lance à fond dans une activité frénétique pour tenir en échec ses « sentiments insupportables ».

Sa prédisposition au burnout n'a pas été difficile à cerner. Elle fuit constamment les appels de sa voix intérieure, que ce soit au travail, comme mère, avec les hommes ou les amis. Exploitant le principe « qu'on ne peut atteindre une cible mouvante », elle ne cesse de bouger. Elle réanime constamment les situations familiales en jouant alternativement les rôles de « conciliatrice », d'« animatrice » et d'« amortisseur ». Cependant, elle commence à faire la relation entre sa vie émotive et ses symptômes comme trop de cigarettes, les douleurs lombaires, les contractions musculaires, les rhumes fréquents, l'angoisse et la fatigue. Peu à peu elle cesse de lutter contre ses sentiments et de se démener pour échapper à leurs effets. Elle conclut de la façon suivante :

> « J'essaie de me suffire à moi-même. J'ai appris à augmenter ma confiance en moi, à faire confiance à ce que je ressens intérieurement et je me sens plus à l'aise avec l'idée d'être sur la voie du changement. Je me sens toujours fortement contrainte à me dépasser et à être la femme parfaite, mais je m'efforce de faire des compromis. Je constate que cette pulsion puissante vers la perfection me mène vers un mauvais usage de mon énergie et qu'à la fin, rien ne se fait comme je

le veux. Je veux apprendre à accepter la relativité de mes actions, qu'on peut vivre ainsi, sans que tout soit accompli à la perfection. Je pense que ma personnalité me prédispose au burnout, mais il me plaît aussi de penser que je suis en train de tout changer. On ne peut pas se sentir épuisée quand on sait qu'on est sur la voie du progrès... Prendre conscience de son progrès est un signe d'espoir. »

Béatrice et Julie venaient de familles où le bouleversement et la confusion contribuaient à les éloigner de leur moi véritable en exigeant d'elles de se tromper elles-mêmes, ce qui est le commencement du refoulement. Pour survivre, il était important qu'elles rejettent le déséquilibre qu'elles ont observé chez leurs parents et qu'elles ont inconsciemment assimilé.

Vous n'avez pas toutes connu une telle emprise parentale, mais la plupart d'entre vous peuvent se reconnaître dans une partie des expériences de ces femmes. L'ampleur de votre refoulement peut se mesurer à la détresse que vous avez connue dans votre milieu familial.

LA DYNAMIQUE FAMILIALE ET LA PROGRESSION DU REFOULEMENT

Les techniques, les habitudes et les sentiments liés au refoulement ont été étudiés au chapitre I, mais quelle est l'origine du refoulement ? Quelle est la dynamique familiale qui stimule ce processus ?

Si enfant, vous avez été surprotégée, qu'on vous a caché la réalité, qu'on vous a mise à l'écart des conflits, soit familiaux, entre parents et amis, soit à l'extérieur, vous n'êtes sans doute pas prête à affronter le stress normal du monde adulte ou n'importe quel désaccord imprévu. On a favorisé chez vous le refoulement comme moyen de vous mettre à l'abri des dures réalités de la vie. Ainsi, peut-être avez-vous développé des instincts de protection, mais aussi appris à refouler vos faiblesses et vos limites ?

Si vous avez grandi dans une maison où régnaient les rivalités et les disputes constantes, votre refoulement, comme celui de Béatrice, a pu vous rendre aveugle à l'évidence du danger. Pour survivre, vous avez appris à « faire la morte » et à éviter la cacophonie des sentiments effrayants dont la fréquence était intolérable.

Peut-être venez-vous d'une famille où l'un ou les deux parents se présentaient comme des apôtres de la rigueur morale. Les règles ou les principes religieux leur ont peut-être servi à vous inculquer le sens de l'éthique et de l'honneur. Vos parents se sont peut-être montrés des modèles d'intégrité, mais leur comportement contredisait peut-être les valeurs qu'ils affichaient. Ce double message que vous avez reçu a pu vous pousser à refouler vos véritables perceptions de cette réalité confuse. Pour maintenir votre équilibre, vous avez appris à ignorer l'aspect contradictoire de ces messages parentaux.

Étiez-vous dépassée par les événements familiaux ? Y a-t-il eu un mariage brisé, suivi d'un défilé de nouveaux visages avec lesquels vous deviez vous familiariser : l'amoureux de votre mère ou un nouvel époux, l'amoureuse de votre père ou une nouvelle épouse ? Il se peut que vous ayez eu de la difficulté à accepter le changement rapide du cours des événements, les nouvelles situations et les nouvelles personnes. Que vous ayez été dérangée par ce remue-ménage de personnalités, avec leur charge d'émotions fortes ou par le bouleversement des allégeances, c'est dire que vous n'étiez pas préparée à réagir à ce stress. Votre refus de ces changements rapides s'est peut-être transformé en une méthode pour ne pas perdre pied, pour vous maintenir dans une continuité imaginaire.

Nous apprenons tous à accepter la vie et à y faire face en surmontant les vicissitudes. Ce que nous recherchons, c'est ce que nous appelons parfois la faculté d'adaptation, c'est-à-dire l'art d'harmoniser nos désirs et nos besoins. Réaliser vos désirs et vos besoins dépend de vos aptitudes, de votre savoir-faire, de vos attentes, de vos occasions et de vos efforts. Quand par vos efforts, vous réussissez à contrôler votre vie, un sentiment d'accomplissement se révèle, augmentant votre respect de vous-même. Le développement d'une forte personnalité exige l'espace nécessaire pour mûrir et s'épanouir. Ce n'est qu'à ces conditions que l'on peut arriver à s'assurer du contrôle de sa vie.

Mais cette faculté d'adaptation déviera si ce processus est interrompu. Si vous ne pouvez vous assurer de la stabilité et de la cohérence nécessaires ou manquez de confiance et d'esprit de décision, vous serez menacée de burnout. Vous pourriez alors éprouver l'envie de vous isoler, de refuser d'appeler à l'aide, de vous cuirasser contre le danger de l'imprévisible et d'agir «comme si» vous étiez invulnérable.

Le refoulement qui se développe à partir de relations familiales perturbées entretient une double personnalité. La mémoire et le moment présent ne sont plus harmonisés. La personnalité se dissocie. Le souvenir des choses passées se limite consciemment à celles qui ne mettent pas en cause la poursuite de vos buts actuels ou qui ne risquent pas de vous blesser. L'habitude du refoulement étant fermement ancrée, vous pourriez ne pas comprendre que vos jugements et vos perceptions de la réalité peuvent se déformer et que vous vous faites inutilement du tort. Comme Julie, vous ne voyez pas en vous une candidate au burnout, mais une femme affligée d'une «faiblesse de caractère», et vous favorisez inconsciemment l'emprise du refoulement sur votre vie.

La nécessité de s'adapter a de sérieuses conséquences sur les épuisées. La plupart de ces femmes ayant reçu une éducation très sexiste, cette adaptation leur paraîtra embarrassante, discordante par rapport aux besoins de leur moi véritable. L'angoisse à propos de votre identité, de la présence de la «voix maternelle» intériorisée, d'avoir à vous définir dans le «monde masculin», de savoir comment doser autonomie et dépendance au travail et en amour, du partage du temps entre travail et loisir peut libérer des charges émotionnelles stressantes. Pour plusieurs d'entre vous, l'éducation familiale traditionnelle est en contradiction avec les nouvelles normes sociales. Les épuisées chroniques savent qu'il s'agit de problèmes graves soumis à un flottement continuel. Il faut souhaiter que l'adaptation sera plus facile pour les femmes de la jeune génération. Comme le disait Béatrice : «Il n'y a pas si longtemps que je pense qu'il serait agréable d'avoir une fille. Que ce serait merveilleux d'avoir une petite fille qui grandirait maintenant plutôt que dans mon temps... Il y a tant de choses que je voudrais qu'elle ait... Elle saurait au moins qu'elle peut faire des choix et qu'elle est une personne à part entière...»

Si vous pensez souffrir de burnout et être aux prises avec des attitudes et des modèles anciens, vous pouvez commencer à vous aider en explorant votre passé, afin de distinguer les valeurs apprises qui sont vraies et qui semblent «s'adapter» à celles qui sont fausses et passées de mode. Il serait également utile d'identifier les manifestations du burnout dans votre vie adulte, ce que vous en ressentez et savoir comment en reconnaître les symptômes. N'oubliez pas que prendre conscience du burnout, c'est déjà l'avoir vaincu à moitié.

CHAPITRE IV

Les symptômes de burnout chez la femme

« Je n'avais qu'un seul désir en tête : je voulais m'asseoir dans un coin, me couvrir la tête d'un sac en papier et dire au monde de me laisser seule parce que je n'y étais plus. »

Carole

Au plus fort de son burnout aigu, Carole cessa d'éprouver des sentiments.

« Je pensais que j'étais morte intérieurement. La femme passionnée, animée, affectueuse et chaleureuse que j'étais, devint soudainement vidée de toute émotion. Je me sentis inutile, comme une masse dépressive... et complètement désorientée. J'ignorais ce que je devais faire de moi ; ce que je voulais faire. Ma vie avait toujours été active, remplie d'activités et de rendez-vous, mais tout à coup, je me suis mise à tout mêler. Je n'arrivais pas à suivre mon horaire ni à dominer mes pensées. Ce qui me paraissait logique au sujet de mes affaires ou de ma famille était devenu réellement irrationnel, de véritables incongruités. Cette désorientation m'effraya. C'était la première fois de ma vie que je connaissais la peur... la peur et le sentiment de l'inutilité.

« J'ai pris beaucoup de poids durant cette année. Je ne suis pas sûre si c'était à cause du burnout ou si c'était le fait de vivre sans homme qui me faisait chercher une satisfaction orale dans la nourriture... mais je me sentais éteinte. Un soir, je suis sortie avec un nouveau compagnon, un homme qui m'attirait beaucoup. Il m'embrassa au cours de la soirée. Ce baiser ne m'a pas bouleversée ; je ne ressentais rien. J'avais perdu tout intérêt pour les hommes, pour la sexualité et les relations.

« Aussi, pour la première fois de ma vie, je me suis mise à pleurer. Bien sûr, j'avais déjà pleuré lors de funérailles ou à la projection de films tristes, mais je n'étais pas pleurnicharde ; je prétendais que cela n'allait pas aux femmes. Les hommes s'attendent à ce que les femmes pleurent et je n'allais pas leur donner cette satisfaction. Puis, un vieil ami qui s'inquiétait de moi me rendit visite. Dès que je l'aperçus, je courus dans ses bras et me mis à pleurer. Me sentir dans ses bras m'a fait prendre conscience que je manquais d'affection. Je mourais d'envie que quelqu'un me rende mon affection... que quelqu'un me caresse la tête en disant : « Tu es une fille épatante. »

« J'avais réellement perdu le contrôle de ma vie. Un rien me distrayait ; j'étais fébrile et totalement exténuée par la routine de tous les jours. Je n'arrivais pas à comprendre cette situation parce que j'avais toujours eu de l'énergie. J'ai été mariée, puis divorcée ; j'ai élevé un garçon, j'ai géré trois entreprises en même temps et j'ai subvenu aux besoins de ma famille... mais trop de choses sont arrivées en même temps et je n'arrivais pas à me ressaisir. Ma mère est devenue très malade et je devais lui rendre visite à l'hôpital tous les jours ; je me préparais à déménager dans un nouvel appartement, dans un nouveau quartier ; je voyageais beaucoup par affaires ; et puis l'homme que je fréquentais me quitta... J'imagine que c'était trop à la fois. Je n'arrivais pas à me concentrer sur une seule chose, mais je m'occupais de tout.

« J'ai commencé par avoir des rhumes à répétition, des maux de dos et des douleurs insolites, mais je n'arrivais pas à passer une bonne nuit de sommeil. Un moment, j'ai pensé que j'étais pour mourir de faiblesse. Cela ne me ressemblait pas. Une nuit, en cherchant le sommeil, j'ai pris conscience de mon isolement. Je me suis assise subitement dans mon lit et je me suis entendue dire à haute voix : « Je ne sais pas ce qui m'arrive ! J'ai besoin d'aide ! »

« Mais les seules personnes qui m'attiraient alors étaient celles qui avaient besoin de moi. Je me lançais sur ceux qui vivaient un divorce, un rejet ou une dépression. J'ai compris que les gens qui avaient besoin de moi confirmaient mon utilité. Pour eux, je pouvais laisser libre cours à mes sentiments et les regarder s'en sortir, mais je ne pouvais rien faire pour moi. Moi, je n'existais plus. Ainsi, si personne ne me réclamait de l'aide, je me sentais de nouveau inutile. J'avais l'impression d'être une ratée et cela me blessait ; j'avais toujours si bien réussi. Mon esprit d'indépendance, qui était très fort, m'abandonna... Je voulais que n'importe qui choisisse à ma place et prenne les décisions pour moi, mais je n'avais vraiment confiance en personne.

« J'ai pensé un moment que j'étais en période de préménopause... ce qui arrive après 40 ans. J'imaginais que c'était la fin et pire encore, que j'étais « dépassée ». Le mot prit place dans mon vocabulaire, comme l'expression « être ennuyée ». J'étais toujours ennuyée. Je n'avais qu'un seul désir : je voulais rester dans un coin, me couvrir la tête d'un sac en papier et dire au monde de me laisser seule parce que je n'y étais plus. »

Ce que Carole décrit, ce sont les dernières phases d'un *burnout aigu*. Il a été difficile de faire la relation entre l'histoire de la femme qu'elle décrivait et la femme émotive et exubérante qui parlait, détendue, dans un fauteuil fleuri et confortable. C'était comme l'eau et le feu. Il est vrai, toutefois, que Carole est devenue plus réfléchie, ce qu'elle n'avait jamais été jusqu'à ses 48 ans ; sa période de crise avait changé sa façon de penser et transformé sa façon de vivre.

Elle avait toujours été une femme très active, pleine de vitalité, intelligente, ayant beaucoup de résistance, un merveilleux sens de l'humour et un désir sincère de s'entourer de beaucoup de gens. Hommes et femmes se réunissaient dans sa maison accueillante, recherchant sa compagnie. Pleine d'entrain et d'énergie, Carole aime être dans la course en gérant, dirigeant et administrant ses multiples entreprises, apportant son appui à plusieurs causes, maternant son fils de 21 ans, prenant soin de ses parents âgés, entretenant une vie sociale active et, plus important encore, en adoptant une attitude maternelle envers toutes les personnes qui, presque tous les jours, venaient profiter de sa générosité. Toutefois, depuis sa crise d'épuisement, elle commence à réaliser qu'elle ne peut répondre à tous les appels de détresse venus de son entourage personnel et professionnel. Ses réserves sont épuisées et elle n'est plus là.

Les symptômes de burnout de Carole ont précédé d'un an la période décrite. Ils sont apparus lentement, presque imperceptiblement. Lorsque les circonstances extérieures de sa vie ont commencé à mal tourner, les symptômes se sont transformés en un réseau complexe de dérangements physiques, intellectuels et émotifs. Un soir, combattant l'insomnie, elle ouvrit la télévision et entendit au cours d'une émission sur la santé une discussion portant sur le burnout. « J'ai été transportée, dit-elle. J'ai finalement su que je ne devenais pas folle, que je n'étais pas finie ou en train de mourir. J'ai immédiatement identifié mon état d'épuisement. » Le lendemain, elle téléphonait pour un rendez-vous.

LE BURNOUT PHYSIQUE ET MENTAL

Toutes les femmes qui souffrent de burnout ne sont pas aussi actives que Carole, et n'ont pas les mêmes contraintes extérieures. Plusieurs femmes qui réclament un traitement se plaignent d'une activité mentale exacerbée, leur activité personnelle et professionnelle étant comparativement circonscrite et prévisible.

Une personne aussi active que Carole et qui se trouve engagée dans le cycle du burnout s'exprime souvent en termes d'horaires, ce qu'il faut interpréter comme un manque de confiance en elle. Elle vit deux vies distinctes. L'une, tout extérieure, où triomphe son optimisme et son enthousiasme pour approfondir et accomplir les choses. L'autre, où règne le pessimisme intérieur, le doute, l'insécurité et la crainte d'avoir à abandonner n'importe laquelle des tâches qu'elle trouve importantes. Elle pourra fonctionner relativement bien pendant un certain temps avec cette contradiction entre ses attentes et ses réalisations, sans jamais reconnaître la fatigue qui commence lentement à l'envahir. Mais quand des conditions extérieures viennent surcharger sa vie, les phases graves du burnout aigu suivront de près. Comme une cocotte minute qui fonctionne mal, l'accumulation de vapeur se retourne contre elle, menaçant d'exploser.

Il est très courant qu'une femme qui vit les premières phases du burnout ne sente pas son esprit fonctionner aussi bien qu'avant. Sa difficulté à se concentrer, à voir aux détails, à être attentive à une conversation ou à une réunion d'affaires passe difficilement inaperçue. Son esprit dérive, elle se perd parfois dans une digression et se surprend à rêvasser. Tous ces symptômes rendent évident son désir de se replier, d'avoir un peu de répit, d'éloigner pendant un certain temps la tension omniprésente des pressions externes et internes qui lui sont imposées.

Sans horaires exigeants ou même de crises apparentes, une autre femme pourrait subir un supplice mental par rapport à des attentes ou à des jugements réels ou imaginaires. Elle verra le monde avec méfiance, obsédée par l'excellence, sinon la perfection, et connaîtra en général les méfaits de la culpabilité. Les hommes, l'argent, l'insatisfaction d'un emploi ou d'une relation viendront la confirmer dans sa conviction qu'elle n'est pas vraiment à la hauteur ; que sa pensée n'est pas assez vive ; qu'elle n'est pas assez intelligente, ni socialement intéressante, pas assez jolie, spirituelle, attirante ou cultivée. Son activité mentale l'épuise atrocement, mais ce n'est pas nouveau pour elle. *Toute sa vie n'a été qu'un burnout chronique.*

Vous vous souvenez que le burnout chronique est la conséquence d'une longue période d'oubli de son bien-être physique et émotif. Vous aurez peut-être adopté un mode de vie où l'action, la réussite et l'apparence ont la première importance, mais vous n'aurez probablement pas tenu compte des conséquences de l'intensité que vous y apportez. Ce genre de vie empiète graduellement sur votre vie sociale, sexuelle et sur votre activité créatrice ou récréative. Il vous reste peu de temps à consacrer au plaisir.

Les deux types de burnout, physique et mental, sont également débilitants. Si la femme qui s'active trop physiquement doit tenir son corps en laisse, celle qui se surmène mentalement doit contrôler son esprit. Ces deux types de burnout se chevauchent souvent. Les femmes qui en souffrent simultanément sont sujettes à un grave mélange d'angoisses. Que le burnout soit aigu ou chronique, qu'il soit physique ou mental, ou les deux à la fois, les symptômes peuvent se manifester exactement de la même façon. Les seules différences mesurables se trouvent dans l'intensité ou le degré de leur influence sur votre fonctionnement.

Contrairement à Carole, Alice, moins active physiquement, a toujours été une femme réfléchie, à l'esprit vif et alerte. Elle travaille seule à la maison comme artiste en art graphique. C'est une épuisée chronique qui n'a cherché toute sa vie qu'à se faire reconnaître. Chaque fois qu'elle abordait un nouveau projet, elle s'enfonçait encore plus profondément dans le cycle de l'épuisement. À 37 ans, elle cessa presque de fonctionner.

« Si mon souvenir est bon, je pense que je me suis toujours sentie plus ou moins épuisée. Je ne savais pas ce que c'était à l'époque. Mais quand tous ces symptômes m'envahissaient, je savais que je devais faire quelque chose si je ne voulais pas mourir d'ici cinq ans. J'étais trop irritable et angoissée pour continuer ainsi.

« J'avais récemment obtenu un important contrat pour dessiner des panneaux-réclame et des brochures pour une banque et comme j'étais pigiste, je voulais faire bonne impression sur l'agence. J'ai compris plus tard que cette situation n'était pas nouvelle pour moi... Chaque contrat me produisait le même effet. Je devenais obsédée et craintive, presque subjuguée par le désir d'être approuvée et acceptée.

« Je me sentis tout à fait seule devant ce travail et pensai sans arrêt que si j'échouais, si ce travail était fichu, ma carrière serait terminée. J'avais alors du mal à réfléchir... J'ai commencé à avoir des douleurs à la poitrine et des maux de tête, mais je les ignorais comme s'il s'agissait du stress normal causé par un travail trop long et trop difficile. Mes amis me disaient de sortir plus, mais je refusais de le faire. Les conversations oiseuses... ou même importantes m'ennuyaient. J'étais incapable d'écouter et de réagir en conséquence. J'étais sèche, nerveuse et crispée. Un soir, au cours d'une soirée, j'ai observé mes réactions excessives. Je riais trop aux blagues médiocres et j'exagérais l'importance d'une banale remarque. Il m'était impossible de séparer l'essentiel de l'accessoire parce que seule mon angoisse se manifestait.

« Par ailleurs, tout le monde me dérangeait. Je n'aimais pas celui-ci ou celle-là ; je critiquais secrètement tout le monde, mais je broyais du noir et je souffrais si toutefois un ami n'avait pas le souci de me plaire. Je vivais alors une relation sans intérêt avec un homme et j'accordais à cette relation plus d'importance qu'elle n'en méritait. Qu'il m'adore et qu'il ignore mes défauts était devenu suprêmement important... mais moi, je n'oubliais pas les siens...

« Manger et coucher étaient les deux seules activités qui me plaisaient. Je prenais sans cesse du poids... Chaque fois qu'un dessin n'allait pas, je finissais par m'empiffrer.

« En autant que mon ami était concerné, je ne voulais pas qu'on se parle, je ne voulais que coucher avec lui. Je croyais que j'étais sexuellement affamée, mais avec le recul, je pense que ce n'était pas tant la sexualité que je recherchais, mais une intimité physique...J'avais l'impression que cela me rendait plus humaine, du moins pour quelques heures.

« Durant le jour, je me surprenais à me mordiller le tour des ongles, à me balancer la jambe, à fumer cigarette sur cigarette, à me tracasser pour l'argent et mon travail, à me demander qui pouvait bien m'en vouloir et quel appel je n'avais pas rendu. Tous les matins, j'avais mal à la tête. J'avalais une pilule et plusieurs tasses de café dont le coup de fouet augmentait mon angoisse. J'étais alors étourdie, déconcertée et mes inquiétudes se tournaient vers ma santé. Je n'étais qu'un amas d'insécurité et d'angoisse... Plus je m'en faisais, moins je travaillais et plus je culpabilisais. J'avais en plus du mal à dormir. J'avais pris l'habitude de rédiger mon journal à 3 h, la nuit... Tout ce que j'écrivais alors était soit négatif, soit accablant pour moi ou c'était une litanie sur les nombreux moyens de m'améliorer — mon poids, mes vêtements, mes façons de parler.

« J'imagine que j'ai dû atteindre un point de rupture parce qu'un beau jour je suis devenue complètement exténuée ; je me suis assise et me suis mise à pleurer. Le mois suivant, j'ai beaucoup pleuré. Mes perceptions étaient embrouillées. J'étais extrêmement fatiguée et je m'endormais durant le jour. Je me souviens être allée au supermarché et qu'en passant à la caisse, mes genoux ont cédé. Je pense que ce que je voulais, c'était de disparaître. Je l'ignorais, mais j'étais presque au-delà du burnout. J'avais perdu toutes mes énergies ; mes réserves étaient épuisées. Et si mon corps n'avait pas mieux réagi que ma tête, j'aurais pu faire un infarctus... une maladie assez grave pour mériter qu'on s'occupe de moi.

« Je voulais réellement que quelqu'un se présente et prenne ma vie en main, me disant quoi manger, comment m'habiller, quand dormir et quoi dire. Je ne pouvais plus assumer aucune responsabilité, pas même celle de choisir un restaurant. Devant les autres, je faisais des performances et il me tardait d'être seule pour redevenirmoi-même. Je savais comment me comporter, mais seulement devant les autres. Tout était en surface. Je n'avais pas d'attaches émotionnelles.

« Finalement, quand j'ai retrouvé le sommeil, je suis passée de 4 à 6 heures de sommeil, puis à 10 et de temps à autre, pendant presque un mois, je dormais jusqu'à 16 ou 18 heures par jour. Une partie de cet état était due à une fatigue extrême, mais aussi, j'en suis certaine, au fait que je cherchais à me fuir moi-même. Quelle qu'en soit la cause, une amie m'a dit que cela n'avait pas d'importance, que dormir était bon pour la santé. Je m'y suis donc laissée aller. Je pense que tout ce que je voulais, c'était la permission de me reposer.

« J'ai essayé de raconter à quelques amies ce que je vivais, mais comme j'ai toujours été si compétente, maîtresse et sûre de moi, elles n'arrivaient pas à saisir la profondeur de ma détresse. J'imagine que cela amplifiait mon image ou les effrayait. Cette tentative ne m'a pas aidée ; elle m'isola encore plus. Je pense que ce sentiment d'isolement et d'éloignement du monde est ce qu'il y a de plus effrayant. C'est à ce moment que vous flirtez avec des idées suicidaires. »

Encore une fois, cette femme avenante et dégagée qui acceptait d'être interviewée laissait entrevoir quelques-uns des symptômes qu'elle décrivait de façon poignante. Alice souriait facilement et était sensible à son entourage. Elle n'avait rien de sec, de crispé ou de suicidaire. Paraissant toute fraîche dans sa robe indienne imprimée et ses bottes à talons plats, elle parlait de façon réfléchie de sa prédisposition à douter d'elle-même et à se punir pour ses faiblesses imaginaires. « Je dois me rappeler que s'il y a quelqu'un à blâmer, c'est moi, dit-elle, moi qui entrave mon propre cheminement. »

La solitude et l'isolement qu'avait connus Alice avaient commencé à menacer sérieusement ses perceptions et ses jugements et avaient contribué à l'engager plus profondément dans le cycle du burnout. Son isolement la privait de la présence de quelqu'un qui l'approuvait. Ses idées de suicide lui venaient de son impuissance et de son désespoir de plus en plus grands. Comme plusieurs femmes qui ont choisi un travail qui les isole, Alice admettait que l'isolement était un risque du métier, mais elle ajoutait qu'elle avait désormais appris à mieux équilibrer son horaire de travail en y introduisant des activités physiques et sociales. Elle va maintenant dîner ou souper avec des amis ; elle s'est mise au tennis et à l'aérobic. Elle a compris qu'un sentiment d'appartenance, c'est-à-dire un climat d'intimité avec ses amis, est important pour conserver son équilibre.

Alice vint à reconnaître qu'elle ne souffrait pas de dépression nerveuse, mais qu'elle était au plus profond du burnout quand sa fatigue continuelle et sa nervosité l'ont amenée à consulter un médecin qui lui a prescrit une thérapie par les vitamines et lui a fourni de l'information sur l'épuisement. Plus tard, se souvenant du livre *La Brûlure interne : le prix élevé du succès*, de Herbert J. Freudenberger, elle se le procura l'après-midi même et après l'avoir lu attentivement, elle commença à comprendre que « la folie qu'elle s'attribuait pouvait bien être quelque chose que l'on peut contrôler ».

Plusieurs médecins auraient diagnostiqué cette fatigue comme une dépression et l'auraient traitée en conséquence. Comme on l'a dit au chapitre I, il s'agit souvent d'une erreur. La dépression est un symptôme du burnout, mais sûrement pas sa principale composante. Le niveau de fatigue atteint par Alice était, comme elle le disait : « presque au-delà du burnout ». La perte de ses énergies et de ses ressources s'étendait sur une longue période. Quand finalement elle demanda de l'aide, elle commençait à perdre son instinct de survie.

Les symptômes d'Alice s'étaient lentement infiltrés tout au cours de sa vie, mais elle en était trop proche pour pouvoir clairement les identifier. L'angoisse était devenue son mode de vie.

«Je me sentais «privée» comme la vie que je menais, dit-elle, celle que personne ne connaît, sauf elle-même. Confier à mes amis mon agitation constante, mon besoin de perfection, d'excellence et d'amélioration, me donnait l'impression d'être à l'abri. Vous savez... Il n'est pas facile d'être une femme dans la société actuelle. Il y a une exigence non déclarée de paraître forte, équilibrée et maîtresse de soi.»

Toutes les femmes prédisposées au burnout ne connaîtront pas nécessairement la redoutable expérience de Carole ou d'Alice. Le mot burnout s'étant répandu dans le langage populaire, plusieurs femmes sont maintenant capables d'en décoder les symptômes avant qu'ils ne deviennent critiques. De nos jours, plusieurs femmes ont acquis des connaissances qui leur permettent d'identifier le moment où leur corps et leur esprit vont céder lorsqu'elles abusent de leurs forces ou se surmènent. Il n'est pas rare d'entendre une femme s'exclamer qu'elle «pense être sur le point de craquer».

Toutefois, d'innombrables autres femmes ignorent encore le piège de l'épuisement, comment en reconnaître un symptôme ou tout le cycle des symptômes. Égarées par le mythe de la perfection, plusieurs d'entre vous expriment souvent l'impression d'être prises dans un état de contradiction entre leurs sentiments et leurs expériences. Il en découle malheureusement que vous concevez les manifestations les plus flagrantes de l'épuisement, au mieux comme des développements normaux de la vie courante, ou au pire, comme la preuve que vous ne vous conformez pas aux normes exigées de nos jours.

Les femmes qui souffrent de burnout aigu ou chronique sont piégées par ce qu'Alice appelle « l'exigence non déclarée de paraître forte, équilibrée et maîtresse de soi ». En crise de burnout aigu, la femme peut soudainement être plongée dans une série de circonstances dramatiques et désorientée par un torrent d'événements imprévisibles. L'épuisée chronique voit son état s'aggraver avec les années et aura, comme Alice, la surprise de découvrir un jour qu'elle n'en peut plus tout simplement. Il est aussi courant d'entendre des histoires de femmes accablées et tourmentées par des contraintes intérieures et extérieures qui se foulent soudainement la cheville ou qui attrapent une maladie les obligeant à prendre une période de repos. Le corps *succombe* sous le stress. Si vous refusez de suivre les indications de votre conscience, c'est-à-dire vous retirer, vous replier et décompresser, votre inconscient pourra, paradoxalement, vous conseiller d'être malade pour votre propre survie. Le corps dit non, mais la tête dit d'y aller. En refusant d'acquiescer aux demandes de l'esprit, le corps vient à succomber. Il arrive souvent qu'un accident se produise ou qu'une série de symptômes se manifestent pour exiger un repos ou une retraite afin d'échapper au poids d'un stress prolongé.

LE CYCLE DES SYMPTÔMES DU BURNOUT

La description des 12 phases du cycle des symptômes du burnout chez la femme permettra de mieux comprendre sa progression. Ces phases particulières ne sont pas clairement séparées ou délimitées les unes par rapport aux autres ; elles se confondent et se chevauchent souvent sans qu'on en soit consciente. Elles s'appliquent autant au burnout aigu qu'au burnout chronique. L'intensité et la durée d'une phase en particulier sont relatives à chaque femme, à sa personnalité, à sa perception d'elle-même, à ses antécédents et à son aptitude à vivre avec le stress.

Notez et rappelez-vous ce qui suit. Il est important pour vous de bien comprendre que les symptômes définis ici sont souvent vécus comme une situation normale de la vie. Plusieurs de ces symptômes sont des réactions naturelles et normales aux événements.

Vous n'êtes peut-être *pas* sur le point de vivre un burnout, mais vous avez peut-être déjà connu un échec, une déception, une maladie, une perte ou quelques-unes des autres vicissitudes de la vie. C'est ainsi que vous avez sans doute expérimenté un ou plusieurs de ces symptômes pour une période de temps plus ou moins longue. Pour mieux décrire le processus de l'épuisement, nous avons résumé les symptômes dans un cycle. Ces symptômes ne s'appliquent pas tous nécessairement à votre cas. Vous noterez qu'il est possible de prendre immédiatement certaines mesures qui vous aideront à prévenir ou empêcher le processus de se poursuivre.

Si vous croyez être sur le point de craquer, ne soyez pas effrayée. Identifier la cause de votre malaise, c'est déjà l'avoir vaincue à moitié. Dès que vous aurez compris que vous souffrez de burnout, vous serez très bien placée pour modifier et changer complètement les aspects de votre vie qui intensifient votre stress. En sachant reconnaître ses signes, vous serez aussi en mesure d'aider d'autres femmes qui présentent des symptômes de burnout, mais qui ne savent pas encore les reconnaître.

CYCLE DES SYMPTÔMES DU BURNOUT

Pour l'instant, jetez un coup d'oeil sur le cycle des symptômes du burnout, sur leur description et sur les mesures immédiates à prendre. Identifiez ensuite la phase qui correspond le mieux à vos sentiments et à votre expérience.

PHASE 1 : *Le besoin compulsif de s'affirmer*

Historiquement, le besoin compulsif de s'affirmer, de faire une forte impression sur les autres, a toujours stimulé le goût de la réussite. C'est pour cette raison que la phase 1 est la phase du cycle des symptômes du burnout la plus difficile à reconnaître. Le désir de s'affirmer est en soi légitime mais s'il devient trop obsédant ou s'il prend trop d'importance, il peut en fin de compte s'avérer nuisible. En fait, c'est quand le *désir* devient *compulsif* et provoque un malaise persistant que la première phase du burnout se dessine et est à la veille de se manifester.

La phase 1 s'enracine dans une série d'idées préconçues touchant l'estime de soi, ses attentes et ses valeurs. Elle se caractérise souvent par une détermination exaspérée à vouloir réussir, se surpasser et se battre, mais aussi par des impressions de solitude. Elle est engendrée par de trop fortes exigences envers soi-même. Elle comporte souvent aussi un vague sentiment de désillusionnement face au défi entrevu, aggravé par un refus d'envisager une limite ou un retrait. Constance, nouvellement arrivée dans le milieu universitaire, s'exprime ainsi :

> « Je pense que ma compulsion se situe dans le désir de vouloir tout bien faire... d'être une superfemme. C'est par compulsion que la plupart de mes collègues ont réussi à passer à travers tous les travaux de doctorat. Nous possédons cette qualité d'en faire trop, de trop travailler, de trop s'impliquer, de se dépasser. Quand on veut quelque chose, il est difficile de se fixer des limites. »

La compulsion de Constance ne se limite pas uniquement à son travail académique. Mariée et mère d'un petit enfant, elle « sentait » qu'elle devait être une superfemme pour tous. « Quand je suis retournée aux études et que j'avais mon fils, dit-elle, j'avais cette idée bizarre de tout faire à la perfection. »

D'autres femmes qui ont vécu le cycle du burnout parlent maintenant et avec quelque regret de leur empressement et de leur vitalité d'hier, mais aussi de leur détermination à devenir des exemples de la mère parfaite, de l'amie la plus sensible, de la femme idéale, de l'amoureuse la plus excitante, de la plus brillante conciliatrice, de la plus prospère, de la plus élégante, de la plus mince, de la plus jolie, de la plus intelligente et de la plus amusante... Elles aspiraient souvent à réaliser tous ces modèles à la fois. Parfois, leur pensée perdait toute nuance et leur langage était bourré de superlatifs. Elles se fusionnaient à leurs aspirations et prétendaient démontrer qu'elles pouvaient les réaliser toutes, à n'importe quel prix, même aux dépens de leur santé et de leur bien-être.

D'où viennent ces désirs compulsifs de s'affirmer? Ce sont souvent les conséquences d'attentes exagérées de vos parents qui vous ont marquée au cours de votre enfance ou, à l'âge adulte, par celles de votre milieu politique, social ou professionnel. Il est clair que les moyens de communication imprimé et électronique influencent grandement les idées qu'on se fait de sa propre valeur et qu'ils créent des modèles extravagants auxquels les femmes devraient se conformer.

Une attitude compulsive peut être aussi le fruit d'un manque de motivation, ainsi cette femme dont les parents n'encourageaient aucune des aspirations tacites ou explicites.

Par exemple, Constance révélait la source de son problème en disant que l'attitude de sa mère était tellement peu compulsive que sa propre compulsion lui paraissait comme une réaction au manque d'affirmation de sa mère. En ce sens, la situation de Constance dans le cycle des symptômes du burnout est celle d'une réaction compensatoire à l'attitude de sa mère incapable de s'affirmer ou de se structurer. Cette réaction est courante chez une fille qui a grandi dans un climat permissif et de laiser-aller apparent. Avec l'âge, elle développe de plus en plus d'exigences compulsives par rapport à elle-même. Elle devient plus sévère pour elle-même qu'elle ne l'est pour toute autre personne et consacre peu de temps ou d'espace à son bien-être affectif ou à ses plaisirs. Elle refuse aussi paradoxalement d'admettre à quel point on s'occupait peu d'elle ou qu'on était peu exigeant envers elle.

Une femme qui a été encouragée à prendre des décisions autonomes et qui a pu quitter la maison familiale dans un climat d'ouverture et de franchise, risque moins de se trouver sur la voie de l'épuisement. Par ailleurs, celle qui aurait été récompensée pour avoir adhéré aux valeurs familiales ou punie pour s'en être éloignée, cherchera à se situer vis-à-vis d'elle-même et éprouvera peut-être un besoin compulsif d'affirmer son autonomie.

Pour plusieurs femmes, le besoin compulsif de s'affirmer est souvent teinté de défi et de colère, ce qui se justifie culturellement si l'on tient compte des prérogatives masculines. Il est peut-être terriblement frustrant d'avoir à s'introduire dans ce qu'on appelle communément le « club masculin » et d'y être acceptée sur un pied d'égalité. Les femmes vivant cette expérience se voient souvent forcées d'avoir continuellement à prouver leurs talents et leurs capacités. L'effort surhumain qu'elles s'imposent pour devenir égales à l'homme et parfois même à des femmes en position supérieure peut les entraîner dans le cycle du burnout.

Il arrive souvent que la phase 1 soit en général précédée d'un besoin confus de s'accomplir qui découle d'une dépréciation de soi-même, procédant d'un vide créé par une absence d'amour, de respect, de reconnaissance, d'approbation ou d'égalité. La dépréciation de soi-même, le manque de confiance, une image de soi déficiente ou la solitude et l'impuissance peuvent être surmontés temporairement par une fusion ou une profonde implication dans un travail, auprès des enfants et du conjoint. Mais si cette fusion n'a pour but que d'échapper à votre malaise, le réconfort en sera de courte durée et le fruit de vos efforts pourrait ne vous apporter qu'un contentement superficiel. Il y a de grands risques que vous soyez en train de vous acheminer vers le burnout par manque de réconfort réel.

Les nombreuses variations sur ce thème ont été étudiées de façon détaillée dans le chapitre III qui traite de la dynamique familiale. Ce qu'il faut comprendre, c'est que cette première phase du burnout se confond souvent à la deuxième phase.

Ce que vous pouvez faire immédiatement. Faites un effort concerté pour devenir plus consciente de vos comportements compulsifs et de vos exigences. Essayez d'identifier le moment où votre désir de réussite et de rendement devient compulsif. Commencez à vous accorder à vos propres rythmes naturels et à vos réactions. Vous pourriez ainsi enrayer le processus du burnout.

PHASE 2 : *L'intensité*

Si ce besoin compulsif d'affirmation s'instaure, il commencera à se greffer sur le travail, sur une relation affective ou sur un projet. Il se confondra avec les notions de prise de conscience, de dévouement et d'engagement qui sont de nature à justifier cette nouvelle intensité. Le refus de confier un travail, une responsabilité ou une tâche domestique de peur d'en perdre le contrôle est un signal infaillible que la deuxième phase est sur le point de se manifester. Ce n'est pas tellement par méfiance à l'égard des capacités d'autrui, c'est surtout que personne ne connaît aussi bien que vous les détails et les implications d'un travail et d'une relation ; personne d'autre que vous peut y accorder toute l'attention requise ou qui leur est due. Vous penserez qu'en renonçant à assumer une partie de la responsabilité, vous en perdrez tout le crédit ou le mérite. En conséquence, la tension montera et votre attention deviendra plus intense et plus concentrée. Encore une fois, le besoin de vous affirmer primera tout.

À propos des conséquences de son intensité, Denise, 29 ans, cadre dans une banque, déclare ceci :

« Quand j'entreprends un nouveau projet, il m'arrive souvent de penser que ma tendance à tout assumer devient une sorte de manie. Je me fais une idée sur la façon dont ce projet doit se réaliser et je n'en démords pas. Une fois lancée, je suis comme un bull-terrier, tenace, imperturbable et inflexible. Rien ne peut m'en distraire. Je dois le réaliser par mes propres moyens. C'est toujours la même chose, que ce soit pour un travail ou pour un homme. Quand j'ai décidé que je suis en amour, il n'y a que cela ! Je ne lâche pas. Je suis vraiment très, très consciencieuse. »

Cette attitude inébranlable passe habituellement inaperçue dans la phase 2. Les autres, vos collègues et votre famille, reconnaîtront en vous une femme fortement engagée dans la poursuite d'un objectif. Mais sous la pression, certaines angoisses qui semblent menacer votre objectif s'infiltreront en vous. La peur apparaîtra soudainement, vous faisant croire que votre esprit n'est pas assez vif au travail, que vous ne donnez pas assez d'attention à votre enfant, que vous n'êtes pas assez sensuelle avec votre conjoint, pas assez vive, pas assez animée, pas assez attrayante... et que sans cette intensité, la vie est perdue et n'a aucun sens. En résumé, le doute vous harcèle : vous n'arrivez plus à être à la hauteur de votre niveau d'excellence, réel ou imaginaire, un idéal que vous tenez de vos parents, des médias, des hommes en général ou même des femmes plus âgées et plus expérimentées, ou peut-être parce qu'il n'y a rien d'assez important dans votre vie pour le remplacer.

Afin de calmer cette angoisse, vous avez compensé en vous impliquant davantage, en y allant à fond. Voici les éclaircissements de Denise à ce propos :

« Je crois que je deviens obsédée quand j'ai l'impression de mal agir. Je retourne les choses contre moi, puis je persiste à me demander ce que j'aurais bien pu faire de mal. Au début de ma relation amoureuse, maintenant terminée, avec mon conjoint, je n'arrivais pas à cesser de me tracasser pour perdre cinq kilos, changer ma coiffure et savoir si je plaisais à ses amis. Il n'était rien arrivé, mais j'avais besoin d'être sûre que rien ne changerait. »

Une autre femme, Jeannette, 30 ans, mère de deux jeunes enfants, fait état de la même réaction. À propos de son besoin compulsif de sécurité pour ses enfants, elle montre bien comment l'angoisse s'intensifie :

« Mon premier enfant venait de naître et j'étais très heureuse, mais j'avais besoin de prouver que j'étais une mère parfaite, que rien ne pourrait faire de tort à mon enfant. Quelques mois après sa naissance, j'ai commencé à m'angoisser à propos de ce que j'aurais pu mal faire. Je cherche toujours la « petite bête noire » jusqu'à ce que je l'aie trouvée. Je suis absolument incapable de dire : « C'est bien, j'ai raison... » Je dois toujours en faire plus. Je ne pouvais abandonner l'idée que j'avais à démontrer que j'étais vraiment une mère dévouée. À cette époque, tous les autres aspects de ma vie semblaient m'échapper. »

C'est ainsi qu'apparaît la phase 2. Une grande intensité se développe à propos d'un projet ou d'une relation qui devient souvent d'une urgence intolérable. En même temps, l'insécurité depuis longtemps réprimée resurgit. Afin de faire taire ses doutes sur sa compétence ou sur l'évocation de dépendances non résolues, la femme insistera encore plus et ira plus loin. Elle s'engage alors dans le cycle préliminaire du refoulement.

Ce que vous pouvez faire immédiatement : Commencez à confier à d'autres personnes une partie de vos responsabilités. Ce sera peut-être difficile, mais vous allégerez ainsi votre stress, calmerez plusieurs de vos angoisses et diminuerez le poids de votre intensité.

PHASE 3 : *L'oubli de soi*

En déclarant que « tous les autres aspects de sa vie semblaient lui échapper », Jeannette indiquait qu'elle entrait dans la phase suivante du burnout. *La phase 3 se caractérise par la négligence ou l'oubli de ses besoins personnels.* Quand un projet ou une relation affective accapare votre vie intérieure, vous avez tendance à oublier ou à remettre à plus tard les obligations secondaires et les plaisirs de la vie courante qui sont souvent considérés comme des interférences et des ingérences.

Vous vous sentirez coincée par les horaires et les contraintes et vous négligerez les tâches quotidiennes les plus banales : comptes à payer, vêtements chez le nettoyeur, articles de première nécessité qui manquent, appels téléphoniques non retournés, oubli des anniversaires de vos amis ou parents, ordonnances non renouvelées à la pharmacie. Une femme raconte qu'elle a oublié pendant plus de deux semaines de déposer un chèque à la banque ; une autre de balancer son carnet de chèques pendant des mois, et une troisième, d'acquitter ses primes d'assurances médicale et d'automobile jusqu'à réception d'un avertissement. Elles ont déclaré qu'elles n'en avaient pas eu le temps. La routine et les exigences de la vie courante sont automatiquement remises à plus tard. Remettre à plus tard est l'une des manifestations importantes du processus du burnout.

En même temps que les oublis qui caractérisent la phase 3, ce qu'elles poursuivaient commence à éclipser leurs besoins et ces femmes commencent à refouler leurs plaisirs émotifs. Line, une femme dans la vingtaine, a été récemment promue à un poste de cadre moyen dans une maison de publicité, elle expose son cas:

« Je n'ai plus de temps pour moi maintenant. J'aimerais m'arrêter et partir un week-end avec mon mari, mais je n'y arrive pas. Après le travail, j'aimerais bien jouer quelques heures au tennis avec lui ou aller au théâtre... mais récemment, les journées ne comptent pas assez d'heures. Je m'apporte beaucoup de travail à faire à la maison et je me préoccupe aussi de ce que j'ai à préparer pour le lendemain. Quand mon mari me raconte sa journée, j'ai l'esprit ailleurs. Quand j'ai réussi à tout faire pour l'entretien de la maison, je me sens fatiguée et je tombe dans mon lit. Quand mon mari désire faire l'amour, ma pensée est occupée par ce que j'aurais bien pu oublier de faire dans la journée... Je ne suis pas très intéressée à faire l'amour ces temps-ci; cela ne me paraît pas important... Si je le fais, c'est machinalement. Il m'est aussi difficile d'avoir un orgasme. »

D'autres symptômes reliés à ces états émotifs pourraient se manifester. Le sentiment d'être extrêmement contrainte vous fera adopter un comportement sérieux; vous perdrez votre sens de l'humour et vous serez contrariée si quelqu'un retient votre attention en vous racontant une blague ou une histoire drôle. En temps normal, votre esprit était sensible aux non-sens ou aux drôleries de la vie quotidienne, mais dans la phase 3, votre attitude sérieuse éclipsera ces sentiments légers. Aussi, les sourires du bout des lèvres remplacent-ils les grands éclats de rire. Vous pourrez vous sentir obligée de tenir compte des conversations et des gestes de votre entourage, mais vous n'y réagirez que d'une façon polie. Sous un prétexte ou un autre, vous éviterez les relations sociales. Vous êtes trop « fatiguée », cela vous ennuie ou « c'est une perte de temps ». Comme Line le souligne, les relations sexuelles n'auront plus aucun intérêt pour vous. Tout ce qui vous détournerait de votre objectif sera considéré comme une ingérence.

Vos habitudes pourront aussi changer subtilement ou radicalement au cours de la troisième phase. Vous serez portée à fumer plus que d'habitude, à boire trop de café ou à consommer plus d'alcool, ce qui vous donnera des maux de tête ou vous causera de l'insomnie. Certaines femmes disent qu'elles mangent trop ou pas assez, tout en abusant de fast-food. Jeannette qui reste à la maison une partie de la journée dit à propos de la préparation des repas de sa famille : « Personne ne peut manger à la même heure, je me contente de manger leurs restes. J'ai cessé de prévoir une portion pour moi. »

Si vous vivez seule, vous mangerez sur le coin de la table ou sur le pouce en rentrant du travail. Le désir d'être à l'écoute de vos besoins devient de moins en moins important.

En résumé, la phase 3 se reconnaît à la diminution de l'attention accordée à vos propres besoins. La tendance à l'oubli de soi et de ses besoins commence à s'affirmer.

Ce que vous pouvez faire maintenant : Essayez d'échapper à ce rejet de vos besoins. Une fois que vous aurez identifié cette tendance en vous, faites-vous une liste des tâches essentielles que vous évitez. Obligez-vous d'effectuer une de ces tâches, puis une autre, et ainsi de suite. En cessant de tout remettre à plus tard, vous calmerez vos angoisses. Soyez attentive à votre régime alimentaire ; notez la rapidité avec laquelle vous prenez vos repas, la durée de votre repos et le degré d'attention que vous vous accordez. Si vous aviez l'habitude de prendre des douches rapides, remplacez-les par de longs bains. Commencez à vous dorloter. Essayez aussi de retrouver votre sens de l'humour en évitant de vous en servir comme instrument de dénégation. Cela vous aidera à vous détendre et à éventuellement retrouver une perception plus équilibrée de vos besoins véritables.

PHASE 4 : *La dénégation*

Cette phase est d'une grande importance pour saisir l'évolution du cycle du burnout. C'est généralement durant cette phase que vous prendrez conscience de l'émergence d'un conflit intérieur et que vous découvrirez que vos sentiments et votre comportement ne sont plus harmonisés. Vous aurez des sursauts d'attention pour votre santé, vos heures de sommeil, votre alimentation, votre besoin d'exercice ainsi que votre baisse d'énergie. Vous vous demanderez pourquoi vous êtes si renfrognée, pourquoi votre toux se fait aussi persistante et pourquoi vous vous sentez grippée, dérangée et peut-être même indifférente lorsque en apparence vous faites tout « tellement bien ».

Logiquement, vous vous replierez sur vous-même pour prendre conscience du conflit, mais en une réaction typique chez les candidates au burnout, vous ferez tous les efforts possibles pour vous dissimuler cet état, de même qu'aux autres. Reconnaître qu'il y a conflit dresserait un obstacle, une interférence qui pourrait compromettre votre attitude compulsive. Le conflit apparaîtra alors comme une menace plutôt qu'une mise en garde positive. En conséquence, vous mettrez rapidement en place des mécanismes de défense pour bloquer la conscience, pour nier ou contrôler votre angoisse, la rejetant avec vos propres besoins comme étant sans importance. De plus en plus, vous remettrez la satisfaction de vos besoins à plus tard, au profit d'une image sublimée de vous-même. Votre projet de recherche, le travail, le produit, le dossier, la proposition, la famille, tout deviendra plus important que vous-même.

Le comportement est instable pendant la phase 4. Mais lorsque votre besoin compulsif est menacé, vous avez tendance à rassembler vos moyens et à tenir bon avec une nouvelle détermination. Lorsque des amis, des parents ou un conjoint vous manifestent de l'intérêt en disant que vous semblez peu disponible, préoccupée, fatiguée ou absente, vous aurez tendance à les repousser. Vous vous surprendrez à dire que vous vous détendrez dès que vous aurez obtenu votre promotion, lorsque le budget sera approuvé, quand votre enfant ira à l'école ou à la fin des vacances. Vos paroles paraissent justes, mais vos intentions sont trompeuses.

Quand son mari demanda à Line de ralentir un peu, elle a senti que son besoin compulsif de s'affirmer au travail était menacé et le conflit s'est alors instauré. Elle devait détourner les soucis de son mari en se créant de fausses échéances.

« Je lui disais qu'aussitôt la campagne terminée, je prendrais quelques jours de congé et que nous partirions ensemble. Mais je savais que je m'étais déjà engagée dans un projet avec un nouveau client et que j'aurais éventuellement à inventer une nouvelle histoire pour le satisfaire. *J'aurais à choisir entre la colère et la culpabilité :* je savais qu'il avait raison et qu'il était très bienveillant, mais je ne voulais pas qu'on me le rappelle... Je voulais tout simplement qu'il me laisse tranquille... »

Aucune des femmes qui ont traversé le cycle du burnout ne prenait leurs déclarations au sérieux. Elles ont compris après coup qu'elles cherchaient à échapper à leur conflit par une fausse rationalisation. Plus triste encore, elles savaient qu'elles continueraient d'agir ainsi. Le désir d'isolement les avait prises par surprise. Elles communiquaient de moins en moins avec les autres, ayant moins d'énergie à consacrer à l'intimité et préféraient qu'on les laisse seules.

D'autres femmes déplaçaient le malaise en se précipitant sur un programme d'exercices, en continuant de s'alimenter de façon sauvage ou en ne trouvant pas ou peu de temps pour manger. Le fait de s'en faire pour son poids est un exemple typique du syndrome de projection. En se concentrant sur les kilos en trop, les diètes sévères, le calcul obsédant des calories, on masque le véritable conflit. Les dépenses excessives sont aussi un autre symptôme de projection. Il devient soudainement impératif d'acheter quelque chose de nouveau pour diminuer l'importance du sentiment de vous être négligée : une blouse, des chaussures, un ensemble parfait. Acheter au-delà de ses moyens sert souvent de fausses compensations pour vos frustrations et devrait être considéré comme un signal que vous multipliez les recours aux palliatifs. Denise se raconte :

« Quand je touche ce point sensible en moi-même, je me rends dans un grand magasin et je m'achète une jupe en soie... puis je me sens en nage et je suis réellement contrariée parce que j'ai dépensé 70 $ de trop. Cette somme aurait dû servir à payer mon auto ou mon loyer. Mais à cette époque, je croyais vraiment que cela me réconforterait... Je veux dire que je travaillais assez fort et que je le méritais... »

Un autre symptôme caractéristique de la phase 4 est la manifestation d'une véritable fatigue. Il vous arrive souvent de ne pas avoir assez de sommeil et de vous inquiéter de vos périodes d'insomnie. Ou vous pourriez avoir un sommeil agité et peu réparateur durant toute une semaine, pour ensuite dormir durant tout un weekend ou un jour de congé. Constance a dit à ce propos :

« J'étais physiquement exténuée, trop fatiguée pour rattraper mon sommeil durant le week-end. Au début, je pouvais rattraper mon manque de sommeil le samedi ou le dimanche, mais après un certain temps, le week-end ne suffisait pas pour me rattraper. Je ne dormais que quatre ou cinq heures par nuit et ce n'était pas assez. Mais je n'ai jamais voulu l'admettre ni en moi-même, ni devant quelqu'un d'autre. »

C'est durant cette phase que la possibilité d'un effondrement *physique* est le plus évident. En laissant dépérir de plus en plus vos forces physiques, vous vous privez de vos propres ressources. En séparant l'esprit du corps, chaque partie laissée à elle-même risque de s'écrouler.

Les femmes engagées dans la phase 4 en viennent finalement à rechercher de nouvelles façons plus efficaces d'oublier leurs besoins et d'évacuer leur conflit. Y réussir, c'est se précipiter fatalement dans la phase suivante.

Ce que vous pouvez faire maintenant : Ne délaissez pas vos amis, vos collègues ou les membres de votre famille. Écoutez ce qu'ils vous disent. Il y a des périodes dans la vie où vous devez faire confiance à ceux qui vous entourent. Il est important de prendre le temps de dormir, de parler aux autres et de vous remettre en question. Ce n'est pas le moment d'entreprendre une diète sévère ou un nouveau programme d'exercices. Ne soumettez pas votre résistance mentale, physique ou émotive à de plus grandes pressions.

PHASE 5 : *La distorsion des valeurs*

Une fois le conflit perçu et intériorisé, il devient difficile de distinguer ce qui est essentiel, c'est-à-dire de réel, de ce qui est imaginaire dans votre vie quotidienne. Comme nous le disions à propos des symptômes reliés à chaque phase du cycle du burnout, il n'est pas facile de saisir le moment précis où le changement se produit. Cependant, les femmes qui ont écarté leurs besoins particuliers déclarent avoir noté des changements relativement perturbateurs dans leurs perceptions et leurs valeurs.

La distorsion des valeurs qui est caractéristique de la phase 5 se manifeste souvent par une fausse perception du temps. Au cours de cette phase, les femmes compriment généralement le temps dans le moment présent. Le passé et le futur sont sous l'emprise de la même insupportable urgence. Il arrive souvent qu'une femme laisse échapper une remarque qui dénote son angoisse croissante comme : « Je n'ai pas de temps à consacrer à des relations pour les deux prochaines années », « Je n'ai pas beaucoup de temps pour les amis en ce moment », « Je ne pourrai pas prendre de vacances cette année », « Il m'est impossible de partir les week-ends », « Je me passerai de vacances cette année ou je devrai manquer l'anniversaire de ma nièce ou la fête pour l'anniversaire de mes parents, mais je me reprendrai le mois prochain ou l'année prochaine ». Le besoin de dissocier toute relation entre le passé et le futur est un symptôme flagrant et important du processus du burnout. Line décrit le dilemme de sa propre vie :

> « Je m'étais entièrement consacrée à devenir le plus jeune cadre moyen de notre compagnie et c'était bien. Mais je *sais* que je me suis trop engagée dans cette carrière. Je *sais* que j'y suis trop impliquée. J'ai sacrifié une partie de ma vie personnelle, mais le travail me semble y être tellement intimement lié qu'il est difficile de séparer nettement l'une de l'autre. J'aurai un jour à régler cette affaire, mais je ne peux pas le faire maintenant... Il y a trop à perdre. »

La notion de perte, comme le dit Line, est un des démons qui tourmentent les épuisés, les femmes en particulier. Perdre du terrain, de l'avancement dans la compagnie, un pouvoir si chèrement acquis ou une relation, perdre ses attraits, sa jeunesse, son image sociale, ce sont bien là les angoisses souvent envisagées dans une perspective de mort ou de survie. Dans un tel cas, la survie prévaut évidemment. Dans la phase 5, les autres options qui pourraient rendre la vie agréable sont éclipsées et ne sont pas considérées comme des possibilités. La nécessité impose à la partisane de la survie une lente mais significative transformation de sa hiérarchie des valeurs.

La distorsion des valeurs vient du fait que vous ne vous évaluez qu'en relation avec vos enfants, votre conjoint, votre famille, votre maison, vos vêtements, vos biens matériels ou votre compétence au travail Les enfants sont souvent l'objet de jugements sévères de la part de la communauté en général et ils sont critiqués pour avoir mal prononcé un mot, ou avoir fait du bruit, en somme pour se comporter selon leur âge. Des femmes au foyer se plaignent de l'obsession du ménage et de la culpabilité qui les harcèle quand elles ont sévèrement corrigé un enfant qui avait échappé un crayon, marqué le mur, renversé du lait, ou s'était mal conduit chez des étrangers. « Ma famille me gêne, dit Jeannette, je n'aime pas que des gens viennent à la maison parce que mes enfants se comportent mal. Je sais que ce n'est pas bien, mais je ne peux m'en empêcher. Ils me mettent les nerfs en boule. » Le besoin de se contrôler et de maîtriser les autres, celui d'exiger que tout soit en ordre domine tout. La maîtrise est une façon d'échapper à cette angoisse intolérable et persistante qui devient de plus en plus gênante.

D'autres symptômes accompagnent cette distorsion des valeurs de la phase 5. Souvent, les relations personnelles elles-mêmes sont mal perçues. On méprisera et on considérera comme un fléau un enfant inhabile à exprimer son insécurité; embarrassant, l'ami qui veut discuter d'un problème; exigeant, le conjoint qui désire des moments de solitude. Ce sont là des réactions normales, mais elles deviennent, en phase 5, systématiques et injustifiées. La sensibilité à l'égard du monde extérieur s'affaiblit et disparaît jusqu'à un certain point. Les priorités deviennent confuses. Les personnes qui ne méritent pas d'attention sont choyées et celles qui en mériteraient sont souvent délaissées. Des femmes se lançant dans une nouvelle aventure romantique sont souvent emportées par la passion et délaissent temporairement leurs amis. Lorsque les sursauts de l'exaltation et de l'obsession se calment ou lorsque l'aventure prend fin, elles reconnaissent que leur manque d'attention leur a fait perdre des amis et qu'elles ne pouvaient reprendre le cours des choses. Seules certaines amitiés peuvent être sauvées et leurs liens renoués. Rendue à ce point l'intéressée comprendra ce qu'elle a failli perdre et à quel point ses valeurs et ses priorités ont été déformées.

C'est pour cette raison qu'on trouve souvent l'étape sentimentale de la phase 5 déconcertante et troublante. Constance s'en explique:

> « Je me souviens que mon horaire était à cette époque très chargé. Même un appel téléphonique devait y être inscrit. Je me sentais mentalement traquée. Quand je me lançais à fond de train, je me sentais débordée: trop de travail et trop de responsabilités. Tout autour de moi était déformé. Je gueulais contre la mauvaise personne et j'agissais poliment et gentiment avec celles que j'aurais dû engueuler. Pour maintenir le rythme, je prenais de la cocaïne pour me donner du «pep» et de la mari pour en atténuer l'effet. »

Une autre femme qui voulait être traitée pour son état grave de burnout a donné une description très juste de la phase 5 : « Il me semblait que je n'avais plus aucune connaissance de moi-même, dit-elle, j'avais l'impression d'avoir perdu quelque chose qui avait de la valeur pour moi... »

Ce que vous pouvez faire maintenant : Prenez d'abord au moins une demi-heure pour passer en revue vos valeurs fondamentales. Notez les personnes et les choses importantes pour vous. Examinez les relations personnelles que vous avez déjà entretenues et, si c'est possible, faites un effort concerté pour les renouer. Il est important pour vous d'éviter la solitude et l'isolement. Plus vous serez seule, moins vous penserez juste. Sans les réactions des autres, vos propres pensées vous renverront l'image d'une confusion sans fin. Vous avez besoin d'intimité et d'amitié pour raviver votre sensibilité.

PHASE 6 : *Le refoulement*

Le refoulement est la plus importante caractéristique du burnout. Ce n'est pas intentionnellement que vous refoulez vos sentiments, les émotions fortes, les peurs ou les frustrations, vous vous servez inconsciemment du refoulement comme moyen de défense contre l'impact des plus dures réalités et exigences de la vie. Dans la phase 6 du cycle, *la dénégation prend des proportions énormes et obscurcit par son action le processus du burnout.*

Cette phase s'appelle *refoulement* parce que l'oubli de soi de la phase 3 s'y amplifie et s'étend pour inclure une variété de situations, de personnes et de perceptions. La phase 3 ayant écarté comme des nuisances les petits plaisirs et les obligations quotidiennes, à la phase 6 votre vision du monde est devenue sensiblement restreinte et limitée. Vous passez maintenant au-delà du rejet de vos besoins naturels. Vous commencez à les refouler et dans un même mouvement, vous refusez également de reconnaître la réalité des événements qui n'entrent pas dans le cadre de votre attitude compulsive.

Quand vous commencez à réaliser que vos réactions aux événements se sont vidées de tout sentiment, c'est que le refoulement est à l'oeuvre. Dans cette phase, vous ne pouvez saisir les conséquences graves de cette situation. Il vous sera impossible de percevoir ses effets sur votre vie psychique ou sur la vie de ceux qui s'inquiètent de vous. Vous refuserez même leur influence. C'est un moyen de défense qu'illustre bien cette femme qui ne cesse de répéter la même histoire, obsédée qu'elle est par son travail, son homme, son poids, l'argent, sa famille, la solitude. Son discours devient parfois compulsif, elle rabâche indéfiniment le même problème. Rien d'autre dans sa vie n'éveille sa conscience. Une autre se repliera sur elle-même et s'interdira toute communication avec le monde extérieur. Le plus souvent, elle se comportera ou agira comme si elle écoutait ce que les autres lui disent, se limitant à la plus stricte attention afin de pouvoir réagir correctement, mais en réalité, elle est entraînée par ses propres pensées. *Son refoulement est devenu pour elle un moyen essentiel de survie.* Si elle l'abandonnait, elle serait peut-être incapable de fonctionner. En conséquence, le refoulement devient le moyen par excellence d'éviter, d'écarter ou de détourner toute possibilité d'empiètement d'une autre personne sur sa vie. Elle entre dans un isolement dangereux qui la mènera vers la solitude.

Les femmes arrivent à la phase du refoulement par suite du refus global de leurs propres besoins. *La femme perpétuellement maternelle y est la plus exposée.* S'étant fermée à plusieurs de ses besoins pour satisfaire ceux des autres et s'efforçant de se faire acceptée, son mécontentement est imperceptible. Inconsciemment, elle redouble ses efforts de refoulement. Par nécessité ou pour continuer à fonctionner, elle se replie encore plus sur elle-même, ce qui épuise l'énergie qu'elle aurait pu consacrer à ce qu'elle a été amenée à considérer comme le « monde périphérique ».

Constance évoque son impossibilité de supporter les rencontres sociales :

> « Je ne voulais plus aller là où j'aurais eu à converser. Dans le but de me protéger, je me présentais à une soirée, je saluais l'hôtesse et je me tenais près de la bibliothèque, s'il y en avait une, pour lire le titre des livres. Autrement, j'attrapais une revue ou un journal et je me mettais à lire. J'étais vraiment casse-pieds, mais je n'avais ni l'énergie, ni la patience d'affronter de nouveaux visages. Cela m'embêtait tout simplement. J'avais l'impression que ma présence seule suffisait à m'acquitter de mes obligations sociales. »

L'intolérance est un des symptômes importants de cette phase. Privée de l'énergie, de l'intérêt ou de la capacité d'écouter ou d'attirer les autres, vous rejetterez habituellement les idées nouvelles, les concepts récents ou les suggestions intéressantes que vous percevrez comme des exigences. Ce refoulement aura pour conséquence de vous rendre intolérante devant l'ambiguïté ou la contradiction et insensible au monde extérieur. Votre pensée, rigide et intransigeante, ira jusqu'à restreindre votre univers. Au pire, vous pourriez trouver difficile d'introduire dans votre cercle d'intérêt les événements locaux, nationaux ou internationaux parce que vous n'avez pas le temps de lire ce qui n'est pas essentiel ou parce que la rationalisation de votre refoulement ne laisse de place pour rien d'autre. Quoi qu'il en soit, il vous restera de moins en moins de temps et d'espace pour être attentive à ce que vous considérez de plus en plus comme futile et sans importance. Votre incapacité à accueillir ce qui est extérieur à vous se reflétera dans votre impatience à revenir vers ce qui pour vous est intéressant et important.

Afin de justifier leur tension et leur agacement, certaines femmes projetteront leurs angoisses et leur manque de sécurité sur le monde extérieur. En dépréciant les suggestions venant de ses subalternes ou de ses supérieurs au travail, en faisant des remarques cinglantes à l'égard de ceux qui vous manifestent de l'intérêt ou, de façon générale, en dénigrant les intérêts et les projets des autres, vous mettez votre compulsion à l'abri. En conséquence, les femmes en phase 6 perdront leur réseau de soutien et agrandiront leur monde d'isolement et de solitude. Furieuses et abattues, elles se replieront encore plus sur elles-mêmes, refoulant leurs nouveaux besoins impératifs d'appartenance, d'affection, de bien-être et d'amitié.

Sans la clarté d'esprit qui leur permettrait de voir clair dans ce fatras de sentiments de colère et de confusion, la victime sera en proie à un sentiment d'isolement qui la précipitera vers la phase suivante.

Ce que vous pouvez faire maintenant : Soyez attentive à votre façon de vous exprimer. Quand vous vous entendez prononcer des paroles cynique et amères, dites-vous qu'elles expriment votre burnout et non ce que vous ressentez vraiment. Commencez à confier à d'autres vos sentiments et votre besoin de solitude. Vous devez également vous empêcher d'assumer une tâche comportant une trop grande responsabilité. L'intolérance que vous ressentez signifie que vos énergies ont atteint leur limite.

PHASE 7 : *Le désintéressement*

La négation de ses besoins est suivie de très près par le refoulement de ses émotions. Pour vous être trop dépensée et trop peu exprimée, vous pourriez vous détacher de votre entourage et, en conséquence, devenir indifférente à vous-même. Hélène, comptable dans une compagnie de disques, décrit cette phase à sa façon :

« Dans une soirée, je me sentais comme une observatrice, regardant de l'extérieur, à travers une vitre. La tête me tournait un peu. Je savais que ça n'allait pas bien pour moi, mais j'étais tellement pleine de ressentiment que je faisais des efforts pour garder le contrôle de mes actions. Au travail, j'assistais aux réunions, détestant secrètement tout le monde, pensant à quel point je m'ennuyais, à quel point les gens me semblaient idiots, et comment il se faisait que personne ne me trouvait intelligente. *J'avais l'impression d'être un robot...* un service... et peut-être une machine. »

Un sentiment de désorientation et une diminution de l'espoir sont d'importants symptômes du désintéressement. Dans la phase 7, vous adopterez le langage du cynisme et le comportement du solitaire. Comme chez Hélène, le cynisme agira comme protecteur. Fatiguée de vos efforts pour vous contrôler dans un monde qui vous paraît hostile, la phase 7 vous isolera dans un cocon de mépris pour les idées et le comportement de vos collègues, de votre famille, des amis ou de la société en général.

Votre attitude cynique n'est toutefois qu'un appel à l'aide déguisé, comme c'est souvent le cas chez l'inlassable protectrice qui, épuisée et dépassée, n'en continue pas moins de se définir selon le besoin qu'on a d'elle. Plus elle est déçue, plus elle protège les autres, prévenant leurs besoins pour étouffer les siens. Mais, si elle devient indifférente à elle-même, elle pourrait soit éconduire les autres, soit être trop exténuée pour réagir aux demandes extérieures, avec le résultat qu'elle se sentira inutile, sans valeur, rien du tout. Ses idées continueront à se déformer; elle aura du mal à reconnaître ceux qui lui sont fidèles des autres. La paranoïa risque de subjuguer imperceptiblement son jugement.

Une autre femme en phase 7 évitera de paraître en difficulté au cours d'une réunion de personnes, en se montrant «branchée». Elle paraîtra dynamique et ressuscitera sa vivacité et sa bonne humeur, mais elle s'éteindra dès qu'elle rentrera chez elle. Revenons à l'expérience d'Hélène:

> «Je suis d'un naturel communicatif; les gens s'attendent à ce que je sois amusante et enjouée. Il m'est vraiment facile de passer en quatrième vitesse, de raconter des blagues, d'être drôle... Mais quand je me sentais malheureuse, c'était vraiment pénible. Je me demandais si j'avais bien fait mon numéro, si on m'avait appréciée. J'en avais fait ma valeur. J'ai cessé de voir du monde pendant un moment... Je me contentais de rester à la maison, collée à la télévision. »

Pour la femme qui s'est oubliée, la télévision, la musique, la lecture ou le cinéma remplacent souvent une amitié. La vie y est lointaine et sans risque. Des femmes ont admis regarder l'écran de télévision «sans jamais vraiment voir». C'était pour elles une façon de continuer de vivre sans faire face aux exigences de la vie. Une jeune analyste financière avoue qu'elle achète des romans médiocres à la douzaine pour fuir sa colère et sa déception à l'égard du monde, tandis qu'une jeune enseignante au secondaire raconte que chaque jour elle tombait brusquement endormie dès qu'elle entrait chez elle. Elle était incapable de se concentrer sur quoi que ce soit.

Un comportement formel et ritualiste est un autre effet du désintéressement. En refrénant la spontanéité, la solitude intérieure pourrait vous amener à ne considérer que l'aspect formel de la vie. La conversation y devient un simple moyen mécanique de transmettre l'information ; les relations sexuelles deviennent sérieuses et sans fantaisie ; se nourrir devient une activité triste et machinale. Vous observez les règles du savoir-faire, mais le coeur n'y est plus.

Rendue à ce stage du cycle du burnout, votre désillusionnement pourra se révéler et vous songerez à tout abandonner. La colère et la rage marqueront votre déception qui se changera en sentiment d'impuissance. C'est à ce moment précis qu'une femme verra ses émotions soumises à une rude épreuve, qu'elle se sentira déprimée et qu'elle épanchera son chagrin dans de fréquentes crises de larmes, contrairement à une autre qui sera incapable de pleurer et s'imaginera être devenue « dure » et « insensible ».

La peur d'être incapable d'établir de véritables relations avec les autres pourra vous pousser vers des palliatifs comme l'alcool, le sexe, les tranquillisants, la nourriture, les amphétamines, la mari, la cocaïne, bref, vers tout ce qui pourrait apporter un remède temporaire à cette véritable aliénation qui ne cesse de vous harceler. En même temps, votre comportement deviendra beaucoup plus transparent pour vous-même et pour vos collègues, vos amis ou votre famille.

Ce que vous pouvez faire dès maintenant: Si vous avez eu recours à des « palliatifs » pour retrouver de l'énergie, rappelez-vous qu'ils ne font que masquer vos sentiments véritables et votre état physique. Abandonnez l'alcool et les drogues qui ne sont que de mauvais antidotes à votre désarroi intérieur. Très souvent, on peut surmonter le désintéressement en établissant des liens avec d'autres personnes. Évitez toutefois d'en faire trop pour paraître en bonne forme. Adressez-vous à quelqu'un qui s'est déjà montré sensible à votre égard. Cette personne pourrait vous donner son appui pendant que vous modifiez votre perception de vous-même. N'oubliez pas non plus que vous avez besoin de vous reposer, de vous détendre et par-dessus tout, d'alimenter votre esprit de choses agréables. L'indifférence est réversible.

PHASE 8: *Les changements notables du comportement*

Les femmes à ce point engagées dans le cycle du burnout n'aiment pas qu'on les critique. Le premier changement que vous observerez dans votre comportement pourrait être celui de votre impuissance à distinguer entre ce que vous craignez le plus — la crise — ou ce dont vous avez le plus besoin : l'attention, le soutien, le rapprochement et l'intimité. Vous vous replierez de plus en plus sur vous-même en devenant solitaire et en vous isolant. Votre jugement se sera imperceptiblement affaibli et il vous arrivera de prendre pour de l'agression l'intérêt qu'on vous portera ; il sera éventuellement difficile d'entretenir des relations intimes avec vous. En conséquence, dans la phase 8, vous vous retirerez au sens propre comme au sens figuré du terme. Il sera impossible de vous rejoindre par la poste ou par téléphone ; vous installerez un répondeur automatique pour éviter la communication et vous attendrez qu'on vous appelle plusieurs fois avant de donner signe de vie. Vous inventerez des prétextes tarabiscotés pour ne pas assister à une fête ou à une réunion sociale ; vous aurez des répliques cinglantes et désagréables pour rompre les contacts. Vous laisserez entendre que vous êtes entièrement prise par un projet, votre famille, un homme, un nouveau groupe d'amis pour éloigner ceux qui s'intéressent à vous ou vous commencerez à éprouver des sentiments paranoïaques, convaincue que personne ne vous aime vraiment.

À cette phase, il arrive souvent que les amis vous trouvent dépressive et instable. Vos propos sont superficiels ; vous passez d'un sujet à un autre, incapable de maintenir une continuité qui vous paraît ennuyeuse. La

crudité de votre langage est à l'image de votre perception des autres et se traduit par des phrases comme :
« Celui-là me met vraiment en rogne », « Elle est casse-
pieds », « Ce sont des idiots, des incompétents, des tarés,
des stupides, des nullités... » Rendue à ce stade, vous ne
serez plus en mesure de juger des gens et des situations
avec justesse et sympathie. Vous aure perdu toute sou-
plesse.

Vous vous mettrez à fumer cigarette après cigarette,
les laissant brûler dans le cendrier. Si vous avez récemment cessé de fumer, vous recommencerez soudainement et vous justifierez cette défaillance en disant que
vous contrôlez la situation ; que vous pouvez cesser de
fumer quand vous le voulez. Vous pourriez aussi vous
mettre à boire, vous attardant au bar au retour du travail ou en achetant une bouteille de vin que vous boirez
seule à la maison. Ou autrement, vous choisirez ce moment peu approprié soit pour arrêter de fumer, soit pour
vous lancer dans une diète sévère ou mettre fin à une
relation avec un conjoint. Dans ce cas, vous invoquerez
le fait qu'en étant plus stricte avec vous-même, vous
deviendrez « meilleure ». Votre quête de palliatifs contre
le burnout se fera dès lors plus intense et même frénétique.

Un autre changement notable affectera votre langage.
Si vous aviez l'habitude de soupeser les problèmes et
d'apprécier la valeur des relations humaines, vous vous
mettrez à exprimer ouvertement votre cynisme. Votre
désillusionnement et votre profonde indifférence se ré-
véleront dans des déclarations comme « c'est franchement moche, c'est une vie misérable » ou « on les aura
avant qu'ils nous aient », « j'ai appris de la dure façon,
maintenant c'est ton tour », « pourquoi les aiderais-je ?
Personne ne m'a aidée... » Vous sentant dévalorisée et
malheureuse, vous serez obsédée par les gens en place et
serez angoissée en leur présence. En conséquence, vous

agirez parfois de façon froide et distante et d'autres fois, vous parlerez trop pour masquer votre malaise.

Ce qui importe ici est le désir de protéger la vision déformée qu'expriment vos sentiments et votre attitude. En cours de route, votre comportement se modifiera assez pour attirer l'attention des autres sur la gravité de votre état. Inquiets par la façon dont vous mettez en danger votre santé mentale et physique, amis ou collègues essaieront de vous aider, mais peu y parviendront. Ils devront, au cours de cette phase, y aller avec des gants blancs s'ils ne veulent pas être repoussés.

Ce que vous pouvez faire dès maintenant : Il est important dans les circonstances de ne pas vous renfermer et de ne pas vous fermer aux autres. ÉCOUTEZ CE QU'ILS DISENT ! Quelque chose vous dit que vous pouvez accorder le bénéfice du doute à leurs observations. Au lieu de vous imposer de nouvelles restrictions, vous devez diminuer votre besoin de contrôle et accepter le point de vue des autres. Vous aimeriez dans un pareil cas qu'une amie sur le point de craquer vous écoute. Essayez de bien distinguer entre la critique et la bienveillance. C'est d'une importance vitale. Quand vous commencerez à remonter la pente et à retrouver votre bon sens, vous vous demanderez pourquoi vous n'avez pas accepté plus tôt l'aide et la sympathie des autres.

PHASE 9 : *La dépersonnalisation*

Si la femme en phase de désintéressement peut encore être atteinte par une grande douceur et une grande sensibilité, celle qui se trouve en phase de dépersonnalisation n'est même plus en mesure de reconnaître ses besoins. La dépersonnalisation est une forme plus grave de désintéressement. En phase 9, il n'y a plus de logique ni de raisonnement. La négation de soi est le principal symptôme de cette phase qui se manifeste dans le refus de se soucier de son corps et de sa personne. Line décrit cette phase de façon assez précise :

> « Mon visage s'est couvert de kystes affreux... J'ai vu le médecin qui m'a prescrit une médication interne et topique, tout en m'avertissant que ma pression sanguine était trop élevée, que mon ECG n'était pas normal et que j'avais besoin de me calmer. J'ai suivi ce conseil parce que les kystes m'inquiétaient au plus haut point, mais je n'ai pas du tout tenu compte de celui concernant ma pression et mon coeur. Ce n'était pas ce qui me préoccupait le plus à ce moment-là... J'avais bien d'autres chats à fouetter. Je devais prendre l'avion pour assister à un congrès important. Au retour, j'avais complètement oublié ce que le médecin m'avait dit... Je ne voulais rien savoir. »

L'histoire de Line illustre bien cet état de dépersonnalisation. *Une femme engagée dans cette phase perd tout contact avec elle-même et avec son corps, oublie ses priorités* et toute idée d'un avenir personnel. Elle oublie également quelles en seront les conséquences.

Jeannette expose son cas de dépersonnalisation :

> « J'avais pris près de 15 kilos en un an et je persistais malgré tout à me voir mince. Mon médecin m'a dit que j'étais menacée de diabète et que si je ne perdais pas du poids, je devrais prendre de l'insuline. En entrant à la maison ce jour-là, j'ai mangé la moitié d'un gâteau au fromage, la tablette de chocolat d'un enfant et un bol de pop-corn... Tout cela j'imagine pour démontrer que le médecin avait tort. »

En phase 9, il y a peu d'événements qui accèdent à la conscience. Inconsciemment, les femmes sont effrayées, mais elles s'opposent à cette peur en continuant à s'adonner à des habitudes destructrices et dangereuses pour leur santé, leur bien-être et leur survie. Le temps est relégué à l'arrière-plan. Les gens sont perçus comme des fantômes dont la vie n'a pas assez de réalité pour avoir des conséquences.

Les priorités n'ont plus de sens pour une femme rendue à ce stade. Vous boirez trop tous les soirs et, ayant mal à la tête le lendemain, vous prendrez chaque matin la résolution de cesser de boire, mais vous recommencerez le soir même. S'il vous est arrivé d'essayer la cocaïne pour vous amuser, vous vous mettrez à chercher des amis qui peuvent vous en fournir ou des connaissances qui en vendent. Vous pourriez aussi vivre toute une série d'aventures tout à fait ordinaires qui ne seront excitantes que dans votre imagination. Le temps se réduit maintenant à l'immédiat, au moment présent. Il ne vous paraît pas évident que votre comportement peut influencer votre avenir. En conséquence, les besoins des autres qui avaient été surévalués sont maintenant résolument dévalués et rejetés. Le besoin d'attention d'un enfant passera inaperçu ; l'appel au secours d'une amie pour résoudre un problème, ignoré, le désir d'intimité du conjoint n'est pas perçu ou reste sans réponse. En résumé, en phase de dépersonnalisation, les autres n'existent pas, mais ce qui est plus grave, vous n'existez pas vous non plus.

Il s'agit d'un état émotif en dehors de la réalité. Votre comportement se révèle froid, réservé, indifférent et inaccessible. Vous fonctionnez, mais de façon mécanique. Votre vie a peu de sens et de cohérence.

Ce que vous pouvez faire dès maintenant : Si vous avez perdu contact avec vous-même et peut-être avec votre entourage, la situation n'est pas aussi désespérée qu'elle peut le paraître. Il existe encore une partie de vous-même qui accepte de l'aide. Il serait sage à ce moment-ci de faire appel aux conseils d'un professionnel qui connaît le burnout. Vous devriez aussi consulter votre médecin pour qu'il évalue l'état de votre santé. Il vous faudra peut-être abandonner quelques-unes de vos responsabilités pendant un certain temps, afin de prendre soin de vous. Vous pourriez aussi profiter de cette occasion pour changer votre style de vie et explorer d'autres avenues qui vous permettraient de modifier votre attitude compulsive. De toute façon, c'est d'aide que vous aurez besoin et vous devez admettre qu'il vous est impossible d'y arriver seule.

Si vous êtes un ami, un parent, un collègue ou l'amoureux d'une personne qui montre des symptômes de dépersonnalisation, encouragez-la à demander l'aide d'un professionnel de la santé. Soutenez-la en lui offrant de l'accompagner à son premier rendez-vous. Ce geste pourrait permettre à l'épuisée d'entrevoir une alternative à son penchant à vouloir « tout faire seule ».

PHASE 10 : *Le vide intérieur*

L'état de dépersonnalisation est générateur de vide. Les femmes en phase 10 disent qu'elles se sentent vidées, démoralisées, drainées, inutiles, dépourvues et exténuées. Il reste peu de désirs à combler, mais les moyens employés sont typiquement faux, insuffisants et peu satisfaisants.

La démesure marque cette phase. Afin de calmer le sentiment de peur suscité par le vide, les femmes ont tendance à s'offrir une compensation temporaire. Hélène raconte l'histoire suivante :

« Après le travail, je rentrais à la maison complètement exténuée. Mais j'étais soi-disant une fille amusante... J'ai commencé à prendre de la cocaïne pour me remonter, puis je me rendais à une partie où je me soûlais de manière insensée. À la fin de la soirée, je ramenais à la maison un type quelconque que j'étais surprise de trouver dans mon lit le matin. Je me demandais comment cet homme qui m'était totalement inconnu avait fait pour entrer chez moi... »

La sensation de vide n'est pas une sensation agréable. Pour la plupart des femmes, elle représente ce qu'Hélène appellera plus tard l'échec de sa vie. L'alcool, le travail, les drogues et le sexe étaient pour elle des moyens de se faire accroire que sa vie était remplie et intéressante. Toutefois, la sensation de vide devenait si pénétrante quand elle cessait d'être active qu'il lui parut rapidement impossible de rester seule avec elle-même. Elle se voyait dans un état qu'elle décrivait comme « un affolement, une douleur émotionnelle intolérable ». Être seule devenait une torture parce que cela signifiait qu'elle devait se suffire à elle-même.

D'autres femmes racontent qu'elles ont connu de graves phobies durant cette phase. L'agoraphobie est un symptôme du vide intérieur. Incapables de marcher dans la rue, d'aller à la banque ou au supermarché, conduire dans la circulation, prendre l'autobus ou le métro, ces femmes souffrent habituellement de l'absence d'une personne fiable ou maternelle qui leur apporterait un soutien dans leur vie. Le monde extérieur paraît étrange et effrayant à ces femmes habitées par un ressentiment et des frustrations non exprimés, provoquant chez elles des crises subites d'affolement.

Jeannette décrit ce symptôme :

« Quand c'est arrivé la première fois, je me trouvais dans un grand magasin avec mon plus jeune fils. Je me suis sentie soudainement étourdie, mon visage est devenu chaud, mon coeur s'est mis à battre très fort et j'ai cru m'évanouir. J'avais les jambes comme du coton et je pensais ne plus pouvoir respirer. J'avais très peur. Je voulais courir. Tous les comptoirs s'embrouillaient et je me demandais qui prendrait soin de mon fils *et* de moi-même... Cela dura peu de temps, mais je suis toujours incapable de retourner dans ce magasin. J'ai peur que ce qui m'est arrivé se répète. »

C'est la description d'une crise de phobie. L'isolement ajouté à la sensation de vide renforce les symptômes et force la victime à fuir ou à se retirer dans sa maison pour se trouver dans un lieu sûr.

« Ma principale préoccupation, ajoute Hélène, était celle de m'assurer que je n'aurais aucun moment de libre. Quand je ne trouvais personne avec qui sortir, je prenais un 10 mg de Valium pour m'assommer afin de m'endormir pour ne pas voir passer le temps. »

L'alimentation joue un rôle important dans cette phase, c'est-à-dire l'impression d'être nourri en absorbant des aliments qui symbolisent la maison, la chaleur, la gratification. Certaines femmes se gavent de sucreries, de crème glacée, de gâteaux, de bonbons, pour d'autres, ce sont les aliments chics ou le fast-food populaire. Constance raconte qu'elle engouffrait deux *Big Macs*, des frites, des milk-shake, tandis que Jeannette parle de pizzas, de poulet frit et de pommes chips. Au cours de ces orgies alimentaires, ces femmes se sont senties « coupables, mais fortes », avec l'impression d'être libre de manger ce qu'elles voulaient pour apaiser cette sensation de vide.

La sexualité joue également un rôle important durant cette phase. Comme le déclarait Alice, au début de ce chapitre : « Manger et coucher étaient les deux seules activités qui me plaisaient... Je croyais que j'étais sexuellement affamée. Avec le recul, je pense que ce n'était pas tant la sexualité que je recherchais, mais une intimité physique. J'avais l'impression que cela me rendait plus humaine, du moins pour quelques heures. » En réalité, Alice devenait de plus en plus inhumaine. En phase 10, la sexualité peut agir comme un narcotique, une substance qui vous remplit et qui vous tire temporairement de la torpeur. Une autre femme interviewée affirme : « Je devenais tellement triste et désorientée. Un dimanche matin, cinq minutes après avoir fait l'amour avec mon ami, pendant qu'il était dans la salle de bains, je me suis sentie complètement coupée et j'ai oublié qu'il était là...»

Comme la sensation de vide crée un gouffre intérieur qui demande à être comblé, des femmes, comme Carole et Alice, parlent de leur désir d'avoir quelqu'un qui exercerait un contrôle sur leur vie. Sans amarre et flottantes, elles ne sont pas loin de la phase suivante du burnout.

Ce que vous pouvez faire dès maintenant : À cette phase, vous serez inquiète devant l'accumulation de tous ces symptômes. Mais rappelez-vous qu'une véritable cure contre le burnout exige d'en identifier et d'en reconnaître les symptômes. La sensation de vide que vous ressentez a pour cause directe les privations que vous vous êtes imposées et la situation n'est pas irréversible. Vous aurez besoin d'une personne compétente en matière de burnout et de phobies qui vous aidera à découvrir la cause initiale de vos symptômes. Il est fortement recommandé de prendre un rendez-vous par téléphone avec un professionnel de la santé. Si vous vous sentez incapable de poser ce geste, demandez à quelqu'un d'autre de le faire pour vous. Vous aurez fait le premier pas, celui qui mènera vers votre guérison et le retour de votre bonne humeur.

PHASE 11 : *La dépression*

Rendues à cette phase, plusieurs femmes en viennent tout simplement à ne plus jamais s'occuper de rien. Une nouvelle situation ou peut-être de nouvelles personnes pourraient temporairement leur permettent de s'impliquer, mais la vie leur paraîtra futile, sans espoir et sans joie. Le désespoir et l'exténuation restent leurs principales sensations, sinon les seules qui accèdent à la conscience. Si dans la phase 10 vous avez cherché à apaiser par des palliatifs cette sensation de vide ; en phase dépressive, vous utiliserez les drogues et l'alcool tout simplement pour retrouver votre moral. À certains moments, vous en désespérerez. L'envie de dormir continuellement est un symptôme important de cette phase. Toute stimulation et motivation disparaissent, ne laisant habituellement qu'un désir d'évasion.

La phase 11 est des plus sérieuses parce que c'est au cours de son déroulement que certaines femmes commencent à entretenir des idées suicidaires. Inconsciemment, vous prendrez plusieurs risques en conduisant la voiture, en traversant une rue, en vous aventurant dans des lieux dangereux. Consciemment, vous vous inventerez un scénario de suicide. Une femme raconte qu'en imagination elle se voyait en voiture foncer dans un mur de brique, une autre se voyait droguée jusqu'à son dernier sommeil, une autre encore se voyait penchée au-dessus de la fenêtre de son bureau jusqu'à en perdre l'équilibre.

Si vous entretenez des idées suicidaires, rappelez-vous qu'elles ne sont pas spontanées et qu'elles ne sont pas sans relation avec l'accumulation des symptômes. Ces idées émanent des pensées destructrices et violentes que vous entretenez à votre égard. Quand des femmes arrivent à considérer qu'elles sont incapables de fonctionner, leur vie tout entière semble aspirée par le gouffre de l'impuissance. Le respect de soi diminue au point de disparaître.

Le plus souvent, les femmes en phase 11 ne savent pas qu'elles sont déprimées. Le désespoir et le mépris d'elles-mêmes sont si intenses qu'elles sont incapables de dissocier leur véritable valeur de leurs sentiments. Essentiellement, elles s'identifient à leurs sentiments et n'entrevoient aucun autre choix. C'est pourquoi il leur est de toute façon difficile, sinon impossible, de s'occuper d'elles-mêmes. Le réfrigérateur ou les armoires peuvent rester vides pendant des semaines. Si jamais elles ont faim, il leur faudrait trop d'efforts pour se rendre au magasin. Elles préfèrent s'endormir profondément. La lessive est négligée et comme elles n'ont aucune régularité dans l'accomplissement des tâches quotidiennes, elles arrivent à manquer de sous-vêtements ou de vêtements propres et de collants sans maille qui file.

Au cours de son entrevue, Alice affirmait que sa dépression était tellement dévorante qu'elle n'avait plus l'énergie ou l'envie de se maquiller ou de se pomponner :

> « Je pouvais oublier de me laver les cheveux et ensuite détester mon apparence. J'évitais les miroirs parce qu'ils me prouvaient que j'avais raison. Quand je m'y arrêtais et que je me voyais dans la glace, je me disais : « Hé oui, c'est moi ! » J'étais devenue une vraie clocharde. Si je devais sortir, je réalisais au dernier moment que je n'avais pas de vêtements propres et je me mettais à fouiller dans le panier de linge sale pour trouver un pantalon. Je sais que c'était terrible, mais je m'en fichais... »

Au cours de cette phase, plusieurs femmes ne connaissent ni le réconfort, ni le soulagement des larmes. D'autres, comme en phase de désintéressement, ne peuvent s'arrêter de pleurer. L'une cessera de manger, une autre s'empiffrera d'un litre de crème glacée sans s'en rendre compte et sans même y goûter. Elles passent de la torpeur à l'excitation, de moments d'une émotivité excessive à des périodes d'insensibilité.

Leurs relations humaines seront sérieusement compromises au cours de la phase 11. Inaccessibles à tout réconfort, elles auront l'air inconsolables. Les menaces extérieures provenant d'un conjoint ou d'un patron auront peu d'effet sur leur dépression. Une femme raconte que l'homme qui partageait sa vie lui avait dit qu'il devrait la quitter si elle ne sollicitait pas d'aide. Tout en lui étant très attachée, elle lui répliqua de le faire dès maintenant et d'en finir... Une autre dont le travail était menacé n'avait plus l'énergie ou la lucidité nécessaire pour se rendre compte de ce qui se tramait dans son dos. Malgré les nombreuses mises en garde de ses amis, elle fut finalement remerciée. « Je m'en fichais éperdument, dit-elle, je voulais qu'on me laisse tranquille. »

La phase 11 est extrêmement grave et il ne faudrait pas l'ignorer ou la considérer comme étant passagère. Ces femmes sont complètement épuisées et la plupart ne se rendent pas tout à fait compte des répercussions sérieuses de leur état.

Il est de la plus grande importance qu'elles s'adressent à des professionnels pour obtenir des soins et s'assurer qu'elles ne sont pas uniquement traitées pour une dépression. **Le burnout ne doit être ni négligé, ni escamoté*.**

Ce que vous pouvez faire dès maintenant : La décision la plus sage serait que vous puissiez rapidement consulter un médecin qui évaluera votre degré d'épuisement et qui vous indiquera les mesures que vous devriez prendre pour vous soigner physiquement. Si vous n'avez pas encore communiqué avec un psychologue, un psychiatre ou un travailleur social, *faites-le dès maintenant.* Si vous vivez avec quelqu'un, assurez-vous de son aide et si nécessaire, demandez à cette personne de vous accompagner à votre première visite. Plusieurs personnes subissent une dépression liée au burnout mais elles ne comprennent pas toujours comment la dépression peut être surmontée. Vous êtes en mesure de surmonter cette ignorance. Vous en êtes arrivée à un point où votre santé est menacée tant sur le plan physique que mental.

---

* En prenant rendez-vous avec un professionnel de la santé, assurez-vous qu'il est apte à traiter le burnout. Il y a actuellement plusieurs professionnels qui connaissent la dynamique du burnout. Que ce soit vous qui téléphoniez ou quelqu'un d'autre, il faut que la personne contactée soit au courant de vos symptômes.

PHASE 12: *Le burnout complet*

Cette phase est le résultat de l'accumulation des 11 phases précédentes du cycle. Même si toutes les femmes n'atteignent pas cette phase finale, celles qui y parviendront seront complètement épuisées. Elles se seront éteintes, le fusible ayant sauté. Rendu à ce stade, l'attirance de la compulsion originale ou de la série des compulsions a perdu son effet magique. La vie n'a plus de sens, de texture ou de forme.

La phase 12 menace votre vie même. Le burnout physique et mental met en péril votre survie. Il faut bien comprendre que vous avez le droit, et même la responsabilité, de solliciter de l'aide et des soins professionnels. Cela comprend un examen médical complet et, le cas échéant, une hospitalisation, si elle est recommandée. Votre système immunogène pourrait mal fonctionner et vous pourriez être prédisposée à un certain nombre de maladies reliées au stress, des cardio-vasculaires jusqu'au gastro-intestinales. Il est important d'écouter vos amis, votre famille, votre amoureux ou vos collègues et de leur permettre de vous aider.

Dans l'état de burnout complet, vous serez probablement tout à fait incapable d'évaluer correctement votre cas. La gravité de la phase 12 prend les proprotions d'une crise. *C'est une situation d'urgence.*

DERNIÈRES RÉFLEXIONS SUR LE CYCLE DES SYMPTÔMES

Répétons-le encore une fois. Il est vivement recommandé de vous souvenir que *plusieurs des symptômes attribués aux 12 phases peuvent être considérés comme normaux et même comme de saines réactions aux vicissitudes de la vie moderne.* Vous pourriez éprouver des sentiments paranoïaques au sujet de votre travail ou vous pourriez vous sentir fatiguée et avoir besoin d'un congé, de vacances, ou de passer quelque temps avec votre mari ou votre amoureux tout en n'étant pas nécessairement sur la voie de l'épuisement. Vous ne faites peut-être que réagir à un problème ou à une série de problèmes qui, une fois résolus, vous permettront de retrouver votre état émotif et physique normal.

De plus, il est évident que toutes les femmes souffrant de burnout n'atteindront pas les phases les plus graves du cycle. Il est possible d'être coincée dans une phase particulière pendant une période plus ou moins longue. Il se peut qu'une situation particulière survienne, comme la perte d'un emploi, une maladie dans la famille, un déménagement, le départ d'un conjoint, ce qui pourrait vous précipiter dans n'importe quelle phase. Une fois les changements acceptés ou les problèmes résolus, les symptômes pourront disparaître. Inversement, s'il n'y a pas amélioration dans les conditions et peu d'attention accordé aux symptômes qui se manifestent, vous aurez inévitablement tendance à demeurer à cette phase ou à passer à la phase suivante. Ce sont l'intensité des sentiments et leur durée qui transforment ces symptômes en indices d'épuisement.

Au fur et à mesure que vous identifierez les symptômes qui vous sont propres, essayez d'évaluer leur degré. Si vous découvrez que vos émotions, vos attitudes intellectuelles, votre comportement ou votre état physique sont atteints, vous devez commencer à vous prendre en main.

L'identification des symptômes est un moyen, tout aussi important, de découvrir la nature de l'épuisement. Une fois que les sympômes vous seront familiers, vous serez en mesure d'aider quelqu'un d'autre déjà engagé dans l'une des phases du burnout. Vous avez peut-être remarqué des signes inquiétants chez un frère ou une soeur, chez votre père ou votre mère, votre mari, votre amoureux, un enfant à l'école ou au collège, un collègue, un membre de votre personnel ou un ami intime. Vous pourrez accorder aux autres le même encouragement qu'on vous a manifesté pendant une phase de burnout.

COMMENT « DÉSAPPRENDRE » LE REFOULEMENT

Avant d'en venir aux aspects professionnels et personnels de votre vie, il existe des mesures que l'on peut prendre pour renverser le processus du burnout. Elles visent à « désapprendre » et à « défaire » les mécanismes du refoulement. Il est possible de prévenir le développement de plusieurs des symptômes décrits précédemment en comprenant qu'on peut mettre fin au refoulement. Voici comment :

1. Dès maintenant, reconnaissez que vous êtes peut-être sur le point de craquer. Essayez d'identifier les attitudes, le comportement et les sentiments décrits dans le cycle des symptômes qui sont directement reliés à votre propre expérience intérieure. Ne rejetez aucune donnée identifiable. Rappelez-vous que vous commencez à vous défaire de l'habitude du refoulement.

2. La fatigue engendre le refoulement et déforme votre jugement et vos intuitions. Cette semaine, décidez de prendre un bon repos. Occupez-vous de votre état physique et de votre alimentation. C'est très ardu d'identifier de vieux comportements quand vous êtes fatiguée parce que vous manquerez alors de lucidité. Pensez à prendre des vitamines pour reprendre vos forces. Adressez-vous à un professionnel de la santé, spécialiste en nutrition. Réapprenez à équilibrer votre diète.

3. Puis, passez en revue votre conduite récente. Vos attitudes envers les personnes et les situations ont-elles eu tendance à devenir extrêmement rigides ? Êtes-vous habituellement intransigeante ? Votre irritabilité s'est-elle accentuée ? Votre vie quotidienne est-elle devenue routinière et rituelle ? Avez-vous ri et vous êtes-vous amusée ? Évitez de justifier vos réponses. L'important présentement, c'est d'apprécier globalement le poids de votre refoulement

4. Évaluez ensuite les modèles qui ont servi à favoriser votre refoulement. À qui avez-vous essayé de plaire ? Quelle image essayez-vous de projeter ? Votre désir de vous affirmer empiète-t-il sur l'expression de vos besoins réels ? Essayez de discerner la voix intérieure qui s'impose avec le plus d'autorité. Vous avez probablement emprunté les « je dois » et « je devrais » à quelqu'un d'autre dans votre vie passée.

5. Le refoulement se « désapprend » en diminuant votre censure intérieure. Réfléchissez à ce que vous avez caché à vos amis, à votre conjoint, aux membres de votre famille. Que leur diriez-vous de vous-même maintenant, si vous le pouviez ? Quels mythes avez-vous entretenus à votre sujet pour protéger ces relations ? Commencez à lâcher prise.

6. Pensez à ce que vous pourriez faire si vous aviez une journée libre. Si vous avez trop agi par automatisme, c'est une occasion pour vous de reconquérir votre enthousiasme en vous accordant ce qui vous plaît vraiment. Ne reculez pas devant ce plaisir même s'il ne concorde pas avec ce que vous vouliez prouver ou accomplir.

7. Essayez maintenant de retracer autour de vous ce qui a déclenché votre refoulement, au travail et

dans votre vie personnelle. Niez-vous que vous êtes embourbée dans un travail qui vous déplaît ou qui ne mène à rien ? Votre mariage est-il enfermé dans un circuit de politesse ou de fadeur sexuelle ? Fréquentez-vous une personne mariée, non disponible ou décevante ? Refoulez-vous votre besoin d'intimité ou d'amour parce que vous craignez qu'il soit impossible de le satisfaire ou qu'il s'immiscera dans vos plans de carrière ? Profitez de cette réflexion pour répondre en toute sincérité.

8. Réfléchissez aux façons dont vous pourriez réorganiser votre vie pour y introduire des personnes qui ne vous contraignent pas et qui ont du temps à vous consacrer. Ne renoncez pas à cette étape parce qu'elle vous semble irréalisable. Mettez votre imagination au travail et fixez-vous de nouveaux objectifs.

9. Ne minimisez pas le lien qui existe entre votre irritabilité et votre fatigue ; entre vos douleurs et maladies et votre tension excessive ; entre votre solitude et votre désir de maîtrise. Si vous êtes fatiguée, admettez-le. Si vous êtes en colère, dites-le. Si vous en avez assez, dites-le aussi. Si vous avez un besoin quelconque de prendre vos distances, commencez à le faire. Si vous êtes fatiguée de donner, abstenez-vous. Si vous voulez recevoir, demandez.

10. Évitez l'isolement. Même si votre penchant vous pousse à vous tenir à l'écart et à vous cacher, adressez-vous à d'autres pour obtenir du soutien et des éclaircissements. Aucune de ces personnes ne peut être tout à fait en mesure de vous donner toutes les réponses, mais il pourrait s'en trouver une qui vous permettrait de faire une prise de conscience tonifiante, éclairante et encouragean-

te. Des amis peuvent vous ouvrir des perspectives intéressantes pour une plus grande prise de conscience. Des conversations fortuites peuvent parfois vous offrir de nouvelles approches. Aérez vos pensées. Admettre son refoulement est le premier pas vers le changement.

11. Si, aujourd'hui, vos amis vous demandent comment vous allez, essayez de ne pas répondre «très bien». Vous n'avez pas à faire un discours, mais vous pouvez commencer à répondre à cette question avec un brin de vérité. L'intimité joue un rôle de catalyseur pour «défaire» le refoulement.

12. *Faites de nouvelles erreurs.* Répéter vos anciennes erreurs ne fait que vous acheminer vers le burnout. Le fait d'en commettre de nouvelles indique que vous vous éloignez des anciens modèles et que vous brisez l'habitude du refoulement.

Finalement, rappelez-vous que lorsque le refoulement est devenu un mode de vie, vous devenez émotivement «bloquée» et vous vous sentez probablement incapable de modifier votre censure intérieure. Paradoxalement, même si vous sentez le *besoin* de changer, une partie de vous-même *refuse* ce changement. Plus vous vous dites «je dois» abandonner quelque chose, plus vous vous attacherez avec ténacité aux comportements qui vous sont familiers. Cette dynamique porte le nom de résistance. En d'autres mots, c'est le «blocage».

Ce livre n'a pas été écrit dans l'intention de changer vos attitudes ou vos sentiments. Personne n'exige ou n'insiste pour que vous cessiez d'être «bloquée». Toutefois, on vous rappelle que même si vous êtes «bloquée», vous pouvez encore bouger.

— Vous n'avez pas à quitter votre emploi; cherchez simplement une alternative possible.

— Vous n'avez pas à rompre une relation ; cherchez à dialoguer avec de nouvelles personnes.
— Vous n'avez pas à cesser d'en faire trop ; demeurez plutôt réceptive aux idées et aux paroles des autres.
— Vous n'avez pas à abandonner quoi que ce soit ; apprenez seulement à mesurer votre rythme.

Votre vie n'est pas terminée. En fait, dans une étude récente menée par une société de gérontologie, aux États-Unis, on indique que les femmes peuvent s'attendre à vivre jusqu'à 89 ans, soit sept années de plus que les hommes. Qu'allez-vous faire de ces années ? Comment allez-vous soigner votre corps, votre esprit et vos émotions pour vous permettre de profiter des plaisirs de la vie ? Essayez de vivre dans la modération, en évitant les extrêmes et les excès. En apprenant à respecter votre rythme, en vous accordant du temps pour les loisirs et l'amour, mais aussi pour le travail et l'accomplissement, vous éviterez les désagréments de l'épuisement.

Le changement vient souvent du simple fait de demeurer réceptive, d'être attentive aux informations provenant de différentes sources. En vous accordant ce privilège de l'écoute, vous pourrez souvent enrayer et même renverser le processus du burnout.

DEUXIÈME PARTIE

LE BURNOUT DANS LA VIE
COURANTE DES FEMMES

CHAPITRE V

Le burnout dans le milieu de travail

« Ce n'est pas pour demain, mais dans quelques années, le *monde du travail* et la *femme* seront tout à fait conciliables. D'ici là, nous serons toutes sujettes à une grande fatigue. »

Diane

Vous êtes-vous déjà fait les remarques suivantes ?
— « Je suis compulsive à propos de mon travail. »
— « Je dois m'armer de courage tous les jours. »
— « J'étouffe mes sentiments depuis trop longtemps. »
— « Je me sens coupable si je ne dépasse pas mes limites. »
— « Je ne connais pas mes limites. »
— « Je me sens toujours sous pression. »
— « Je sens toujours l'obligation de me surpasser et de réussir. »
— « Je ne dois jamais cesser de me faire valoir. »
— « Je n'accepte rien de moins que la perfection. »
— « Je me perçois comme une rescapée. »
— « Si je continue à ce rythme, dans six mois je serai complètement épuisée. »

C'est le langage de l'épuisée en milieu de travail. Au cours de discussions avec des femmes, quel que soit leur genre de travail ou de responsabilités, des phrases de ce genre revenaient régulièrement dans la conversation des candidates au burnout. S'il vous est arrivé de vous plaindre ainsi, soit intentionnellement, soit par inadvertance, c'est que vous cherchiez alors un conseil sur la façon de modifier cette situation ou que vous lanciez inconsciemment un appel à l'aide.

Le burnout de la femme en milieu de travail est peut-être le type le plus facile à identifier, mais aussi le premier que les femmes refusent d'admettre. Les champs d'activité professionnelle et commerciale instaurent une double contrainte. Étant donné les progrès qui s'y sont accomplis au cours des 20 dernières années, la femme hésite à manifester son insatisfaction au travail. En tant que femme, vous savez que vous devez toujours être en pleine possession de vous-même parce que si vous révélez vos incertitudes ou vos limites, on pourrait les interpréter à votre désavantage comme des faiblesses.

Quand un homme entre sur le marché du travail, il s'attend à y être exposé à des stress qui lui sont familiers. Il doit prouver sa compétence, mais il n'est nullement obligé de justifier sa virilité. Les femmes se voient souvent contraintes de se justifier sur les deux plans. C'est ce qui les amène à nier leurs besoins, leur fatigue et leur insatisfaction jusqu'à ce qu'elles soient bel et bien prises dans le cycle des symptômes de l'épuisement.

Si vous sentez que la présence des symptômes du burnout commence à gruger votre efficacité, votre comportement et votre personnalité, il faut changer quelque chose. Si vous ne pouvez en rien modifier la situation, vous aurez peut-être à changer d'emploi. Vous pourriez aussi décider de changer votre comportement au travail pour arriver à rétablir l'équilibre entre les exigences de votre travail et vos propres besoins. Plusieurs femmes refusent de reconnaître l'existence des symptômes du burnout. Vous hésiterez aussi à admettre que l'épuisement psychique débilitant ou les contraintes du travail contaminent les autres aspects de votre vie. Vous n'êtes peut-être pas tout à fait consciente de ce qui vous arrive. Ce que vous savez, c'est que vous avez entrepris votre travail avec enthousiasme, ambition et optimisme, mais que maintenant vous vous sentez mécontente, vidée, désenchantée ou, pire encore, que sans préavis votre vie professionnelle est devenue vaine et dénuée de sens.

Vos impressions et votre perception de la double contrainte de votre milieu de travail sont peut-être influencées par l'idée que vos amies et collègues ont plus de trempe, qu'elles font mieux leur travail, ce qui leur attire l'approbation, les récompenses, la reconnaissance et la réputation que vous convoitez. Vous devenez susceptible et insatisfaite de votre travail ou du milieu et, jusqu'à un certain point, déçue par la diminution de votre enthousiasme. Vous vous êtes présentée au travail bien préparée et expérimentée. Vous êtes consciente d'exceller dans votre domaine et il est très probable que votre expérience témoigne avec éloquence en votre faveur. Malgré cela, vous vous surprenez de plus en plus souvent à dire : « Si je réussis si bien, pourquoi ne suis-je pas heureuse ? »

Marie, 36 ans, adjointe au directeur des relations avec les médias, en témoigne à sa façon :

> « Je pense qu'il y a un bon nombre de femmes qui vivent avec la rage au coeur. Nous sommes désillusionnées et épuisées. J'ai accepté l'idée de devenir une femme de carrière et j'y arrive très bien. Je vis seule, on trouve que j'ai réussi, je mène une vie intéressante. Je frise mes cheveux, mes vêtements sont élégants, j'utilise les produits à la mode... et malgré tout, il y a quelque chose qui ne va pas. Je fais vraiment un travail de chien et j'y consacre un temps fou. J'aime ce

travail... mais je commence à fléchir, comme si je ne réussissais pas à m'affirmer... Il me manque quelque chose... ma personnalité change. Je ne me sens pas bien du tout. Pourquoi faire ce que je fais ? Dans quel but ? »

Quel *est* le but ? Quand vous passez la moitié de votre vie à travailler en étant non motivée, apathique, fâchée ou pire, en sentant votre vie de plus en plus futile, même si le salaire y apporte sa motivation économique, le travail en lui-même pourrait vous sembler émotivement dénué de sens. Comme Sisyphe, vous vous verrez chaque jour rouler une pierre au sommet de la colline, pour recommencer le lendemain avec un manque évident d'ardeur.

Où sont passés l'enthousiasme, l'ambition et l'optimisme du début ? Pour quelques femmes, il s'agit peut-être d'un travail ennuyeux, mais pour d'autres, la question n'est pas là. Trop de femmes ayant une carrière stimulante et remplie de défis se demandent quand même pourquoi leur bonne humeur diminue et pourquoi elles commencent à devenir cyniques et léthargiques, ces importants signes précurseurs du burnout.

Marie se débat avec ces questions. Il y a déséquilibre entre ce qu'elle a voulu et obtenu, c'est-à-dire un travail intéressant et stimulant, et ce dont elle a besoin, c'est-à-dire une certaine affirmation d'elle-même. Elle a délaissé ses propres besoins au profit des exigences plus impérieuses de ses ambitions professionnelles et elle commence à se sentir fléchir. Comment cela lui est-il arrivé et que peut-elle faire pour s'en sortir ?

LE PERFECTIONNISME ET LE BURNOUT

Lorsque vous êtes engagée dans le cycle du burnout, vous abordez généralement un nouveau travail en ayant un immense idéal en tête. Une panoplie d'images intériorisées vous accompagnent et vous dictent comment vous *devriez* vous comporter, comment vous *devriez* exécuter ce travail, le temps que vous *devriez* y consacrer et l'excellence que vous *devriez* atteindre. L'idée de perfection prédomine, cette petite bête noire qui règne sur votre vie professionnelle. Être parfaite au travail suffisait au cours des premières semaines à justifier votre présence sur la liste de paye. Mais l'angoisse et la tension continuaient de sévir. Il est tout à fait typique, quand vous commencez à travailler de vous fixer des normes implacables avec l'obligation non seulement de les atteindre, mais aussi de les dépasser. Une telle excellence vous apporte approbation et attention, mais elle peut toutefois se retourner contre vous. Marie se rappelle :

« J'étais superbonne au cours des premières semaines de mon travail. J'avais plusieurs relations et je savais où m'adresser et quelle faveur demander. Je trouvais des idées et des solutions mirobolantes aux problèmes des clients. Cela n'arrêtait pas. J'étais en quatrième vitesse, je ronronnais... Je ne pouvais pas me tromper. Puis ma performance a plafonné et j'ai compris que j'avais en tous points exagéré dans mes attentes. Elles étaient énormes. Je me suis sentie obligée de répéter cette expérience... J'ai continué à me stimuler pour concurrencer mes propres succès. Je savais que je ne pourrais plus maintenir ce rythme et peu de temps après, je devais travailler de 15 à 16 heures par jour pour rester en tête... »

On peut dire des femmes victimes de burnout au travail qu'elles se sont complètement identifiées à leur travail. Les normes ambiguës d'excellence qui régissent leurs valeurs trahissent dans leur monde intérieur un manque de confiance en elles-mêmes. Si vous croyez être un bourreau de travail ou être en train de le devenir et qu'il n'y a pas d'autres plaisirs comparables dans votre vie, votre activité incessante cache peut-être tout un ensemble de craintes provenant autant de la dynamique familiale que vous avez connue dans le passé que des critères culturels d'aujourd'hui. Ce problème n'est pas exceptionnel. Plusieurs femmes sont aux prises avec ces craintes et ces critères en milieu de travail et commencent à découvrir la différence entre une faute réelle et un fantasme.

En tant que bourreau de travail et que perfectionniste, c'est l'idée que l'on vous surprenne à commettre des erreurs qui vous terrifie probablement. Vous vous définissez par vos erreurs, non par vos efforts. Plusieurs femmes craignent d'avoir l'air « sottes ». Ce n'est toutefois pas la crainte d'avoir fait une « sottise » qui est pénible, c'est plutôt celle d'être perçue comme une « sotte ». Il est très fréquent de voir une femme préférer oublier ou nier ses réussites passées. L'ensemble de ses réussites n'est pas intégré dans son vécu quotidien et n'est pas considéré comme une preuve de compétence, de talent et d'originalité. Elle prendra par ailleurs ses erreurs très au sérieux. Plutôt qu'un incident passager, elle y verra une mise en cause de son identité et une preuve accablante de son incompétence et de sa présumée médiocrité. Pour la perfectionniste, l'erreur rend évident ce qu'elle a toujours craint : qu'on lui prête l'intention de frauder. Le redoublement des heures et des responsabilités n'est souvent qu'un acte de contrition inconscient. La perfectionniste se croit en liberté conditionnelle et doit démontrer par une dépense excessive d'énergie qu'elle veut et qu'elle peut payer sa dette envers cette civilisation de l'argent.

Une autre perfectionniste pourra craindre que le temps lui soit compté. Roberte, directrice en analyse de marché, parle des doutes qui l'ont assaillie durant les six premiers mois de son emploi :

« J'avais l'impression qu'on m'allouait une période pour commettre des erreurs. Par la suite, je devais être parfaite. Vous le savez, c'est permis de se tromper les premiers jours ou les premières semaines. Il est acceptable de faire quelques bévues parce que vous n'êtes pas au courant. Au cours de cette période, j'avais rédigé une proposition qui avait été louangée et qui me mit en vedette. Mon patron voulait me faire rencontrer tous les gens importants le plus tôt possible... J'étais excitée et pleine de dynamisme et j'avais l'impression d'avoir surmonté un stéréotype féminin. Cependant, dans le remous de cet événement, j'ai commencé à sentir le besoin d'être meilleure que je le suis normalement, comme s'il existait un délai, une frontière à franchir qui mettrait un terme au temps qui m'était alloué pour commettre des erreurs. Je ne peux pas vivre avec l'idée d'être imparfaite, mais ce n'est pas là le pire. Je sens constamment l'épée de Damoclès au-dessus de ma tête et je m'attends à ce qu'on me congédie. Je me dis tous les jours que mon temps est écoulé. »

Roberte ne sait que faire pour corriger ses erreurs qui sont le plus souvent sans importance, comme un manque d'assurance, un blanc de mémoire, la remise au lendemain de retours d'appels téléphoniques. Elle broie du noir, piétine sur place, l'estomac noué. Elle s'épuise à faire des heures supplémentaires au bureau et dans la soirée, elle ressasse le tout avant de s'endormir.

Malheureusement, les perfectionnistes comme Marie et Roberte ne croient jamais vraiment qu'elles ont raison. Elles ont du mal à faire confiance à leurs instincts et plient devant quiconque affirme son autorité. Un conflit grave couve sous leur manque de confiance.

En tant que perfectionniste, vous avez un esprit dualiste. Deux messages intérieurs se présentent simultanément : courir le risque de prouver que vos instincts vous donnent raison ou être prudente et ne faire confiance qu'aux autres. Ce conflit pourrait illustrer l'affrontement de votre ego authentique, ou votre moi véritable, tentant de prendre le dessus sur le surmoi exigeant de votre moi-façade. Cette lutte entre ce que vous pensez être la bonne façon de faire et ce que vous croyez que les autres attendent de vous débouche sur le refoulement du moi véritable et vous entraîne vers le perfectionnisme. Quand vous glissez vers un comportement perfectionniste, vous ne pesez plus vos actions, ni leurs conséquences. La performance dans des temps limites épuise vos réserves d'énergie. Il serait utile de vous rappeler que c'est le surmoi sévère qui vous ordonne de faire pénitence pour les erreurs commises, qui fait de vous une victime du surmenage et qui encourage vos efforts vers les mirages du perfectionnisme. Si vous faisiez confiance à votre ego pour vous guider, vous vous interrogeriez sur votre obsession de la perfection. Vous commenceriez à vous demander si c'est le moment de prendre vos distances ou si vous devez rechercher le réconfort de liens affectifs en dehors de votre milieu de travail.

Le paradoxe du perfectionnisme repose sur la dualité du message que vous vous adressez. Pensez aux dialogues intérieurs qui occupent votre esprit. Vous admettrez que vous ne pouvez être disponible pour tous, changer unilatéralement votre milieu de travail, toujours miser sur un surplus de responsabilités et survivre dans la solitude. Mais la voix sévère vous dit que vous le pouvez et que vous le devez. Il va sans dire que si vous en faites plus, vous vous dépasserez. Cette idée est véhiculée par la nouvelle culture populaire des stages intensifs. Vous avez peut-être participé à plusieurs stages de formation, lu des dizaines de brochures vous proposant des techniques et des moyens de prendre la direction de la compagnie. C'est ainsi que vous avez probablement assimilé trop de leçons irréalistes sur le déroulement d'une carrière. Peut-être croyez-vous que si vos collègues féminines réussissent à mener de front les longues et épuisantes heures de travail, une quantité énorme de responsabilités, de fréquents voyages d'affaires, les achats de vêtements, les rendez-vous chez le coiffeur, les programmes d'exercices, tout en continuant d'être créatrices et présentes dans leur vie sociale et amoureuse ainsi qu'auprès de leur famille, il suffirait de vous forcer un peu plus pour égaler leurs exploits et leur savoir-faire.

Mais chaque femme a ses propres rythmes, son horloge intérieure, sa résistance et son moi véritable. Quand vous adoptez l'attitude très zélée du perfectionnisme, vous ignorez peut-être que vous faites un usage abusif de vos propres ressources. Vous pouvez « tout réussir », mais il se peut que vous donniez plus que le « tout » dont vous disposez. Si en cours de route vous devenez désenchantée et comme abrutie, vous avez dû négliger l'un de vos besoins importants et il se produira très probablement des modifications visibles de votre comportement qui annoncent une phase grave d'épuisement.

— Vous reprochez-vous fréquemment votre faible performance ?
— Vous rabaissez-vous psychologiquement en pensant que vous n'êtes peut-être pas aussi intelligente, douée, habile ou vive que les autres ?
— Essayez-vous de rivaliser avec le rythme ou le style d'une autre personne ?
— Vous inquiétez-vous souvent de la façon dont les autres jugent votre compétence ?
— Êtes-vous dans la course pour gagner le prix de « celle qui travaille le plus grand nombre d'heures » ?

Si vous répondez « oui » à ces questions, c'est que votre état va en s'aggravant. L'esprit de la perfectionniste, ce bourreau de travail, devient finalement rigide et adopte l'idée que l'excès est la réponse à son manque de confiance en elle. Elle interprète comme une ingérence les commentaires des amis bien intentionnés sur son apparente fatigue et son humeur changeante. Vous vous surprendrez peut-être à répondre par un oui rageur à ces amis qui vous feront des suggestions pour calmer le stress lié au travail, mais vous continuerez à vous surmener. C'est un signe évident que vous avez perdu toute maîtrise. L'obsession du travail s'est cristallisée et vous n'êtes plus en contact avec vos besoins. Vous avez vraisemblablement consacré de moins en moins de temps à une vie personnelle et vous ne vous accordez plus suffisamment d'attention. Il est de plus probable que vos collègues ne vous approuvent pas. En établissant une norme épuisante pour tout le bureau, vous avez dû créer une atmosphère de rancoeur, d'hostilité et d'indifférence envers votre travail ardu. C'est le moment de commencer à vous retirer.

USURPATION DE MÉRITE, PERTE DE CONSIDÉRATION ET BURNOUT

Cette affirmation si nécessaire pour les candidates au burnout se présente sous plusieurs formes. Recevoir des honneurs pour votre créativité ou le travail que vous avez accompli est une importante source d'approbation. Toute femme, surtout si elle est du type maternel, est très sensible à l'équité. Elle connaît les responsabilités de tous et chacun et est facilement sensible à l'injustice, à son endroit ou à l'endroit des autres dont le travail est mal apprécié. Le problème dépasse la question de prendre ou de recevoir ce qui est dûment mérité, mais porte spécifiquement sur la reconnaissance à laquelle on s'attend. Être privée du mérite et de la considération qui vous auraient valorisée et mise en état de saine concurrence provoque un état de consternation, de souffrance, puis de colère. La reconnaissance manifeste de vos talents, de votre habileté et de vos succès constituent l'affirmation dont vous avez besoin pour soutenir votre amour-propre.

Les candidates à l'épuisement ne savent pas réagir à une usurpation de mérite ou de considération et se protègent mal contre leurs pénibles répétitions. La plupart des femmes ne sont pas à l'aise devant une fraude institutionnalisée qui n'est pas compatible avec leur conditionnement. Si pareille situation se présente, elles hésitent souvent à croire que le mérite d'un projet, d'une entente, d'une proposition ou d'une idée ait été détourné au profit de quelqu'un d'autre. « Je me suis sentie trahie... renversée, déclare une femme. Ce n'est pas conforme à mon éthique. Je suis peut-être une idiote ou trop préoccupée par la réaction de l'autre personne, mais quand je vois quelqu'un s'accaparer le mérite, cela me ronge. Je pense que cela fait partie de mon épuisement, ce lent rongement vous rend fou. » Les femmes ont plus que les hommes tendance à vivre de façon plus humaine les relations de travail.

L'usurpation de mérite se manifeste dans plusieurs situations et atteint les femmes dans plusieurs emplois. Les conditions qui la favorisent peuvent être différentes, mais le stress qui en résulte, la colère et l'impuissance sont ressentis avec la même intensité. En voici quatre cas.

« Ma patronne me dit que je suis absolument géniale, que je comprends vite, que mes idées sont créatrices et que je saisis rapidement les tendances du marché ou prévois les besoins et les solutions qui en découlent. Mais quand vient le temps de reconnaître publiquement mon mérite, je l'entends dire qu'*elle* a bien préparé cette saison, qu'*elle* a prévu les grandes tendances de la mode et qu'*elle* est l'artisane du succès des nouvelles collections. Je le jure, mais je me sens comme la victime d'un viol... J'ai fini par comprendre que ses flatteries étaient une arme dont elle se servait pour me stimuler... et en tirer profit à ma place. »

Suzette — acheteuse pour un grand magasin

— « Il n'y a pas de mystère dans la façon dont on s'arroge le mérite dans mon école. Le directeur vocifère contre moi, dit que ma proposition est mauvaise, qu'elle n'a pas d'ampleur et que je manque d'expérience. Puis, au cours d'une réunion du personnel, dans une situation difficile, il fait sienne ma proposition, en récolte le crédit et les applaudissements... Je suis enragée et je perds rapidement toute motivation... »

Charlotte — professeur au collégial

— « Quand je mets sur pied un projet et qu'il est accueilli avec enthousiasme, mes patrons disent inévitablement : «Nous lui avons demandé de tout rassembler les éléments — elle est habile à ce genre de compilation.» Quand je dis ouvertement ce que je pense, on me dit que je suis trop sensible... Cela aggrave mes problèmes de burnout, c'est évident. J'ai des maux de tête, je bois trop et je me sens complètement manipulée... »

Thérèse — travailleuse sociale

— « Obtenir un compte payant quand vous vendez de l'espace publicitaire, c'est un beau coup. Une fois, j'avais sollicité des clients, je connaissais à fond le fonctionnement de leur compagnie, la personnalité des personnes impliquées et j'avais avec elles de bonnes relations de travail. Au moment où l'entente devait se conclure, les patrons sont arrivés pour l'arrangement final. Le résultat étant positif, ils en ont pris le mérite. Mais une autre fois, parce qu'ils s'étaient mal préparés et qu'ils n'avaient pas tenu compte de mon avis, le marché a échoué et on m'a blâmée. »

Ghislaine — vendeuse d'espace publicitaire

Ce sont là des exemples classiques de situations d'échec. Si vous dites ce que vous pensez, on vous collera l'étiquette de ronchonneuse, d'hypersensible, d'amateur, d'insignifiante, de pleurnicheuse et de pauvre fille. Si vous vous taisez, vous devrez étouffer votre sentiment d'injustice, le refouler, le dénier, le supprimer, le calmer, le neutraliser dans l'alcool ou dans un flot de paroles incohérentes. « C'est très frustrant, disait une femme, mon moral est à plat. Je souhaite pouvoir éviter ces situations, mais ce n'est pas juste si on me vole mes idées. Cela a de l'importance pour nous, les femmes, beaucoup d'importance. Dans une certaine mesure, je laisse ces situations s'embourber, surtout quand il s'agit de détournement de mérite. Il serait probablement plus opportun, stratégiquement parlant, d'être plus effrontée, mais je ne me sens pas à l'aise dans ce genre de système de points pour la compétition. J'imagine que c'est une leçon de solitude et d'isolement que les femmes reçoivent dans une grande compagnie. »

Cette leçon de solitude et d'isolement n'aide pas particulièrement à régler les problèmes quotidiens d'épuisement. Elle engendre des attitudes d'apathie et de retrait, les principaux ennemis du besoin élémentaire d'affirmation. Même si cette usurpation de mérite, d'un projet et d'une réunion à l'autre, n'est qu'un des nombreux stresseurs qui alimentent la progression du burnout, les femmes en milieu d'affaires la dénoncent comme un important draineur d'énergie. Certaines femmes ont appris à combattre cette situation en faisant elles-mêmes la promotion de leur compétence. Rolande, qui travaille aux relations publiques d'un important réseau de communications, affirme ce qui suit :

« J'ai des difficultés à faire reconnaître mon mérite, mais je refuse de demeurer silencieuse devant mes succès. Avant que quiconque ne s'en empare, je m'assure que tout le monde en entend parler. J'ai appris à arpenter les corridors en clamant : « Devinez qui j'ai déniché ? N'est-ce pas extraordinaire ! » Ou avant de réaliser un projet, je vais voir mon patron pour lui dire que je viens d'avoir une idée merveilleuse. Même s'il s'agit d'un travail d'équipe, tout le monde est au courant que c'est moi qui en ai eu l'idée et je ne m'en vais pas rager seule dans mon bureau. Cela me vient naturellement... Je rends mes idées tellement publiques que personne n'ose s'en emparer. »

Cette méthode réussit bien à Rolande. Cependant, plusieurs autres femmes sont incapables d'adopter cette attitude. Les femmes sont généralement gênées d'avoir à vanter leurs propres réussites et préfèrent attendre qu'on les reconnaisse. Marguerite, membre d'une équipe d'analystes du marché pour une agence de publicité, déclarait :

« Attendre la reconnaissance, c'est avoir une conception idéalisée du monde, mais personnellement, je ne me permettrais pas d'éviter la publicité. On m'a appris à utiliser les notes de service pour me protéger. Après chaque réunion, je rédige une note pour le dossier et pour mon patron ; avant de mettre un projet en marche, j'en prépare une autre pour le dossier, pour mon patron et les deux vice-présidents. Je communique par écrit à tout le monde mon projet et son état de réalisation. »

Pour certains emplois, la perte de mérite et de considération peut être inévitable. La méthode de Rolande en mettrait plusieurs en contradiction avec elles-mêmes et celle de Marguerite pourrait être inapplicable dans les circonstances particulières de votre travail. Ces solutions pratiques peuvent avoir contribué à réduire la tension dans ces deux cas, mais qu'arrivera-t-il si vous croyez qu'en agissant ainsi vous risquez d'envenimer un conflit de personnalité ? Avez-vous tendance à accepter le manque de considérations sans en être stressée ? Avez-vous assez de soutien, d'assurance, de sincérité émotive et d'intimité dans votre vie privée pour neutraliser les tensions ? Dans l'affirmative, c'est un problème d'épuisement qui ne vous concerne pas. Mais si votre réponse est négative, vous aurez à repenser vos choix.

Assez souvent, les femmes ont tendance à limiter leur liberté de choix. Pour elles, l'entreprise est faite à l'image du foyer et du mariage. Leur engagement envers un conseiller, un patron, un groupe, un projet ou l'objectif d'une compagnie est étroitement lié à leur identité. Le sens des responsabilités associé à la loyauté et souvent à la gratitude sont un ferment puissant qui les empêche d'exploiter leur valeur personnelle. La différence entre les valeurs du mariage et de la famille et celles de l'entreprise demeure confuse. Une femme exposée à des situations difficiles dans sa vie personnelle ou dont les principes familiaux comportaient des idéaux comme « nous ne sommes pas des lâcheurs », abordera habituellement le monde du travail dans le même état d'esprit. Celle qui ne se sent pas appréciée, ni reconnue, qui n'est ni forte, ni affranchie, se défend habituellement et se console en disant : « C'est comme ça... Je sais que j'ai bien fait le travail et les personnes qui m'importent le savent aussi. » Elle espère vaincre ses émotions en les niant. Elle vient souvent d'une famille où la mère faisait de la modestie l'équivalent de la féminité et où le père vantait l'humilité sans nécessairement l'avoir pratiquée. Un double message lui propose de réussir et en même temps de rester humble et soumise. Quand elle comprend que sa colère est une réaction saine devant une situation injuste, son surmoi autoritaire lui rappelle que la colère est indigne de son moi véritable. Si son surmoi prend le dessus, elle peut se voir dans l'impossibilité de faire un choix et son burnout commence.

Ginette, adjointe au président du conseil d'une compagnie d'informatique, souffrait d'épuisement grave. En cours de traitement, elle commença à parler des lourdes exigences de son travail, de la difficulté de contrôler autant de gens et de fonctions. En tant qu'agent de liaison de tous les services, elle devait comprendre chaque personnalité et superviser leurs responsabilités individuelles. Elle devait aussi «protéger» son patron, trouver des solutions, prendre pour lui des décisions et lui fournir des idées dont il s'attribuait publiquement le mérite. Pendant quelque temps, elle présuma que toutes ces responsabilités étaient parties intégrantes de ses fonctions. Elle n'avait aucune idée de sa valeur aux yeux de son patron, ni de la qualité de son expérience. «Alain, mon patron, était très habile à se faire passer pour un sauveur, disait-elle, et je voulais peut-être secrètement être sauvée, je voulais croire en lui.»

Pour Ginette, les symptômes du burnout ont commencé à se manifester dans son corps et à affecter sa santé. En moins d'un an et demi de travail avec Alain, elle avait pris environ huit kilos. «Plus j'étais frustrée, disait-elle, plus j'engloutissais de la nourriture.» Puis, elle se mit à prendre des «remontants» pour s'énergiser et des Valium pour se calmer. «J'étais devenue détraquée, irritable, emportée et sarcastique envers tout le monde, sauf Alain. Je lui réservais le bon côté de moi-même.» Des amis et des collègues ont suggéré à Ginette de changer d'emploi, de trouver un poste où sa compétence serait reconnue, mais elle les repoussait. «Je ne me sentais pas assez compétente... J'étais tellement vidée et exténuée qu'il m'était impossible de prendre une décision. Tout ce que je désirais, c'était de regarder la télévision et de manger.»

Quand Ginette demanda de l'aide, elle découvrit qu'en elle-même elle ne croyait pas avoir d'autres choix et qu'elle n'avait rien à offrir. Finalement, elle communiqua avec une agence de placement « simplement pour savoir quelles étaient les possibilités. J'ai fait cet appel dans une cabine téléphonique publique, déclara-t-elle, j'avais un tel sentiment d'infidélité. » C'est ainsi qu'elle découvrit que plusieurs choix étaient envisageables, que son expérience, son talent et sa compétence la qualifiaient pour un certain nombre de postes. Elle changea d'emploi à temps, mais seulement après avoir reconnu le rapport entre son curriculum vitae et ce qu'elle était elle-même. Une fois qu'elle eut compris qu'elle avait une identité propre, solidement établie et développée grâce à ses efforts personnels, elle perçut de façon réaliste la continuité de sa vie. Ginette attribuait ses réussites au hasard des coups de chance. Son passé ne lui appartenait pas et son avenir ne lui semblait pas prometteur. L'urgence du moment était la seule chose qu'elle considérait comme importante. Avec chaque crise s'effaçait le rôle qu'elle y avait tenu. Comme la plupart des épuisées, l'intensité de Ginette la rendait aveugle aux possibilités de changement et à l'espoir.

Avant que Ginette puisse retrouver la considération qui lui revient ou empêcher qu'on usurpe systématiquement son mérite, elle doit non seulement reconnaître ce qu'elle veut, mais aussi ce qu'il lui faut pour maintenir son équilibre. Finalement, ce n'est que lorsqu'elle s'avoua qu'elle réclamait plus qu'une approbation tacite et qu'elle n'était pas satisfaite de ses réussites « fantômes » que Ginette a pu mettre fin à la progression de son épuisement et renverser le processus.

LA PRÉVENTION DU BURNOUT :
ENTRAIDE ET APPARTENANCE

Peut-être que, selon votre état, des rencontres avec d'autres femmes qui vivent les mêmes problèmes vous aideraient à vous affirmer et à explorer honnêtement la nature de votre compulsion au travail. Les candidates au burnout n'aiment pas toujours demander de l'aide ou paraître inquiètes. Pourtant, l'appui des autres femmes est l'une des plus importantes mesures préventives contre l'épuisement. Discuter de problèmes de travail et des symptômes qui les accompagnent, comme le stress et l'angoisse, et de sa propre évaluation n'est pas qu'une simple prise de conscience. L'appui compatissant et le soutien des autres femmes qui ne sont pas seulement familières avec ce genre de conflit, mais qui cherchent, elles aussi, leurs propres solutions, offrent aux candidates au burnout ce qu'elles ont le plus *besoin* et reçoivent le moins, c'est-à-dire l'intimité, l'attention et un sentiment d'appartenance. Les groupes d'entraide sont d'une aide inestimable pour combattre l'épuisement. À l'instar des mouvements d'éveil à la conscience des années 70, les regroupements de femmes au cours de cette décennie produisent des effets réconfortants, vivifiants et valorisants. Il est extrêmement important de vous rappeler que *l'isolement et la solitude sont de dangereux générateurs d'épuisement.*

Plusieurs des femmes interviewées dans cet ouvrage ont parlé du rôle de ces groupes d'entraide dans leur prise de conscience. Nicole, représentante d'un éditeur de revues ayant son siège social dans une grande ville, parlait d'un groupe de cinq à six compagnes de travail qui se réunissaient en congrès loin de la ville, pour discuter d'affaires. Les conversations s'orientaient inévitablement vers d'autres aspects de leur vie et le réconfort qu'elles en retiraient les ont poussées au retour à répéter ces rencontres de groupe. Nicole dit à ce propos :

«Je ne sais vraiment pas ce que je ferais sans mes amies. J'ai toujours pensé qu'il était sain de se regrouper entre femmes, mais que cela dressait un mur et nous séparait encore plus des hommes. J'ai changé d'avis. Je travaille pour deux hommes et même si je n'avais jamais eu jusque-là de problèmes avec l'autorité masculine, ces deux-là sont une malédiction. J'ai fait des pieds et des mains pour leur donner satisfaction et cela n'a mené nulle part. J'ai découvert que mes problèmes n'étaient pas uniques. Quelle joie et quel soulagement d'être capable de les partager. Chaque femme de ce groupe apportait un élément différent, une sorte de spécialité. L'une excelle dans l'organisation du temps ; une deuxième a souvent des prises de conscience d'une grande finesse psychologique et nous propose une tactique et des stratégies nouvelles pour traiter avec les gens. Une troisième m'a fait comprendre la valeur des regroupements et elle propose des rencontres et des solutions merveilleuses, quand l'une de nous ne sait plus que faire. La dernière est une incorrigible protectrice qui nous fait toutes vociférer. Elle a beaucoup changé cette année. Le beau côté de nos rencontres, c'est qu'elles sont vraiment tonifiantes. Quand le groupe fonctionne à son mieux, je me sens affermie et approuvée... Je ne me sens plus aussi isolée... aussi déprimée. Il y a de grands éclats de rire et de bonnes vibrations... cela me donne une nouvelle prise sur ma vie professionnelle.»

Dans un climat de complicité, vous pouvez retrouver votre confiance en vous, apaiser votre colère et trouver des outils, des moyens et des techniques pour apprendre à vous protéger. Comme le déclarait Nicole : «Quand vous progressez, êtes réconfortée et que vous pouvez rire, vous ne pouvez pas être épuisée.»

L'EXCLUSION DU « CLUB MASCULIN » ET LE BURNOUT

Il n'est pas étonnant qu'un groupe important de femmes professionnelles aient récemment abordé un problème d'épuisement fréquemment négligé : celui du stress inavoué que provoque un milieu de travail dominé par des hommes. Elles soulignaient le sentiment d'être exclues, d'être repoussées discrètement mais fermement des rencontres informelles où l'information et les décisions sont officieusement dévoilées et de l'esprit de clan ce qui restreint l'accès à d'importantes informations. « C'est une barrière difficile à franchir », rapporte Diane, directrice régionale d'une chaîne de fast-food. « C'est comme se présenter à une réception très huppée sans y avoir été invitée. Personne ne vous dit de quitter les lieux, mais on ne remplit plus votre verre. »

Dans cette atmosphère d'exclusion indirecte, le besoin de se surpasser et le désir de s'affirmer comme étant à la fois remarquable et exceptionnelle deviennent primordiaux. « Le truc, poursuivait Diane, c'est d'apprendre à vous accrocher à votre féminité sans *jamais* les laisser vous reprocher d'être une femme. » Ce problème constitue aussi une source importante de stress et un amplificateur de stress parce qu'il nuit à votre capacité de faire le travail efficacement et de l'exécuter comme si vous étiez une autre personne. Même si la plupart d'entre vous ont de bonnes relations avec leurs collègues ou leurs patrons de sexe masculin, il subsiste habituellement une coupure. Certaines femmes se sont vu refuser les encouragements normaux de leur chef de service. D'autres, invitées par leur supérieur, se sont vues délaissées par leurs collègues masculins. Catherine, que nous avons citée dans un chapitre précédent, dit à ce propos :

« Tout est très subtil. Une femme travaille très, très fort dans un milieu traditionnellement masculin. Le capitalisme américain a été construit par les hommes et même si le monde des affaires est devenu plus ouvert et si je travaille avec plusieurs hommes intéressants, je suis fatiguée d'avoir à me valoriser tous les jours. Même si j'avais le plus extraordinaire milieu de travail du monde des affaires, mon milieu étant déjà supérieur à celui de beaucoup de femmes que je connais, je ne m'y sentirais toujours pas vraiment à l'aise. Beaucoup de femmes sont plus fatiguées qu'on le soupçonne. »

Ce conflit n'est pas près de disparaître. Beaucoup de femmes déjà engagées dans le cycle du burnout n'abordent cette question qu'indirectement, démontrant qu'elles en sont conscientes, mais qu'elles savent également que seules, elles ne peuvent rien y changer. « Le milieu de travail est fertile en exclusions, déclarait l'une d'elles, mais ce ne sont pas des choses qu'on dactylographie aisément dans une note de service. Chaque jour je me blinde pour me défendre contre le sentiment de ne compter pour rien. »

Si ce genre de situation persiste dans votre vie professionnelle, vous connaissez probablement la contrainte d'avoir à mesurer vos paroles, à contrôler vos réactions typiquement féminines, à accepter en silence les attitudes condescendantes ou protectrices à peine voilées. Il faut beaucoup d'énergie et de courage pour contenir la colère qui gronde, tout en maintenant une attitude détendue. C'est un drainage quotidien d'énergie, que vous choisissiez d'ignorer cette barrière invisible ou tentiez de la franchir. De plus, il est également débilitant, comme l'affirmait Catherine, d'être exclue de la camaraderie qui accompagne les réunions, les congrès, les réceptions et même l'arrêt devant le distributeur d'eau réfrigérée ou de constater qu'ils se taisent lorsque vous entrez dans un de leurs bureaux. C'est tout simplement démoralisant. Vous en devenez particulièrement consciente lorsqu'une affaire à laquelle vous avez collaboré aboutit sans que l'on vous en dise un mot.

Vous réagissez essentiellement à cette dynamique de l'exclusion par le refoulement, les récriminations, la colère, puis l'impuissance. Le cycle continue à se reproduire, provoquant chez les femmes un éloignement émotif croissant et un lancinant besoin de se surpasser. L'exclusion favorise l'isolement émotif, un terrain fertile pour l'épuisement. Privée du réconfort de votre milieu, la nécessité de surmonter le handicap des stéréotypes féminins assombrit le défi normalement salutaire du travail. Le sentiment d'être « étrangère » l'emporte et plusieurs femmes remettent en question leurs propres perceptions d'elles-mêmes.

Quand Diane a été promue au poste de directrice, en plus de connaître l'angoisse qui accompagne généralement une telle promotion, elle a perdu toute confiance en elle. Plusieurs de ses doutes subsistent encore :

> « Je m'en fais à propos de mes décisions. Sont-elles le fruit d'un jugement rationnel ou celui de ma crainte d'être femme ? Est-on sévère ou tolérant avec moi parce que je suis une femme ? Malheureusement, des femmes comme moi sont très soucieuses de prendre l'homme pour modèle... ce qui est une erreur. Je me demande cependant trop souvent : Que ferait-*il* dans cette situation ? »

Au début, Diane s'est tourmentée au point d'atteindre une phase critique d'épuisement. Elle manifesta un véritable acharnement caractérisé par son incapacité de se fier aux autres, par sa peur de ne pas être assez intelligente ou de ne pas être à la hauteur d'un niveau imaginaire d'excellence, par le besoin d'être parfaite « afin de prouver qu'elles avaient fait le bon choix ». Sa vie s'est concentrée de façon obsédante autour de son nouveau rôle de directrice, ce qui se traduisait chez elle par la volonté de « doubler les revenus de son service ». Elle commença par éviter les relations sociales, affecta une attitude morose, empreinte de gravité et de sévérité. Son sommeil était souvent coupé de crises d'insomnie meublées de dialogues obsédants. Les nerfs en boule à cause du manque de repos ou de plaisir, elle trouvait la plupart des conversations « insupportables et ennuyeuses », surtout celles qui étaient loin des préoccupations de son travail. Son mari et ses amis sont devenus inquiets, mais elle repoussa aussitôt toute tentative d'intervention par son attitude agressive. « Je maintenais que je n'avais pas besoin de critiques à ce moment-là, raconte-t-elle. Je me sentais comme si on tentait de me prendre quelque chose et j'en avais assez de cela à mon bureau. »

Diane, comme plusieurs autres femmes dans sa situation, ne savait pas ce qui lui arrivait. L'épuisement attaquait le coeur de sa vie professionnelle et de son mariage. Les aspects intimes de sa relation avec son mari, y compris sa vie sexuelle, étaient au point mort. « Je ne pouvais pas maîtriser ces deux mondes, dit-elle, j'avais l'impression de subir un supplice, d'être étirée dans tous les sens et je ne pouvais pas me consacrer aux deux. J'ai donc mis mon mariage en veilleuse. »

Avant sa nomination, Diane et son mari avaient essayé de trouver des compromis entre le mariage et la carrière. Après l'annonce de sa nomination et passé l'excitation des célébrations, elle commença à prendre en mauvaise part les arrangements qu'ils avaient faits. Elle travaillait tard le soir et commençait à 7 h 30 le matin. « J'étais épuisée... j'étais éreintée et excédée et je voulais qu'il comprenne à quel point cette période d'essai était importante pour moi. Je ne voulais rien entendre de ses problèmes... Cela me dérangeait... » Diane commençait inconsciemment à associer son mari à la clique du « club masculin » de son bureau. Se sentant impuissante à s'affirmer au travail, elle avait l'impression d'avoir le champ libre à la maison. Elle transposait le gros de sa colère à l'endroit où elle ne la croyait pas dommageable pour elle.

Diane se sentait habituellement habitée par l'urgence de son travail. Curieusement, si elle était détendue, elle craignait de perdre de vue ses objectifs. Ce qu'elle voulait et ce dont elle avait besoin était devenu confus et incertain. Elle avait besoin de rapprochement, d'affection, de distraction, d'intimité et de l'*encouragement* de son mari et de ses amis pour la soutenir durant la période d'ajustement à son nouveau travail. Elle était devenue au contraire une « solitaire » renfermée, semblant entretenir des relations avec les gens, alors qu'en réalité elle les excluait et s'éloignait encore plus d'elle-même. Son affirmation de soi dans sa famille et avec ses amis aurait dû lui apporter l'appui nécessaire pour surmonter l'aliénation du travail.

L'expérience de l'exclusion au travail est souvent renforcée par votre propre dynamique familiale. Le père de Diane qui n'avait jamais réussi à atteindre le statut professionnel qu'il envisageait trouvait difficile d'encourager sa fille. « Rien n'est gratuit », disait-il pour illustrer sa philosophie que Diane avait intériorisée comme l'amère vérité. Elle croyait fermement devoir payer pour son avancement, mais elle n'a jamais compris l'économie des émotions qui s'y rattachait. Selon son interprétation des paroles de son père, « se mériter un droit » signifiait se donner en troc en tant que service et non comme personne. Dans la famille de Diane, le silence servait à punir les erreurs. Son père manifestait son mécontentement en se repliant et en lui fermant la porte. Elle ne pouvait regagner le privilège de son attention qu'en exploitant son narcissisme par la flatterie ou en lui accordant ce qu'elle pensait qu'il souhaitait : être vénéré, respecté et avant tout reconnu par ses collègues de son milieu d'affaires. Cependant, si elle pouvait attirer son attention en le vantant, ses efforts pour gagner l'approbation de son père à ses propres réussites ne faisaient que créer des tensions entre eux. Diane ne pouvait pas voir que ses succès étaient menaçants pour son père ; elle croyait qu'elle n'en avait pas encore assez fait.

Cette dynamique se transposait au travail sur ses supérieurs de sexe masculin. Plus on l'excluait, plus le désir de se surpasser augmentait. Après que, sous sa direction, son service eut conclu une entente particulièrement avantageuse, Diane déclarait :

« J'étais partie pour la gloire... mais je suis rapidement revenue sur terre. J'attendais une manifestation de camaraderie issue d'un vigoureux esprit d'équipe. Je n'ai bénéficié que d'une reconnaissance discrète, un rapide « Bravo, bon travail ! ». Je n'étais pas contente du tout. Après une réunion d'étude ce jour-là, mes collègues masculins ont continué de me délaisser. Ils riaient et faisaient des blagues entre eux, mais rien qui aurait pu m'en rapprocher. Je devenais la femme invisible qu'on traite poliment, mais sans implication professionnelle. Il n'existe aucune façon de combattre ce genre de comportement. J'étais furieuse. J'hésitais entre mon envie de pleurer et mon désir de pousser des cris. »

Ce que Diane a vraiment fait, c'est refouler sa colère et s'enliser encore plus. Les éventuelles épuisées adoptent souvent une tactique de vendetta pour se soulager des humiliations et des affronts. Mais leur vendetta se retourne contre elles parce que c'est finalement contre elles-mêmes qu'elles dirigent leur colère en assumant encore plus de responsabilités et en s'isolant encore plus. Le sentiment d'impuissance ne s'étouffe pas facilement. S'il ne transpire pas dans des paroles chargées d'émotion, il se manifestera par une intensité violente. Diane redoublait d'intensité, entraînant avec elle dans le cycle du burnout son mariage et sa créativité au travail.

Les femmes sur la voie de l'épuisement considèrent assez généralement le comportement et les habitudes de la coterie masculine comme une épreuve à subir. Talonnées et provoquées par l'exclusion, elles se sentent en même temps obligées de transgresser le code masculin. Mais ce code est ancien et empreint d'interdits. Dans plusieurs entreprises, les hommes accueillent désormais, mais prudemment, des femmes douées et compétentes, sinon dans le sanctuaire, du moins au sein de leur équipe. Dans d'autres compagnies, les règles sont immuables. Les institutions mâles sont inflexibles et rigides. Les promotions s'y font rares et l'anonymat est de rigueur pour les femmes. L'épuisée, la superfemme surmenée tombe facilement dans ce panneau. Des promesses faites en termes voilés entraînent de faux espoirs ; la carotte de l'avancement, difficile à attraper, se balance au bout du bâton de l'entreprise. Plusieurs femmes ont eu à prendre de graves décisions au sujet de leur carrière dans le monde des affaires parce que le prix à payer pour avoir accès au « club masculin » est trop élevé. Elles réalisent qu'elles sont émotivement trop sensibles pour aller se brûler quotidiennement les ailes et comprennent qu'à défaut de s'envoler, elles se consumeront dans l'épuisement.

D'autres femmes, et vous vous comptez probablement dans ce groupe, poursuivent la bataille, décidées à trouver les moyens de corriger le drainage systématique de leurs énergies. On peut aussi, dans une telle situation, refuser d'admettre l'importance des petits stress qu'on subit, soit en supprimant ses perceptions conscientes, soit en récusant leur témoignage comme trop pénible et trop dangereux. « Fais simplement ton travail et arrange-toi pour le mieux » sera la réplique qu'on se fera à soi-même et à ses compagnes. À force de réprimer leurs sentiments et de prétendre ignorer ce qu'elles savent, ces femmes commencent à ressentir des symptômes de burnout. L'une d'elles raconte qu'elle commence à se sentir désorientée par son continuel refoulement :

« Je me sens parfois étrangère à ce qui m'arrive et j'ai peur. J'ai l'impression d'avoir perdu contact avec mon univers personnel, c'est-à-dire ce qu'il m'est possible d'accepter dans ma vie personnelle. Mes normes sont différentes pour le travail et le monde extérieur, et je ne crois pas que ce soit vraiment souhaitable. Je me sens parfois comme une caricature de moi-même. Je deviens démesurée par rapport à moi-même. Je me mets en quatre pour agir comme une « femme d'affaires » au lieu d'agir comme une simple femme ou un être humain. Je fais comme si j'étais insensible au monde réel et repousse tous les sentiments humains afin de me concentrer sur ce que je dois faire. Ce serait mieux si je cessais d'être aussi imperturbable, si je cessais de me dédoubler, d'être aussi hargneuse ou distante quand quelqu'un d'autre se plaint... »

Cette femme a voulu être traitée pour ses symptômes et, au cours des discussions, elle révéla qu'elle avait souffert d'un ulcère et de fréquents maux de tête. Les exigences de son travail, les amplificateurs de stress de sa « double » vie, plus le refus de faire connaître ses inquiétudes, avaient réprimé toute spontanéité. Même si l'exclusion masculine ne comptait que pour une partie de son épuisement, ce fut le signe de ralliement de sa lutte pour conserver son équilibre.

INÉGALITÉS ET PROBLÈMES DE BURNOUT

La différence entre les modes d'éducation et de formation que reçoivent les femmes et les hommes ressort en milieu de travail et c'est pourquoi les femmes saisissent avec plus de perspicacité les inégalités de privilèges et de comportements au travail. Plus il y a de choix qui s'offrent aux femmes dans le milieu des affaires, plus la conscience des injustices historiques se généralise. La dynamique psychologique varie profondément selon qu'on est femme ou homme. La plupart des hommes n'éprouvent pas, contrairement aux femmes, un besoin compulsif d'être reconnu comme homme au travail. La plupart des femmes se sentent obligées d'être reconnues — et cela quotidiennement.

Au cours d'une rencontre réunissant quelques femmes travaillant à l'extérieur, on a soulevé quatre problèmes d'inégalité masculine afin de résoudre d'une part quelques-uns des conflits qu'ils engendrent et, d'autre part, de prévenir l'épuisement émotif au travail. Les idées et les expériences en rapport avec ces problèmes ont été soumises spontanément, avec l'air de dire « nous savons que c'est ainsi que sont les choses ». Ces femmes reprenaient plusieurs des problèmes évoqués par d'autres soignées pour burnout.

A. *Reconnaissance et prérogatives*

    « On n'apprend pas aux hommes ce qu'ils *ont* à faire ; on leur apprend ce qu'ils *veulent* faire. On leur dit :
    « *Lorsque* tu iras au collège, *lorsque* tu seras médecin, *lorsque* tu seras premier ministre... » Mais on dit aux femmes : « *Si* tu vas au collège, *si* tu deviens médecin, *si* tu... » Les hommes reçoivent un message précis ; pour les femmes, il est au conditionnel... »

Le fait que la plupart des hommes assimilent un « message précis » concernant leur avenir et que les femmes assimilent le leur au conditionnel mine sérieusement la revendication par les femmes de leurs prérogatives. Les hommes sont en général plus avantagés du fait qu'on leur a permis de développer leurs capacités. L'aptitude et le sens aigu des affaires ont été privilégiés afin de les préparer à entrer dans l'industrie. Jusqu'à récemment, la plupart des femmes n'étaient pas formées en vue d'une carrière. On les encourageait à tenir en considération des qualités comme la cordialité, la politesse, la sensibilité et la séduction. À moins d'avoir eu un père qui stimulait vos capacités, ou une mère qui encourageait l'expression et l'individualisme, vous avez probablement développé un sentiment ambigu par rapport à vos prérogatives.

La notion de « carrière » pour les femmes a été traditionnellement provoquante et lourde de conflits. Admettre en même temps ses ambitions et son désir de se marier et d'avoir des enfants tombe toujours sous le coup de graves sous-entendus émotifs.

— Pouvez-vous « tout réussir » sans être épuisée ?
— La naissance d'un enfant nuira-t-elle à votre plan de carrière ?
— Votre compagnie favorisera-t-elle un congé de maternité ?
— Devriez-vous atteindre un certain niveau avant votre première grossesse ?
— Que ferez-vous de l'enfant pendant que vous serez au travail ?
— Quitterez-vous votre bébé le coeur léger ?
— Si vous êtes dans une situation monoparentale, pouvez-vous obtenir un congé en cas d'urgence ?
— Que ferez-vous d'un enfant malade à la maison ?
— Vous sera-t-il possible de travailler tard ?
— Pouvez-vous voyager ?
— À cause de ces incertitudes, vous considère-t-on comme une « conditionnelle » ?
— Malgré vos aptitudes, vos talents et peut-être votre expérience, ces éventualités « féminines » sont-elles retenues contre vous ?

— Ces incertitudes changent-elles vraiment votre attitude par rapport à vos prérogatives ?

— Et à quel point avez-vous intériorisé et transformé cette attitude en stress négatif ?

« Je suis accablée par le problème de l'enfant, disait Anne, une avocate de 35 ans, je ne veux plus y penser. Nous sommes trois femmes à l'étude légale et je suis la seule à avoir atteint l'âge biologique pour la maternité. Mes associés masculins ne cessent de me demander de façon désinvolte si je songe à devenir enceinte d'ici les prochains six mois, sous-entendant que dans ce cas on évitera de me confier des causes importantes. En conséquence, j'atténue ma « féminité » et j'exagère ma disponibilité. »

Anne se rend disponible pour de courts voyages, pour le travail le soir, le samedi et parfois le dimanche, pour « s'assurer des heures lucratives ». Elle considère chaque minute de son travail comme essentielle à sa carrière et insiste pour dire qu'elle accumule des avantages non perceptibles, mais importants. Le temps c'est uniquement le présent. L'avenir n'existe pas et elle oublie ses réussites du passé. Poussée à se montrer une associée inconditionnelle, elle élargit son champ de responsabilités et offre sans retenue ses services à ses collègues. « Quand j'ai décidé d'aller en droit, disait-elle, mon père ne cessait de me répéter qu'en devenant avocate, j'aurais beaucoup de travail et bien des sacrifices à faire... J'étais d'accord alors, mais maintenant je le vis... Je vois rarement mon mari et quand je le vois, ou je suis incapable de me changer les idées, ou je m'endors. » Sur un plan inconscient, Anne se réconcilie avec sa « féminité » en persuadant son père, ses collègues et ses supérieurs qu'elle ne les a pas laissé tomber. Sa vie professionnelle est une continuelle période d'essai. Le message « conditionnel » est devenu pour Anne une prophétie en train de se réaliser. Elle ne s'accepte qu'à condition de poursuivre sa course, même si le réservoir est vide.

Que faire pour diminuer votre besoin d'être acceptée et commencer à reconnaître que vous avez des droits ? Pouvez-vous « tout réussir » sans devenir victime d'épuisement ? Tout d'abord, *vous devez commencer par augmenter votre conscience de vous-même.* Si vous êtes comme Anne, vos ambitions ont presque complètement éclipsé vos besoins. Cette grande intensité, propre à l'épuisement, voile votre besoin de refaire le plein. La fatigue, l'agitation continuelle et peut-être des années de refoulement ont vraisemblablement plus qu'altéré vos perceptions et votre jugement. Vous avez peut-être de la difficulté à distinguer l'essentiel de l'accessoire et, en conséquence, votre véritable système de valeur s'est déformé, a perdu son équilibre. Il est important que vous commenciez à refaire connaissance avec vos besoins. Ce que vous considérez comme une perte de temps est peut-être justement ce que vos sens réclament : une période d'immersion dans la gaieté, des petits dîners à tête reposée avec un être cher ou des amis, de la musique, du théâtre, des films, des activités qui vous combleront et surtout vous procureront un sentiment d'intimité, d'attention et d'appartenance. La conscience de vous-même, c'est-à-dire l'acceptation de vos sentiments et de ce qui vous est nécessaire pour faire le plein, ressuscitera la personne que vous croyez avoir perdue. En étant attentive à votre ego, votre moi véritable, vous l'entendrez manifester son désir d'être soulagé du sempiternel dépassement. Probablement qu'en satisfaisant vos besoins vous en viendrez, avec le temps, à retrouver le véritable sens du travail.

B. *Le pouvoir*

— « Les hommes cherchent le pouvoir et s'en servent volontiers. Les femmes désirent le pouvoir, mais il ne cadre pas dans notre expérience et nous en craignons les conséquences. Je veux bien accepter une responsabilité, mais le concept du pouvoir m'échappe. »

Qu'est-ce qui rend le concept du pouvoir si menaçant pour les femmes ? Plusieurs femmes ont dit qu'elles n'aimaient pas utiliser le mot « pouvoir » parce qu'il avait une connotation de manipulation et de tyrannie. Le pouvoir, à leurs yeux, est masculin, une attitude qui remonte aux pères dominateurs et exigeants ou aux mères autoritaires et répressives. Le pouvoir correspond à la totalité de la personne menaçante. La responsabilité est vue, par ailleurs, comme un élément positif et bienveillant, qui tient compte des individus et de leurs particularités. La responsabilité correspond aux aspects d'une personne qui sont dignes d'admiration et de respect, mais qui ne s'imposent pas et qui n'effraient pas nécessairement.

Une femme se percevra souvent comme une personne ayant du pouvoir ou détenant de la puissance, mais elle se retiendra de l'exercer ou de le montrer de crainte de perdre sa féminité. La notion de pouvoir étant intimement liée à l'agression et à l'intimidation, en user changera-t-il votre personnalité et serez-vous considérée comme trop déterminée, trop masculine ? Vous n'avez peut-être pas eu dans votre vie des modèles féminins de puissance auxquels vous pourriez maintenant vous rattacher, ou peut-être avez-vous entendu des calomnies à propos d'une femme de pouvoir décrite comme « dure et froide » par vos parents ou des relations influentes ? Utiliser votre propre pouvoir aurait-il pour effet d'éloigner de vous les hommes et les autres femmes ou d'éveiller leur hostilité ? Vous pourriez vous sentir ambivalente par rapport à l'image du pouvoir. Vous en ferez peut-être timidement l'essai, mais devant la menace de difficultés, réelles ou imaginaires, vous abandonnerez. « Si vous êtes une « bonne fille », disait l'une des femmes, vous ne cherchez pas le pouvoir. Vous insisterez pour qu'il soit relié aux responsabilités que vous recherchez et qu'il vous soit reconnu eu égard à vos connaissances et à votre compétence... Je dis que je ne veux pas le pouvoir, mais je l'ai et je le retiens. Et je m'en veux de m'être souvent inclinée devant d'autres qui s'en servaient... »

C. *Le respect*

— « Si l'on dit à un homme de ne pas s'occuper d'un projet dont il est en partie responsable, il réagira. Il dira quelque chose comme : « Il n'en est pas question, cela me revient ou, débarrassez-vous de quelqu'un d'autre, ma contribution est essentielle », ou il téléphonera aux plus hautes instances pour demander leur appui. Quand on me dit de me retirer, j'écoute et je cède par respect. »

Si on a traditionnellement interdit le pouvoir aux femmes, on leur a au contraire recommandé le respect. Le respect est un moyen de défense qui offre un abri sûr dans une situation difficile. Garder le silence et continuer de sourire, vous excuser quand vous savez que vous avez raison, montrer de l'enthousiasme pour des idées que vous estimez peu intéressantes et vous retirer quand votre position est défendable, ce sont-là des manifestations de respect. Quand le respect vous sert constamment d'excuse pour ne pas utiliser le pouvoir que vous détenez, éviter les confrontations et sauvegarder votre moi-façade, il devient un dangereux facteur d'épuisement émotionnel.

Prenez conscience de la gamme des émotions qui vous assaillent quand la peur vous incite à céder. Il y a d'abord la crise d'irritation, suivie d'un sentiment de frustration, puis d'impuissance. L'humiliation qui s'en suit est rapidement remplacée par la colère qui sera étouffée ou refoulée. Où va donc cette colère ? Elle s'attaque à vos réserves d'énergies et se transforme soudainement en ressentiment. Souvent, elle se manifeste aussi par des larmes. Vous vous mettez à trembler, vos mâchoires se crispent, vous vous enfoncez un ongle dans le pouce, vous mordez vos lèvres et vous résistez farouchement au besoin de pleurer. Ces émotions sont épuisantes.

Une femme qui a l'habitude du refoulement déclarera : « Je ne suis pas en colère contre lui ou contre elle, je ne le suis pas du tout... cela n'a pas d'importance... » Mais brusquement, quelque chose se déclenche. Avec une fureur inattendue, vous vous mettrez à faire des extravagances qui vous effraient autant que les gens autour de vous, ou vous ressentez un vide à l'intérieur de vous-même, comme si votre coeur s'était endurci et avait perdu son ardeur. Ces deux réactions sont le résultat du refoulement systématique de votre pouvoir, de son importance et de sa nécessité. Il est tout à fait typique qu'une épuisée tente de se « protéger » en s'accrochant fermement à ses mécanismes de refoulement. Elle croit de cette façon pouvoir exercer un certain contrôle sur son entourage. Afin de retrouver son intensité, elle se plongera dans son travail de bureau, multipliera rendez-vous et réunions ou au contraire, elle perdra le goût du travail, deviendra léthargique, déçue, désintéressée et se trouvera « encore plus dépassée ».

Ce sont-là de sérieux problèmes de burnout pour les femmes. La solution la plus évidente serait de courir un risque et d'expérimenter de nouveaux moyens. Mais cela provoque un autre conflit.

D. *Le risque*

— « Les hommes se sentent libres de courir des risques. J'ai tendance à être trop prudente, principalement parce que je suis préoccupée par trop de gratitude et de crainte. »

Pourquoi la gratitude ? L'origine de ce sentiment remonte à la notion des prérogatives. Si vous n'avez pas de droits, c'est qu'on vous a accordé une faveur ou qu'autrement vous êtes un fardeau ou une profiteuse pour l'entreprise. Hélas ! Trop de femmes se sentent secrètement reconnaissantes parce qu'on leur a fourni l'occasion de... La gratitude n'a pas de limite ; les remerciements se multiplient à tort et à travers, sans trop savoir à qui ils reviennent.

Le problème de la gratitude est une réaction de transfert qui remonte au passé. Certains parents ont transmis un message de persécution et favorisé une forme de culpabilité. Enfant, vos activités, vos conversations, vos besoins ont peut-être été considérés comme encombrants et c'est avec une résignation agacée qu'on y répondait. Vos attentes d'adulte reproduisent peut-être cette expérience de l'enfance ? On vous a si bien inculqué le sens de la gratitude que vous ne pouvez plus vous en passer dans votre vie professionnelle.

Si la gratitude vous paralyse, il vous sera impossible de vous rendre intéressante, même si cela pouvait être utile et avantageux pour vous et pour l'entreprise. Qui ne risque rien, n'a rien. Ce proverbe signifie que vous ne pouvez rien gagner, sans courir le risque de perdre.

Pour vous éclairer et vous aider à prendre conscience de vous-même, examinez de quel type sont vos réactions à propos du risque. Que vous dites-vous ou à vos collègues pour justifier le fait que vous évitez de risquer ? Peut-être avez-vous été paralysée par l'appréhension et craignez-vous des implications réelles ou imaginaires ? Vous êtes peut-être prise au piège du refoulement et vous vous appuyez sur une réaction de défense pour vous tirer d'affaire ? Si vous avez tendance à la procrastination, vous vous protégerez en remettant habituellement la question à plus tard.

Jetez un coup d'oeil à ce guide et essayez d'identifier quel type de réaction vous convient le mieux :

Appréhension	Refoulement	Procrastination
Je me mettrai quelqu'un à dos.	Cela n'a pas d'importance pour moi.	Ce n'est pas le bon moment.
Je vais menacer quelqu'un.	Je ne suis pas intéressée à changer quoi que ce soit...	Je dois continuer d'y penser encore...
Quelqu'un me rendra la pareille.	Je m'en fiche...	Aussitôt que cette saison sera terminée...
Je perdrai mon appui...	Je ne sais même pas combien de temps je passerai ici...	Quand X sera promue, je serai en meilleure position.
Personne d'autre n'a fait cela...	De toute façon, cela ne veut rien dire pour moi...	J'y réfléchirai après le congrès.
Je n'aime pas les confrontations...	Je serai bien... très bien...	J'ai trop de projets en ce moment...
Cela le ou la blessera.		Après les vacances.

Risquer représente un problème sérieux pour les femmes qui sont épuisées. Indépendamment des risques que vous aimeriez courir et qui sont directement reliés à votre présent travail, vous voulez éviter de changer d'emploi. Peut-être en avez-vous assez d'être sous les ordres d'un employeur ou avez-vous atteint le haut de l'échelle à votre emploi actuel ? Afin de retrouver votre enthousiasme, vous songez peut-être à devenir entrepreneure, c'est-à-dire mettre vos habiletés, vos talents et votre expérience au service de votre propre entreprise. L'appréhension, le refoulement ou la procrastination ne serviront qu'à prolonger le cycle du burnout.

Le premier risque à prendre, c'est de vous demander de façon impartiale ce qu'il vous faut dans l'immédiat pour maintenir votre santé mentale, psychique et physique. Pour changer votre vie, sinon pour la sauver, vous aurez de dures décisions à prendre. Dire «non» pourra être interprété par les uns comme un geste audacieux et agressif ou par les autres, comme une réaction saine et utile. Mais avant de pouvoir dire non aux autres, vous devez commencer par vous dire non à vous-même.

Il est possible de perdre l'habitude de dépasser ses limites, de maintenir un climat d'intensité, de ne se sentir vivante qu'en état de crise, mais il faut que vous surveilliez vos réactions conditionnées. Annulez-vous ou remettez-vous à plus tard vos vacances parce qu'une personne a laissé entendre que ce n'est pas un bon moment pour vous de les prendre parce qu'il y avait trop de travail accumulé ? Travaillez-vous les jours de fête parce qu'un collègue a pris sa semaine de congé ? Annulez-vous vos rendez-vous chez le médecin ou le dentiste ? Sautez-vous le lunch ou restez-vous à travailler à votre pupitre durant l'heure du lunch ? Vous absentez-vous de votre programme d'exercices ? Remettez-vous votre visite chez le coiffeur ? Demandez-vous la permission de quitter le cinq à sept parce que vous êtes prise par des demandes que vous n'avez pas osé refuser ? Êtes-vous habituellement trop occupée pour consacrer du temps à vos propres besoins ?

Les hommes se sentiront souvent plus libres de s'occuper d'eux-mêmes et même si c'est de façon irrégulière, ils profiteront néanmoins de certaines occasions favorables. Dans ce cas, courir un risque, c'est aussi dire « oui ». L'une des femmes disait :

«Pendant les congrès qui se tiennent à l'extérieur de la ville, vous vous levez à 6 h 30 et vous revenez le soir à votre chambre d'hôtel vers 1 h 30 ou 2 h, après une longue journée de travail intense et appliqué. Les hommes prendront le temps de se faire donner un massage, d'aller à la salle d'exercices ou de courir... non les femmes. C'est tout simplement ridicule. Nous avons toutes peur que cela soit mal vu ou qu'on nous accuse d'utiliser à d'autres fins l'argent des frais de représentation... »

Profitez-vous de l'avantage que vous avez de disposer d'un compte pour frais de représentation ? Si vous recevez une allocation de repas pour travailler tard dans la soirée, allez-vous dans un bon restaurant ou si vous commandez un pot de yogourt ou un hamburger que vous mangez sur le coin de votre table de travail ou dans votre chambre d'hôtel ?

C'est souvent en s'accordant un peu d'attention que l'on arrive à surmonter le burnout. L'accumulation de stress et de tension en milieu de travail alimente l'épuisement ; cependant les quelques heures que vous vous accordez peuvent réparer les dommages et contribuer éventuellement à vous faire changer vos habitudes de vie. Si le risque vous fait peur, n'oubliez pas de vous demander de quoi vous avez peur ? Vivre sans risque, c'est comme ne pas vivre — il n'y a plus de joie à vivre.

Les différences d'attitudes et de comportements entre les hommes et les femmes ne sont pas sur le point de disparaître, mais en devenant consciente de vous-même, vous aurez la possibilité de découvrir ce que vous pouvez changer dans votre vie et ce qui est immuable. La conscience de soi est un exercice qui comprend trois phases : la *prévoyance,* l'*identification* et la *compréhension.* En apprenant à reconnaître vos propres perceptions et vos besoins, vous serez en mesure de prévoir les situations qui s'annoncent difficiles, d'identifier vos sentiments à leur propos et de mieux comprendre pourquoi elles favorisent le processus de l'épuisement. Cela ne laisse pas sous-entendre que vous deviendrez insensibles aux injustices, mais que vous modifierez plusieurs de vos réactions. Vous serez en mesure de choisir vos batailles et de prendre en charge vos ressources psychiques et émotionnelles.

Diane a bien résumé ces conflits en déclarant : « Ce n'est pas pour demain, mais dans quelques années, le monde du *travail* et la *femme* seront tout à fait conciliables. D'ici là, nous serons toutes sujettes à une grande fatigue. La tension que nous ressentons toutes est une réalité objective qui doit être prise au sérieux, sinon plusieurs parmi nous seront en proie au burnout. »

CHAPITRE VI

Si peu de temps, si peu d'amour

« Ma carrière m'apporte beaucoup de satisfaction, j'acquiers de plus en plus d'autonomie et je travaille comme un nègre. Mais... je n'y prends plus le plaisir que j'y prenais... Il doit sûrement y avoir autre chose... Peut-on être épuisée par manque de vie privée ? Je pense que c'est au coeur même de ma fatigue... »

Joanne

Avez-vous déjà pensé que vous pourriez éclater si vous continuez de vivre sans relation intime ? Vous raidissez-vous quand on vous demande si tout va bien dans votre vie privée ? L'horaire de vos journées est-il tellement serré que vous en avez exclu toute vie privée et peut-être même votre vie conjugale ? Sentez-vous que le besoin d'une relation étroite vous compromet par rapport aux avantages que vous avez acquis au travail ? Ou encore, vous êtes-vous détournée de toute vie intime parce qu'il n'y avait pas d'homme disponible ou parce que vous avez vécu une relation amoureuse tellement cruelle que vous vous protégez maintenant de crainte d'y être prise de nouveau ?

Le burnout est un sous-produit de la négligence de ses besoins. Quand on est privée systématiquement de sentiments et d'émotions, les efforts pour refouler cette absence ou pour y remédier par le travail deviennent de plus en plus inefficaces. La maîtrise, la compétence et même l'excellence dans une partie importante de votre vie parviennent rarement à satisfaire vraiment ce qu'une femme appelait « cette conscience de soi non assumée que j'ai trop longtemps dissimulée ». L'épuisement ne fait pas de distinction : il se nourrit des privations de toutes sortes. Dans ce cas particulier, il est favorisé par l'équilibre discordant entre le travail et la vie amoureuse.

LA CRISE DE L'INTIMITÉ

C'est là un problème épineux pour les femmes. Vous avez peut-être, à juste titre, hésité à accuser votre travail pour plusieurs raisons importantes. D'abord, ce ne sont pas toutes les femmes qui travaillent en vue d'un accomplissement personnel. Subvenir à vos besoins, à ceux de vos enfants, et même pourvoir aux besoins de parents âgés et malades sont des réalités économiques incontestables. Avoir un travail satisfaisant est un objectif en soi que nous visons toutes. Le travail permet de nous définir et fournit un point d'ancrage et un sentiment de sécurité dans un monde par ailleurs flou et confus. Le défi du travail a permis à plusieurs femmes de se défaire des stéréotypes féminins qui ont traditionnellement confiné leur mère à des rôles dévalorisés qui les menacent à leur tour. Plusieurs femmes ont décidé de rejeter ces valeurs conformistes entretenues par les femmes des années 50 et ont choisi les occasions de croissance en se faisant mieux entendre et en participant à tous les niveaux de la société. Les pionnières du féminisme se sont battues pour avoir accès aux domaines jusque-là inaccessibles aux femmes. Même s'il subsiste des injustices frustrantes dans les politiques, le milieu du travail et les communications, ces victoires durement gagnées ne doivent *pas* servir de bouc émissaire à la nouvelle et souvent pénible crise d'intimité.

Scrutez attentivement vos conflits personnels. Souffrez-vous des symptômes de burnout que sont l'isolement et la solitude? L'isolement survient souvent quand vous perdez contact avec vous-même. La solitude apparaît quand il y a absence de relations étroites avec d'autres personnes. Si vous éprouvez l'un ou l'autre de ces symptômes, vous vous sentirez encore plus isolée, comme une recluse dans un monde extérieur voué à la confusion. Dans plusieurs cas, ces symptômes ne sont pas la conséquence de vos aspirations professionnelles. Ils sont la conséquence naturelle du refus ou de la remise à plus tard de satisfactions émotives.

Les femmes de tous les pays se sont mises sérieusement à la tâche et tentent de démêler les rapports confus qui existent entre le travail et la vie amoureuse. Pour quelques femmes, le problème s'accompagne d'un malaise évident, d'une crainte profonde de perdre l'autonomie gagnée au travail si elles reconnaissent leur sentiment de solitude. Solange, 33 ans, une travailleuse sociale d'une ville importante, décrit cette situation :

« Beaucoup de femmes qui travaillent à se bâtir une carrière commencent sérieusement à s'interroger sur le sens du travail... Nous avons engouffré toutes nos énergies et beaucoup de temps dans notre travail et nous sommes fatiguées. Mais nous hésitons à en parler parce que la solitude qui marque nos vies privées ne concorde pas avec l'image de la femme de carrière toute-puissante... mais nous avons désespérément besoin de quelque chose de plus... »

Solange exprime ce que plusieurs femmes ont évoqué ou craignent secrètement. Admettre quelque ambiguïté ou mécontentement peut servir les intérêts de celles qui s'opposent aux changements préconisés par les mouvements féministes. Par ailleurs, la peur de cette éventualité mène à un refoulement massif de besoins essentiels comme l'amour, l'affection, les rapports étroits avec d'autres et même le mariage ou la maternité. Le refoulement crée un blocage, l'incapacité de prendre une décision. Pour éviter d'avoir à affronter «la crise d'intimité», plusieurs femmes dissimulent leur détresse en se plongeant encore plus dans le travail, aggravant encore, évidemment, leur épuisement physique et moral.

Paulette, une femme monoparentale de 43 ans, va encore plus loin en décrivant son ambivalence par rapport à ses besoins émotifs et la frustration qu'elle engendre dans sa vie :

«J'ai élevé seule ma fille pendant huit ans et j'ai travaillé durement. Selon les critères acceptés, on dit que j'ai réussi. Ce qui veut dire que j'ai réussi à être autonome et que je ne dépends de personne d'autre pour moi-même ou pour mon enfant. Mais je suis terriblement seule et je commence à me demander ce que je fais de mal... Est-ce un état auquel je dois m'habituer ? Est-ce une sorte de mûrissement qui n'a pas de fin ? J'ai besoin d'une relation intime avec un homme pour mon accomplissement personnel, ou, faute de meilleurs mots, j'ai besoin de compagnie, d'affection et d'échanges. Mais quelle partie de moi-même dois-je sacrifier pour l'obtenir ? Je me suis trop débattue pour, maintenant, redevenir cette femme dépendante et soumise que j'étais... Que dois-je faire alors ? Je suis absolument exténuée de devoir tout faire seule...»

Le témoignage poignant de Paulette met en lumière l'indécision et les désirs conflictuels de l'isolement et de la solitude que connaissent les femmes dans la même situation. «Tout faire seule» est un facteur important du burnout des femmes. Avoir à exercer continuellement et assidûment le contrôle et la retenue de ses émotions engendre des attitudes inflexibles, des réactions d'intransigeance, un jugement déformé et, en fin de compte, une disposition à l'épuisement. Cette attitude symbolise la militante, la femme qui va vers la vie les dents serrés afin de se protéger contre la tyrannie de ses besoins. Mais une autre partie d'elle-même, celle qui se demande ce qu'elle devra sacrifier pour les satisfaire, parle de prudence, du désir de se protéger contre la perte de l'autonomie durement gagnée. Paulette expérimente une autre sorte de blocage. Contrairement à Solange, elle n'a pas peur d'affirmer son dilemme. Elle connaît ses besoins, mais elle en a peur. Comme elle l'entrevoit, la dépendance est la dure et redoutable condition d'une relation intime avec un homme. L'ambiguïté du rapport autonomie / dépendance l'entraîne sur le chemin familier du doute et de l'ambivalence. Mais ses fréquents accès de frustration effrénée devraient l'avertir qu'elle se dirige vers une phase grave de burnout.

Lorraine livre une autre version du problème de la crise de l'intimité. À 28 ans, elle s'est enfermée dans une perception contradictoire de son avenir:

«Tout cela est très stressant pour moi... Je suis loin de savoir ce que je dois faire. Je vais d'un extrême à l'autre. Un jour je me rends au travail prête à tout entreprendre, sûre de moi. Le jour suivant, je déteste mon travail, je veux me marier, avoir des enfants et passer mes journées à faire du pain. Je me demande si je ne fais pas que prétendre être une femme de carrière. Je me tourmente au sujet de mon choix. Est-ce une carrière par défaut? Je ne le crois pas, mais je suis si fatiguée de trop travailler et de revenir à la maison sans but... Pouvez-vous comprendre que j'adore mon travail ? J'aime ce que je fais et ce que cela me rapporte... mais je ne veux pas être seule... surtout quand je serai vieille. »

Lorraine s'est débattue pendant quelque temps avec ces options contradictoires, se sentant coincée d'une façon ou d'une autre, ce qui est tout à fait démoralisant. Ses besoins négligés ont refait surface et par réaction violente, elle choisit de voir sa vie sous forme d'opposition entre le travail et l'amour. Le jugement de Lorraine est emprisonné. Épuisée par son angoisse, sa peur de l'avenir et une vie privée anémiée, elle est incapable de voir un entre-deux qui lui apporterait l'équilibre nécessaire pour intégrer les deux options. Elle ne peut non plus saisir comment, en fin de compte, travail *et* amour se complètent et aident à entretenir l'énergie que démontrent certaines femmes qui ne souffrent pas d'épuisement et à qui tout semble réussir.

POUVEZ-VOUS TOUT RÉUSSIR SANS BURNOUT ?

Il va sans dire que la situation idéale aussi bien pour les femmes que pour les hommes, c'est l'équilibre parfait entre un travail satisfaisant et des relations intimes réussies. Mais ce monde n'est pas parfait ; il est rempli d'incohérences et de contradictions. Les femmes qui sont cadres supérieurs souffrent de ce que les auteurs Christine Doudna et Fern McBride appellent « le choc célibataire* », c'est-à-dire l'absence d'hommes acceptables pour ces femmes. Il n'est toutefois pas nécessaire d'être dans leur cas pour remarquer cette lacune. Plusieurs femmes ayant des emplois et des responsabilités à tous les niveaux s'inquiètent de ce qui paraît être non seulement un manque d'hommes disponibles, mais aussi

---

* *Savvy*, février 1980, p. 17.

d'hommes prêts à s'engager envers une femme et à en assumer la responsabilité. Et même les femmes qui ont un travail qui les satisfait, un mari, un compagnon et même des enfants, se plaignent de la monotonie de leur vie, d'une intimité devenue routinière*.

Il existe cependant des femmes qui réussissent à conjuguer travail et amour (emploi, conjoint, famille, amis) parfois même sans un conjoint assidu et qui éprouvent rarement la fatigue liée à l'épuisement grave. S'il leur arrive de ressentir les symptômes du burnout aigu, elles prendront habituellement d'elles-mêmes la décision de réclamer plus de temps de « solitude ». Vous avez peut-être remarqué que plusieurs de ces femmes qui semblent « tout réussir » paraissent des bourreaux de travail, et vous vous demandez comment elles arrivent à éviter d'être « drainées » et « minées ». Il est important que vous compreniez que *toutes les femmes qui travaillent avec acharnement et dont le taux de réussite est élevée ne sont pas nécessairement épuisées.*

Cette constatation n'est pas aussi contradictoire qu'il y paraît. Si vous observez la vie d'une femme qui semble « tout réussir », vous remarquerez que sa réussite est peut-être limitée ou encore qu'elle ne « réussit tout » que successivement. Le mythe de la superfemme invincible qui conjugue tout parfaitement a agi comme catalyseur de l'angoisse éperdue, du surmenage excessif et de l'épuisement grave dans la vie de plusieurs femmes. Toutefois, la femme qui réussit partiellement, compense ses dépenses d'énergie et d'intensité par un retour vers la tendresse, l'affection, la camaraderie et le jeu. L'amour, le travail, les amis, la famille et les loisirs sont d'autres aspects de sa vie. Parce qu'elle ne cherche pas à se fusionner aux autres et faire un avec eux, elle participe à leur vie tout en profitant de la sienne. Elle aura souvent développé un sens de l'humour qui lui permet-

---

* Voir chapitre VII, « Le burnout et les relations ».

tra un certain recul et de prendre en riant les ennuis habituels et fréquents des autres sans être touchée par le remord. Elle sait quand se retirer, quand se détacher et quand dire non.

Cela ne signifie pas qu'une femme équilibrée est insensible aux blessures, à l'insulte, au rejet, ni qu'elle échappe aux sentiments amoureux. Mais elle n'est jamais surmenée ou d'humeur impossible. Cela suppose aussi qu'elle peut faire la différence entre son moi et les autres et qu'elle évite de se fusionner soit avec son travail, soit avec sa vie amoureuse, tout en assumant l'un et l'autre avec plaisir, sans risque de burnout. Les *frontières de l'ego* de ce genre de femmes sont intactes. Elles sont capables de maintenir leur sentiment d'identité dans un état de stabilité généralement fiable.

LES FRONTIÈRES DE VOTRE EGO ET LA TYRANNIE DE L'INTIMITÉ

L'instabilité ou le flottement des frontières de l'ego est souvent la cause première de l'isolement, de la solitude, du manque de relations et de l'épuisement au travail. Les femmes dont les frontières de l'ego sont instables ont tendance à se « perdre » dans les autres ou dans les situations extérieures. La puissante identification à un travail ou à un amour vous permet de vous identifier à un objet qui vous est extérieur et de trouver un point d'ancrage symbolique auquel vous vous attachez. Une série de besoins de protection qui avaient été supprimés, refoulés, négligés ou dont vous avez été brutalement privés, peut-être depuis votre enfance, refont surface et vous poussent vers l'objet désiré pour y trouver réconfort et satisfaction. À ce stade, les frontières du moi deviennent confuses et certains de ses éléments s'effondrent. En conséquence, il est difficile de distinguer où sont vos limites et où commencent celles des autres personnes ou celles d'une situation extérieure. Et si ce phénomène englobe l'amour et le travail, le burnout causé par les problèmes de travail ou de relations n'est pas loin.

Quand ces frontières sont stables ou intactes, elles conservent une certaine flexibilité qui vous permet de les dépasser, tout en évaluant leurs limites, et de pouvoir réagir rapidement, au besoin, pour retrouver votre propre identité. Ces expériences sont enrichissantes, sans être épuisantes. Lorsque les frontières du moi sont faibles, votre soif de protection vous pousse à vouloir dévorer la personne ou la situation qui vous attire.

Derrière ces frontières, votre ego ou votre moi agit comme médiateur entre les stimuli externes et vos réactions ou réponses internes. Quand vous étiez bébé, avant la formation de votre ego, il n'y avait pas de séparation entre vous et le monde extérieur. Mais au fur et à mesure que vous vous êtes développée et avez découvert que vos besoins ne recevaient pas une satisfaction immédiate, des limites ont été fixées à votre sentiment de toute-puissance. Vos réactions et vos réponses à la « différence » des autres personnes vous ont permis de vous développer des points de vue, des préférences, des goûts et des opinions sur le monde comme une entité séparée de vous, et c'est ainsi qu'ont été dressées les premières frontières de l'ego.

Ces premières frontières se sont renforcées selon le degré d'approbation et de sécurité que vous avez ressenti au sein de cette nouvelle identité séparée. Toutefois, si ce processus ne s'est pas déroulé dans un climat affectueux, si votre mère ou votre père désapprouvait votre développement comme individu, tout en valorisant votre attachement à eux, la construction de saines frontières de l'ego a été entravée ou bloquée. Dans certaines familles, l'un des parents peut compenser pour les exigences de l'autre et renforcer ces frontières. Vore père, par exemple, a peut-être été la figure valorisante de la famille ou votre mère, le principal facteur de support psychique et de croissance. Ces deux relations fondamentales ont exercé une grande influence sur le développement de votre ego. Toutefois, si l'un des parents décourageait l'indépendance de pensée et l'autonomie, si tous les deux restaient insensibles à vos besoins de protection, si leurs exigences étaient contradictoires, vous aurez perçu un message confus et douloureux.

En tant que fille, vous avez probablement appris les leçons que l'éducation des mères transmet, c'est-à-dire réconforter les autres, faire passer vos besoins en dernier lieu ou bien les refouler*. Mais en négligeant systématiquement vos besoins, même en essayant de les supprimer, ils se manifestent avec un appétit éprouvant. Quand une mère se montre insensible aux besoins de sa fille, tout en étant attentive à ceux de son mari, de ses fils, de parents ou d'amis, la jeune fille en vient à considérer ses besoins comme « mauvais » ou sans importance et tente de les oublier. Vous avez peut-être appris à dompter vos besoins non comblés en les ignorant et en les refoulant, ce qui vous permettait de paraître une femme indépendante et autonome. Cette attitude est généralement bien reçue, mais elle est aliénante pour une jeune fille. Votre ego n'est devenu ni plus fort, ni plus consistant, c'est votre image qui a pris toute l'importance. Vous développez progressivement et subtilement une superstructure de compétence apparente, mais ne reposant sur aucune assise solide et bien définie. Votre ego affamé désire ardemment sa nourriture ; il éprouve de plus en plus les tourments de l'isolement et cherche un soulagement à travers les autres. La séparation devient alors synonyme d'isolement et peut provoquer des sentiments d'angoisse ou même d'affolement. Les frontières

---

* Voir chapitre II, « *Pourquoi les femmes souffrent-elles de burnout ?* »

de l'ego que vous avez dressées pour vous distinguer du reste du monde sont imaginaires, le moi projeté affiche une fausse infaillibilité, et le moi qui n'est plus fiable est abandonné ou ne fonctionne que partiellement.

Ce moi abandonné n'est pas pour autant apaisé. Il a la nostalgie des soins maternels et le désir de revenir à la béatitude du ventre maternel pour se confondre à cet état originel d'amour et de sécurité inconditionnels. C'est pourquoi les frontières de votre ego ont tendance à s'affaiblir ou à disparaître quand le moi se trouve en présence d'une liaison ou d'une situation où il peut se perdre, couler, se fondre ou se fusionner avec un objet, une personne ou une situation à l'extérieur de ses frontières. Ce désir d'union est un phénomène qui ne disparaît jamais complètement. Son pouvoir se révèle au cours d'expériences sexuelles que des femmes aussi bien que des hommes qualifient de «transcendantes». Les personnes dont les frontières de l'ego sont stables et solides sont capables de se ressaisir rapidement et de continuer à vivre dans le sentiment d'une autonomie relative. Celles dont les frontières de l'ego sont instables et faibles désirent ardemment rester dans cet état de symbiose transcendante parce qu'en revenant à elles, leur autonomie leur paraîtra inacceptable, sinon pénible.

Les femmes dont les besoins ont été négligés, puis refoulés, ne résistent pas à l'attrait de cette fusion. Elles trompent leur solitude en se perdant dans une relation affective ou dans un travail. Mais parfois la réalité s'impose et elles retrouvent leur vieille douleur familière. C'est pour cela que plusieurs femmes ayant connu ces sentiments, résistent ou reculent devant une relation amoureuse. Leurs besoins sont tellement grands, leur crainte d'être «détruites» si évidente, qu'elles évitent l'intimité de peur de perdre leur contrôle d'elles-mêmes et leur indépendance. Accepter comporte le risque de revivre ce sentiment d'un trop grand attachement ; refuser signifie que vous prenez de moins en moins de risques et devenez de plus en plus dépendante du travail et de la réussite comme principaux éléments de votre vie.

Est-ce que vous vous identifiez à la faiblesse et à l'instabilité de votre ego et de ses frontières ? Si oui, vous connaissez bien le langage de la méfiance devant l'éventualité d'une relation intime :

— « Je ne veux pas faire la connaissance de quelqu'un qui m'attire trop : je ne peux me permettre ce genre de *malheur.* »
— « Chaque fois que je suis amoureuse, j'ai la *fièvre* et je perds contact avec mon travail et mes amis. »
— « Je suis complètement *possédée* et je perds mon équilibre. »
— « Je vous en prie, plus d'attachements ! La passion me *démolit.* »

Le ton de ces déclarations se rapporte à celui de la maladie et de la ruine. L'impact en est toutefois clairement intentionnel. Quand les frontières de l'ego sont faibles, la conscience de soi se sent menacée. Dans une relation trop étroite, vous pourriez vous sentir soit « engloutie » par l'intensité ressentie, soit en lutte continuelle contre votre désir d'« engloutir » l'autre afin de vous cacher l'étendue de votre besoin de protection.

LA RUPTURE AMOUREUSE ET LE BURNOUT

Au désir de « se fusionner » répond la terreur du rejet et de la douleur psychique. Une femme déclarait brutalement :

«Je ne veux plus vivre dans l'attente, les espoirs déçus, avec le terrible sentiment de trahison et de perte que j'associe à toute relation. Que je devienne amoureuse, que je le sois ou que je m'en remette, je me sens comme une épave. Je m'éloigne de mon travail, de mes intérêts, de mes amis et de ma vie. Il m'est impossible de m'attacher aux valeurs auxquelles je tenais. Si c'est là un genre d'épuisement, je l'ai bien connu.»

Il s'agit bien d'un type d'épuisement. À la suite d'une relation dévorante et accaparante, ces terribles sentiments de trahison et de perte peuvent drainer vos forces en laissant derrière eux la monotonie et la peur ravivée de la solitude qui minent votre motivation et votre vision des choses. Quelquefois, la colère qui vient interrompre cette «monotonie» peut s'avérer utile. Cette saine réaction à l'insulte ou à la blessure intime aide à rétablir l'autonomie perdue. Mais ses avantages sont le plus souvent de courte durée. La femme dont les frontières de l'ego sont faibles considère qu'elle a tort et son amour-propre est dangereusement atteint.

Une autre femme décrivait ainsi l'épuisement émotif qui a suivi sa rupture avec un homme qui partageait sa vie depuis un peu plus d'un an:

«Sur le coup, j'ai beaucoup pleuré... je suis passée des larmes à la colère. Je suis allée jusqu'à me détester, à rêver de me venger, puis j'ai de nouveau pleuré. Mon amour-propre était ébranlé; je me sentais indigne de désir et d'amour... dévalorisée... tout de travers. Je m'étais totalement confiée à cet homme, lui dévoilant toute ma sensibilité... Ce fut une période moche. Je n'existais plus, seul son fantôme m'habitait. J'aurais bien aimé transformer cette peine en colère parce que la colère était le seul sentiment qui me motivait. Cette perte m'obsédait tellement que j'étais incapable de me concentrer sur quoi que ce soit pour plus de 16 secondes : mon travail en a beaucoup souffert. »

Lorsque le désir de se « fusionner » à un autre prend le dessus, il est accompagné d'une confiance aveugle. L'intensité des rapports obscurcit le jugement et le sentiment d'autonomie se perd. Les besoins qui n'ont pas été comblés dans l'enfance refont surface et s'imposent. Le scepticisme laisse la place à l'espoir. Mais quand cette relation prend fin, le moi subit une grave coupure et revit le sentiment du premier abandon.

Afin de s'assurer qu'elles n'auront pas à revivre ces sentiments et d'éviter l'effet dévastateur du burnout associé à une perte aussi douloureuse, plusieurs femmes entretiennent une illusion d'invulnérabilité et s'éloignent de ce qui leur paraît un danger. Pour quelques-unes, il s'agit d'un éloignement temporaire, en attendant qu'elles se retrouvent, ce qui est une attitude saine et juste. Ce temps qu'on s'accorde offre une période de réflexion au cours de laquelle on peut se ressaisir et restaurer le moi affaibli. C'est le moment de guérir ses blessures, de réévaluer la dynamique de la relation liquidée, ses joies et ses peines, et de transformer ses espoirs irréalistes. Cette période de réflexion est tout aussi importante pour vous remettre des émotions trop vives et exténuantes et faire le bilan de ce que vous êtes, de vos forces, de vos faiblesses et de vos besoins.

Certaines femmes cependant retardent cette réévaluation. Vous pourriez par exemple décider de vous soustraire de façon permanente aux dangers de ces dépassements des frontières de l'ego. Vous n'oubliez pas les joies de la relation, mais il n'en est plus question. Les plaisirs de l'intimité égalent maintenant la douleur. Après avoir connu de nombreux désenchantements, l'équation semble raisonnable, mais seulement en théorie. Les répercussions de telles décisions peuvent, et c'est souvent le cas, provoquer une « réaction conditionnée », c'est-à-dire un attachement excessif à un objet qui n'a aucun rapport avec vos besoins.

LES RÉACTIONS CONDITIONNÉES ET LA PERTE DE L'INTIMITÉ

La réaction conditionnée est une autre forme de refoulement et, à son tour, un important facteur de burnout. Les deux volets de cette dynamique sont la suppression d'un besoin et le transfert subséquent de votre énergie sur autre chose ou sur quelqu'un d'autre. Elle peut résulter, comme on l'a vu, d'une expérience douloureuse. Elle peut se manifester indirectement sous la forme d'une consécration aveugle à une cause particulière, soit également par une adhésion aux vieux principes et à la philosophie de la famille ou par une révolte contre eux.

Le mécanisme n'est habituellement pas facile à détecter. C'est souvent le temps et l'épuisement des énergies qui permettent de percevoir les changements de vos attitudes et de votre comportement. Dans ce cas, c'est *ce dont on ne parle pas* qui constitue le principal indice. On évite ostensiblement les plaisanteries habituelles à propos des sujets comme l'intimité, l'affection, l'amour, le mariage et le désir de maternité. Si vous êtes en état de réaction conditionnée au milieu de femmes qui discutent de solitude, d'absence d'intimité, d'une éventuelle maternité ou du conflit travail / amour, vous changerez de sujet, vous vous tairez ou vous tenterez de dévaloriser ces expériences de vie. Vous vous retirerez peut-être et deviendrez distante en déclarant: « Je n'ai pas le temps pour ces discussions oiseuses... » « Ce n'est pas une question brûlante pour moi... » « Ce sujet ne me plaît, ni ne m'intéresse... » « Il existe d'autres aspects plus importants dans la vie... » «Je suis intéressée au succès, à la sécurité financière et à mon indépendance totale... » ou « Mon travail m'apporte plus de satisfaction que tout cela. »

Ces expressions sont ambiguës parce qu'elles comportent généralement une partie de vérité. Ce ne sont pas toutes les femmes qui abordent le problème travail / amour, la crise de l'intimité, la recherche d'un amoureux, la planification d'une grossesse ou la confrontation avec des besoins délaissés. Cependant, pour la femme sur le point de craquer, les problèmes concernant le travail et l'amour sont de la même primordiale importance et le refus de reconnaître l'un ou l'autre mérite d'être étudié attentivement.

Si vous êtes sous l'influence d'une réaction conditionnée, il se peut que vous engloutissiez tout votre temps, votre énergie, votre concentration, votre intensité et votre désir de fusionner avec votre travail. Comme il existe des femmes qui s'épuisent à cause de l'intensité d'une relation « fusionnelle », vous pourriez vous épuiser en vous consacrant de façon excessive au travail, à la famille, à la vie sociale, à la sexualité, à des régimes amaigrissants ou à la poursuite de la beauté parfaite et d'images corporelles. Et, encore une fois, si les frontières de votre ego sont faibles, vous aurez tendance à vous fusionner avec une ou plusieurs personnes, ou à d'autres activités et il vous sera difficile de maintenir une identité propre intégrant vos valeurs personnelles, et doublement difficile de vous en détacher.

EN AMOUR AVEC LE TRAVAIL

Comme conséquence d'une réaction conditionnée, de l'angoisse, de l'isolement et de la solitude, de la crainte de perdre ses acquis professionnels, du caractère exaltant et sécurisant du travail, il arrive parfois que la crise d'intimité paraisse se résoudre en « épousant » symboliquement son travail. Marianne, une divorcée de 37 ans, qui travaille comme assistante à la production vidéo, déclarait :

> « Lorsqu'il n'y a aucune motivation après les heures de travail, il est facile de concevoir votre travail comme une liaison amoureuse. Le travail accapare tout... Vous vous faites élégante pour le faire, votre vie sociale s'organise autour, vous en parlez, il vous sert de plate-forme pour l'avenir, et vous vous en nourrissez... C'est insidieux parce que je suis toujours entourée de gens, le rythme est trépidant et j'oublie que je suis tout à fait seule le soir et que je passe mes week-ends à dormir, parfois avec un rapport qui m'attend à côté du lit... Cette réalité devient plus frappante quand je fréquente des couples, quand mon célibat est évident. Au moment de nous quitter, je sais qu'ils commenteront la soirée et qu'ils se blottiront peut-être au lit l'un contre l'autre... Puis, je me rappelle... et je dois faire face à une véritable crise de solitude... »

La crise qu'évoque ici Marianne est souvent discutée par des femmes qui se donnent entièrement à leur travail, excluant toute aspiration personnelle dans leur vie. Le burnout dû au travail peut devenir une véritable préoccupation, mais très souvent il indique une négligence cachée. La crise d'isolement ou de solitude est un état d'angoisse incontrôlable qui entretient le processus de l'épuisement. C'est un sentiment d'une immense détresse qui, par nécessité, en vue de maintenir votre style de vie, doit être supprimé, puis refoulé. Mais ces besoins et ces envies supprimés s'immiscent souvent dans la liaison affective avec le travail, de façon inattendue mais qui crève les yeux. Marianne « se rappelle » la réalité de son isolement quand elle est en présence de couples.

D'autres femmes subissent un choc, puis se sentent désorientées quand elles entendent une musique qui ravive le souvenir d'une relation intime, quand elles regardent un film ou une dramatique à la télé qui réveillent leurs besoins anesthésiés, quand elles assistent à un mariage, à une présentation de cadeaux pour la naissance d'un bébé, à l'anniversaire d'un neveu, à la collation des diplômes d'une nièce, à des réunions scolaires ou quand elles se trouvent seules pour le temps des Fêtes. Marianne poursuit son témoignage en disant :

> « C'est très difficile. Ces sentiments terribles de manque et d'isolement sont les douloureux concurrents de mon indépendance. Quand ils surviennent, j'ai l'impression d'être menacée, comme si je voyais une rivale toucher le genou de mon amoureux... et qu'il l'apprécierait. Vous souhaitez n'avoir jamais vu ce geste parce que vous savez que vous serez incapable de l'effacer de votre mémoire... Vous savez que cela vous poursuivra... »

Marianne admet se sentir menacée par son besoin d'une vie intime, indépendante de son travail. Elle traite ce besoin comme une « rivale » qu'il faut tenir éloignée. Le mariage l'attire et la rebute.

> « Mes parents ont divorcé quand j'avais 10 ans, et j'ai divorcé à l'âge de 32 ans. Mon papa était un homme vigoureux qui buvait trop et j'ai épousé un homme qui lui ressemblait beaucoup, d'apparence robuste mais faible intérieurement. Je n'ai réussi à établir mon identité qu'au cours des cinq dernières années et je n'ai pas encore assez confiance en moi pour jouer avec ma carrière et ces accablants besoins d'attention des hommes que j'ai expérimentés personnellement. Toutefois... je veux avoir une famille... celle que j'ai perdue à deux reprises. Je veux des enfants et un foyer, et aussi mon travail. Au rythme où je travaille,

je ne crois pas que ce soit possible de tout concilier...
Je commence à ressentir une fatigue que je ne peux
vraiment expliquer, une irritabilité et une intolérance... Il y a quelque chose qui ne va pas... »

Au fur et à mesure que Marianne lutte pour fuir ses
aspirations personnelles, elle s'attache plus intensément
à son travail. Elle associe graduellement ses importants
sentiments de burnout à l'activité qu'elle aime le plus,
son travail. Paradoxalement, en projetant ces symptômes de fatigue, d'irritabilité et d'intolérance, elle continue de refuser la compensation que pourrait lui procurer
son travail et lui valoir enfin « une part de réussite ».
Cela pourrait l'aider à raviver ses énergies et éventuellement combler son ardent désir d'intimité.

Le lien affectif établi avec le travail devient souvent
monotone, pour les mêmes raisons que les mariages se
défont. L'objectif visé rétrécit la vision du monde et devient limité et étouffant. Comme le dit Marianne : « Le
travail accapare tout... Vous vous faites élégante pour le
faire, votre vie sociale s'organise autour, et vous vous en
nourrissez... » D'autres femmes ont fait de semblables
déclarations. Elles parlent de leur attachement au travail avec la même intensité et le même souci du détail
que s'il s'agissait d'une relation passionnelle. Une femme raconte :

> « Je crois qu'au-delà et derrière le travail en lui-
> même, le vêtement et l'apparence jouent pour nous
> toutes un rôle important dans le burnout. Tout est
> tellement stressant. L'entreprise devient l'« amou-
> reux » à qui vous voulez désespérément plaire. Tout le
> reste est secondaire... ma vie professionnelle *est* ma
> vie privée ! Je m'inquiète de l'image que j'offre, j'ai
> peur de ne pas être « bien ». Les vêtements sont un
> souci constant. Est-ce le bon ensemble ? Cette robe
> est-elle trop provocante ? Le rouge est-il trop voyant

ou trop à la mode pour le client? Que devrais-je porter pour le match de tennis? Quels vêtements conviendraient pour un week-end du personnel à la maison de campagne du patron? Puis il y a les congrès et les piscines d'hôtel. Suis-je trop grosse pour me mettre en maillot de bain? Pour porter un short? Vais-je déranger quelqu'un si je me baigne? Il y a aussi le problème de la coiffure. Où trouver le temps pour le coiffeur? Et les ongles, et le maquillage? Est-ce trop ou pas assez? Tout se réduit à vouloir paraître bien pour l'entreprise, mais sans être provocante. Je veux être considérée comme une valeur... comme une femme qui a un avenir... »

Une femme qui travaille dans le milieu financier déclare :

« Ma vie sociale et ma vie privée sont toutes deux reliées au travail. La semaine dernière, j'étais dans une grande ville, sortie pour dîner, deux réceptions, puis de retour à la maison, j'assistais à une réception donnée pour une collègue. Ce soir, j'irai dîner avec un client et la semaine prochaine, je dois recevoir un groupe de huit personnes à la maison, tous des cadres supérieurs de l'entreprise. Cela semble fascinant... ce l'était... mais je suis si fatiguée. Je n'ai rien pour me consoler, aucun appui intime ou aucun véritable réconfort dans ma vie. Mes loisirs sont reliés à mon travail et cela ne correspond pas à mes besoins. Je suis continuellement à la recherche d'un compagnon acceptable pour m'aider comme hôtesse ou pour m'accompagner dans mes fonctions... C'est fatiguant. J'ai couché avec une centaine d'hommes, mais je n'ai jamais eu le temps d'entretenir la possibilité d'une relation étroite... »

Une autre femme, mariée et enseignante en neuvième année, déclare :

« Les enfants me fatiguent énormément. Ils demandent beaucoup d'attention... C'est un rôle très exigeant et de nature maternelle. Et même si les enfants m'épuisent, ils donnent un sens à ma vie... Je m'affirme davantage, je me sens plus importante... attachée. Mon mari est très différent de moi... Moi, j'ai besoin d'un contact direct, de me sentir dans l'intimité d'une autre personne pour me sentir bien. Mon mari est un homme très calme, son monde l'absorbe beaucoup... Nous vivons une sorte de désintéressement général... Je sais que j'évite de régler nos problèmes en m'attachant à l'école et aux enfants. Je suis trop fatiguée et j'ai peur aussi parfois de m'occuper de ma vie privée. J'avais l'habitude de mettre mon épuisement au compte du travail, mais je comprends maintenant que mon attachement aux enfants me protège, mais me laisse seule... »

Séparer sa vie professionnelle de sa vie privée n'est pas une chose facile pour la plupart d'entre nous. Il n'existe pas de modèles, de limites précises ou de règles à suivre. Ce sont parfois les désirs réprimés et le soupçon que quelque chose ne va pas qui vous avertissent que vous devez prendre du recul et réévaluer la qualité de votre vie. Si vous prenez toutefois la peine de vous arrêter et d'examiner votre attitude envers votre vie familiale, vous pourriez y trouver des éclaircissements.

Comment réagissez-vous à l'idée de rentrer à la maison, le soir, après le travail ? Plusieurs femmes parlent d'une angoisse de séparation, comme un sentiment de perte affective, qui se manifeste dans cette crainte du retour à la maison. Vous y passerez de moins en moins de temps, comme si la maison était un hôtel, votre réfrigérateur ne contenant qu'un pot de yogourt, du céleri défraîchi et un demi-poulet déjà entamé pour vous accueillir. Pour effacer ce sentiment de crainte et éviter l'isolement qui vous angoisse et que vous associez à la maison, vous travaillerez de plus en plus tard le soir ou vous vous exténuerez à fréquenter les bars et les discos, buvant pour vous détendre ou vous adonnant à la cocaïne pour vous donner de l'allant. Les moyens pour éviter le retour à la maison sont inépuisables.

La peur du week-end ou la détresse secrète de quitter son travail pour un long week-end ou des vacances prolongées sont autant de symptômes de cette absence d'intimité avec vous-même ou avec d'autres. L'angoisse du dimanche est particulièrement cruelle pour les femmes qui ont « épousé » leur travail. Le vide du dimanche provoque une angoisse de séparation qui risque souvent de faire ressurgir les besoins d'intimité qui ont été supprimés. L'envie de s'attacher à quelque chose ou à quelqu'un d'intéressant en dehors du contexte du travail peut provoquer de douloureux sentiments d'isolement. Pour éviter l'aliénation du dimanche et peut-être aussi pour retrouver les énergies perdues au cours de la semaine, vous dormirez toute la journée, sinon tout le week-end.

Une dépendance totale du travail comme guide et support émotif vous pousse à vous méfier du temps de loisir. Lorsque vous devez assumer ces heures libres, vous perdez tout contrôle et toute initiative. Le point d'ancrage qu'est le travail étant disparu, vous vous sentirez perdue et désemparée. La femme protectrice, qui passe souvent la semaine à tout donner avec excès pour se mériter un simulacre d'intimité, peut se voir déçue par le peu qu'elle en retire et, revenue à sa vie privée, il est possible qu'au cours du week-end elle cherche des satisfactions en se dépensant à outrance pour ses amis et sa famille. Une récente divorcée pourrait avoir des difficultés à traverser un état de transition, souffrir chez elle d'absence de communication, de l'absence d'une personne pour partager les joies et les peines de la journée et se sentir plus stressée à la maison qu'au travail. Il se peut qu'une mère monoparentale se fusionnant avec son travail et allant au-delà de ses forces toute la semaine, consacrant de plus ses soirées à un ou plusieurs enfants, commence à s'épuiser en négligeant sa vie privée. Celle dont le mariage s'affadit peut préférer les exigences de la perfection au travail à la frustration qu'elle ressent à la maison. Elle considérera sa maison comme un lieu de travail et son travail comme un lieu d'attachement affectif.

Le téléphone et les appareils audio-visuels remplacent souvent une présence importante pour les femmes qui ont peu de contacts personnels en dehors de leur travail. «Le téléphone, c'est un lien avec la vie, déclarait une femme. Parfois, avant de me mettre au lit, je téléphone à une amie pour qu'elle me parle jusqu'à ce que je m'endorme.» «Je parle beaucoup au téléphone, déclarait une autre femme, mais au bout d'un certain temps, j'ai compris que c'est une expérience désincarnée et que l'essentiel manque.» Une troisième femme déclarait brièvement: «Pour quelle raison je me sers autant du téléphone? Pour chasser l'ennui quand je reviens du travail. J'ouvre aussi la radio, la télévision ou je mets un disque dès que je rentre à la maison... J'ai besoin de meubler mon espace vital.»

Ces expériences évoquent-elles quelque chose pour vous? Si oui, il est très important que vous preniez du recul et que vous examiniez attentivement votre vie et vos habitudes.

QUELQUES MESURES À PRENDRE POUR PRÉVENIR L'ISOLEMENT ET LA SOLITUDE DU BURNOUT

Lorsque vous vous enfermez dans une situation ou un rôle, en excluant tous les autres, les symptômes de burnout ne manqueront pas de se manifester. La satisfaction ne s'atteint pas par une simple intention. C'est pour cette raison qu'il est important d'être à l'écoute des envies que vous avez réprimées, même si elles vous semblent menaçantes.

Revenez à la page 141 et jetez de nouveau un coup d'oeil sur les symptômes du cycle du burnout. Lorsque vous êtes victime d'une tendance à l'épuisement, le principal symptôme de la phase 4 est le rejet de vos conflits et de vos besoins. Des mécanismes de défense, souvent caractérisés par l'agressivité, interviennent pour dissimuler cet état. En phase 5, la poursuite compulsive intense de votre objectif déformera graduellement votre sens des valeurs et, en phase 6, le refoulement s'amplifiera. Mais en phase 7, un véritable désintéressement envers vous-même se manifestera. Répudier ses besoins émotifs et physiques engendre un détachement et une distanciation du moi véritable. En persistant dans le refus de reconnaître vos besoins, vous vous créez un mode de vie qui se transforme en une habitude de plus en plus difficile à changer. Rappelez-vous que lorsque vous êtes fatiguée ou désenchantée parce que vous vous êtes concentrée de façon compulsive sur un objectif unique, les sentiments d'aliénation finiront par altérer votre jugement, et votre vision du monde deviendra quelque peu déformée et cynique. À ce stade, votre préoccupation immédiate ne paraît pas avoir de valeur ou de signification. *Cette dynamique peut être renversée.*

Nous savons que la crise d'intimité pourrait idéalement être résolue en dénichant le conjoint parfait ou en trouvant une solution aux problèmes complexes de l'intimité avec l'homme présent dans votre vie. Malheureusement, cette solution n'est pas facile à trouver. En attendant, il existe cependant des méthodes pour apaiser les symptômes d'isolement et de solitude de l'épuisement, des méthodes qui pourraient atténuer votre peur croissante de l'avenir.

Avez-vous coupé le contact avec des personnes qui travaillent dans des domaines différents du vôtre, ou dont les intérêts sont nettement opposés aux vôtres? Vous pourriez peut-être commencer à vous créer des liens avec des personnes en dehors de votre milieu habituel. Les symptômes de burnout vous empêchent souvent de réaliser les avantages que de nouveaux intérêts ou d'autres personnes pourraient vous procurer. Pensez à élargir vos horizons. Le stress qui se manifeste quand vous vous devez de « tout faire seule » se nourrit de lui-même. Non seulement il ne disparaît pas, mais il s'accumule et se développe, en accentuant les méfaits de l'épuisement. Si le fait de ne pas avoir de vie privée vous épuise, c'est peut-être que vous vous êtes engagée, inconsciemment, dans une lutte contre vos propres besoins. Les femmes qui luttent contre l'absence d'intimité essaient souvent de s'endurcir. Les réactions conditionnées deviennent plus difficiles à identifier et à combattre. En conséquence, les idées, les personnes et les occasions nouvelles sont souvent considérées comme une ingérence ou des obligations ennuyeuses.

Les personnes qui ont des intérêts différents des vôtres ont peut-être à vous offrir des éléments d'enrichissement, sinon de survie. Elles ne possèdent peut-être pas les réponses immédiates à vos besoins négligés, mais leur information et leur expérience peuvent vous apporter de nouvelles possibilités. Les hommes et les femmes changent au cours de leur vie, les vieux amis qui ont pris une autre route sont souvent abandonnés. Une rencontre avec vos anciens amis pourrait aussi vous ouvrir de nouveaux horizons. Les amis proches sont aussi parfois une source d'intimité négligée. Vous aimeriez peut-être favoriser l'intimité avec une personne que vous aviez jusque-là considérée comme une relation de travail.

Quels sont vos intérêts? Si la politique vous intéresse, vous pourriez faire partie d'un comité d'action dans votre quartier et découvrir de nouvelles figures de votre milieu ou de votre municipalité. Vous pourriez aussi consacrer une soirée à des cours qui raviveraient votre intérêt pour la littérature, la musique, les arts, les affaires nationales ou internationales, les sciences, l'environnement ou la psychologie. Dans notre société électronique et informatisée, le mot « passe-temps » s'est fait une mauvaise réputation. Pourtant, par définition, un passe-temps est une activité que l'on pratique dans ses temps libres. Quand il n'y a pas de temps libre ou quand ce temps libre équivaut à une aliénation, il est facile d'oublier ce que l'on aime faire, ces activités qui nous apportent un certain plaisir. Les passe-temps sont importants parce qu'ils favorisent une saine solitude et permettent de vous adonner à des activités créatrices et agréables, enrichissantes pour l'ego.

Gâtez-vous, c'est une autre façon d'éliminer graduellement le sentiment d'isolement dans votre vie. Si vous avez toujours compté sur un homme pour vous combler ou vous valoriser, vous attendrez consciemment ou inconsciemment pour vous organiser un foyer confortable, pour acheter un chalet d'été, pour faire un voyage. En conséquence, vous investissez toutes vos énergies dans un travail et la période d'attente devient des années.

La maison est importante pour les femmes comme pour les hommes. Si votre maison paraît triste et vide, prenez des moyens pour la transformer en un lieu invitant et confortable. Même si vous vivez dans un petit appartement, il y a des changements que vous pourriez faire pour raviver votre attachement au lieu que vous habitez. Remplissez le garde-manger et le réfrigérateur, ce sera plus invitant. Si vous êtes sérieusement à la diète, assurez-vous que vos provisions soient variées. La monotonie du fromage blanc et de la carotte râpée n'est pas de nature à vous attirer à la maison en fin de journée. Plusieurs femmes ont admis qu'elles remettaient à plus tard un achat aussi simple que celui d'un nouveau couvre-lit parce qu'elles vivaient seules. Vous aimeriez peut-être redécorer une chambre ou le salon selon votre vieux rêve de ce que devrait être ou ce que représente un foyer pour vous. Une femme raconte qu'elle fréquentait depuis des années le comptoir de porcelaine et de cristal des magasins, mais qu'elle n'avait jamais acheté les « choses » qu'elle aimait parce qu'on n'achète pas des verres et de la vaisselle de qualité quand on vit seule. Quand elle a été finalement convaincue qu'elle pouvait faire de tels achats pour elle-même, elle a commencé à inviter des gens et a fait revivre sa vieille passion pour la cuisine. Une autre femme a attendu de fréquenter un homme pour suspendre ses lithos et ses peintures à ses murs et quand ils se sont séparés, elle a dit : « Je ne sais pas pourquoi j'ai attendu pour leur trouver une place dans ma propre maison... »

Certaines se sont mises à se gâter en commençant par faire ce qu'une autre femme appelait des « coups d'indépendance ». Dans ce cas, elle faisait allusion à l'abandon de l'attente d'un conjoint pour s'offrir quelques-uns des plaisirs qu'elle avait remis à plus tard. Avec deux autres amies, elle a acheté le chalet d'été qu'elle se proposait d'acquérir quand elle vivrait en « couple ». C'est à ce moment que l'intensité de sa compulsion au travail a diminué et même si elle a maintenu ses aspirations et son efficacité, ses symptômes d'épuisement se sont stabilisés.

Il n'existe pas, par ailleurs, de cures rapides pour le burnout dû à l'isolement et à la solitude. Il faut chaque jour faire de petits changements, développer la conscience de soi et le sens de ses besoins. La femme qui attend est habituellement victime, non seulement de ses faiblesses, mais aussi de sa propre ambivalence. Pour cette raison, c'est une bonne idée de commencer à rédiger le journal de son épuisement.

La rédaction d'un journal vise trois objectifs. Il vous permet d'explorer votre vie intérieure en toute sécurité, de découvrir vos buts et vos ambitions et d'exprimer vos secrets les plus intimes sans gêne. L'écriture permet fréquemment de mettre à jour le refoulement et de le soulager. Dans un journal, les colères, les peurs, la jalousie, l'envie, les chagrins et les désirs peuvent être exposés, aussi bien que les aspirations, les projets et les objectifs à long terme.

Pour commencer, réfléchissez aux questions suivantes et, quand vous commencerez à noter quelques-unes de vos pensées et de vos sentiments, essayez de répondre à ces questions aussi fidèlement que possible. Rappelez-vous que c'est votre journal et qu'il est sacré. Vous pouvez écrire tout ce que vous voulez, comme ça vient.

1. Qu'y a-t-il de stable et de concret dans votre vie ?

2. Que manque-t-il pour compléter ce tableau ?

3. Certains de vos besoins de protection ont-ils été réprimés ? Lesquels ?

4. Souhaitez-vous la présence d'un conjoint, homme ou femme, dans votre vie ?

5. Vos critères pour le choix d'un conjoint sont-ils irréalistes ?

6. Voulez-vous vraiment vivre avec quelqu'un, ou, tout en souhaitant cette intimité, commencez-vous à penser que vous êtes plus heureuse en vivant seule ?

7. Qu'est-ce que vous sacrifiez habituellement à une relation ?

8. Qu'est-ce qui vous irritait chez vos amants ?

9. Redoutez-vous l'intimité à cause de vos tendances à fusionner ?

10. Éprouvez-vous des sentiments de jalousie, d'envie, de colère ou de rivalité quand vous vivez une liaison ?

11. Qu'est-ce qui provoque ces sentiments ?

12. Quelles sont les conversations que vous évitez en compagnie d'autres personnes ? Y a-t-il des sujets qui vous font horreur à cause des vifs désirs qu'ils provoquent ?

13. Désirez-vous avoir un enfant ? Refoulez-vous ce désir parce que cette naissance compromettrait votre carrière ? Ou supprimez-vous ce désir parce qu'il n'y a pas d'homme dans votre vie ?

14. Évitez-vous les relations sexuelles ? Ou vous y adonnez-vous librement, mais vous vous sentez vide par la suite ?

15. Votre travail est-il un moyen d'éviter l'intimité ?

16. Reportez-vous la rencontre d'un éventuel conjoint au jour où vous aurez assez perdu de poids ?

17. En avez-vous assez de toutes les cérémonies qui entourent les rendez-vous au point de ne plus faire d'efforts en ce sens ?

18. L'homme que vous avez rencontré vous effraie-t-il ou vous trouble-t-il ?

19. Discutez-vous intimement et régulièrement avec des amis de sexe masculin ?

20. Vos amis sont-ils des amis intimes ou des connaissances ?

21. Détestez-vous rentrer à la maison à cause de la solitude que vous y trouvez ? Que pourriez-vous faire pour créer une ambiance qui vous plairait ?

22. Vous êtes-vous coupée de gens et d'idées qui vous éloignent de vos préoccupations présentes ?

23. Avez-vous fait part à d'autres de votre intérêt à faire la rencontre d'un compagnon ?

24. Votre travail est-il aussi satisfaisant que vous l'auriez cru, ou rêvez-vous d'un autre travail qui vous conviendrait mieux ?

25. Gagnez-vous assez d'argent pour subvenir à vos besoins ?

26. Consommez-vous plus d'alcool en ce moment ? Pourquoi ? À quels moments ? Connaissez-vous des lendemains pénibles où vous êtes vidée de votre énergie ?

27. Prenez-vous des drogues, stimulants ou calmants, de la cocaïne, de la marijuana, selon vos humeurs ? Pourquoi ? À quels moments ?

28. Devenez-vous de plus en plus solitaire ?

29. Prenez-vous soin de votre santé physique ?

30. Que pourriez-vous faire pour que votre vie vous permette enfin une réussite, même partielle ?

Quand vous répondrez par écrit à ces questions, il ne faudrait pas oublier que ce journal est confidentiel et qu'il vous appartient. Cette rédaction pourrait vous révéler des aspects valables et intéressants que vous aviez antérieurement enterrés ou qui étaient tapis à l'ombre de votre travail. Si des soucis ou des situations qui sont, en fin de compte, en conflit avec vos besoins et vos valeurs risquent de vous épuiser, souvenez-vous que la question la plus importante est la suivante : «De quelle vie s'agit-il après tout ?»

LA COCAÏNE ET L'ALCOOL COMME AMIES

L'une des plus saisissantes caractéristiques du burn-out est celle qui consiste à regarder votre vie par le petit bout de la lorgnette. Quand une personne s'attache de façon compulsive à un idéal, à une situation ou à une personne, tout ce qui gêne cet attachement est considéré comme dangereux et est rapidement éloigné, supprimé, puis refoulé. Quand vous commencerez à vous sentir épuisée, que ce soit par le travail, la solitude ou l'amour, votre vision du monde extérieur se rétrécira graduellement. Des symptômes de fatigue, des attitudes léthargiques devant la vie, des doutes harassants sur les autres et le sentiment de votre propre imperfection auront tendance à se manifester et à se faire envahissants. L'impression d'avoir perdu sa vitalité et son enthousiasme devient une préoccupation constante. Pour écarter ces symptômes angoissants et demeurer sur la brèche, plusieurs femmes se sont tournées vers la cocaïne, panacée contre l'épuisement.

Marcelle est l'une des nombreuses femmes qui sont venues en consultation pour des symptômes d'une dépression qui s'est révélée à l'examen être un cas de burn-out. À son premier rendez-vous, elle parlait de la cocaïne comme de « la seule chose qui lui permettait de fonctionner ». Pendant plusieurs années, Marcelle s'est souvent prêtée à l'expérience de la cocaïne, mais elle n'en prenait pour se remonter le moral que depuis six mois. Elle disait :

« Je fréquentais tout le temps des gens qui s'adonnaient à la cocaïne, mais cette drogue ne m'intéressait pas du tout. Puis un jour, j'ai décidé d'en faire l'expérience et j'ai senti ma dépression se dissiper. Au fur et à mesure que la soirée avançait, j'ai commencé tout doucement à me sentir puissante, confiante, maîtresse de moi et remplie d'énergie. J'avais retrouvé mon enthousiasme et ma joie... le plaisir de vivre m'était revenu. J'étais loquace et intéressée... Je pense que mon principal souvenir est celui d'avoir été remplie d'espoir.»

Les premières expériences de Marcelle avec la cocaïne se font l'écho de celles de nombreuses femmes qui se sont tournées vers la cocaïne pour vaincre leurs sentiments de futilité et de désespoir si représentatifs des dernières phases du burnout. Cette drogue était disponible, populaire et socialement acceptée. Mais une fois les effets passés, Marcelle retrouvait les mêmes attitudes et les mêmes émotions liées à l'épuisement. Pour se remonter, elle répéta l'expérience de la cocaïne jusqu'à ce que cela devienne non seulement une habitude, mais aussi sa solution.

Au début, elle trouvait facilement à se procurer de la cocaïne et n'avait jamais eu à en acheter. «Il y avait toujours quelqu'un qui en avait et qui m'en offrait, comme on offre une tasse de café à sa voisine... On encore la personne avec qui j'avais rendez-vous en apportait... à la place des fleurs. C'était devenu une façon de se faire des amis», disait-elle. Cependant, elle devint graduellement dépendante de l'euphorie que provoque la cocaïne et commença à en acheter de petites quantités, comme elle le raconte :

«Quand vous savez que vous pouvez être euphorique tout en continuant de fonctionner magnifiquement, c'est très tentant. La cocaïne faisait disparaître beaucoup de l'angoisse que j'éprouvais lors de déjeuners d'affaires ou de réunions. À la fin de la journée, elle me redonnait de l'énergie pour aller m'amuser. Elle me permettait aussi de passer seule des soirées et des week-ends. Je n'avais pas à faire d'effort pour m'impliquer... Sauf dans les occasions où je devenais trop frénétique et incontrôlable, quand je prenais de la cocaïne, je n'avais tout simplement plus à m'occuper de rien d'autre... alors j'ai commencé à l'inscrire à mon budget... parmi les choses essentielles comme le loyer et les mensualités de la voiture. »

Pour les femmes qui essaient de mener plusieurs tâches de front, la cocaïne apparaît au début comme une bénédiction. Elle diminue la fatigue accumulée et le stress provoqué par la multiplication des activités et les remplace par un nouveau sentiment de bien-être. Et pour les femmes qui combattent le burnout lié à l'isolement et à la solitude, les sentiments profonds d'aliénation sont temporairement remplacés par l'euphorie. Au cours de son traitement, Marcelle disait éprouver un sentiment de vide intérieur, n'avoir l'impression de vivre qu'en étant confrontée par une crise au travail ou une urgence familiale. L'intensité de ce rythme l'empêchait de penser à son avenir, à ses objectifs ou à ses besoins réels. Elle disait :

« Très longtemps, j'utilisais les relations sexuelles pour m'empêcher de penser aux problèmes complexes de la vie, puis, le sexe me devenant insupportable, j'ai commencé à me sentir déprimée et vidée... Quand j'ai commencé sérieusement à prendre de la cocaïne, mon intérêt pour les relations sexuelles a repris, ce qui signifiait que tout pourrait recommencer... »

Nous avons vu au chapitre I que les femmes qui souffrent d'une dépression liée au burnout utilisent rarement les drogues dans le but de se mettre à l'écart du monde. Elles s'en servent au contraire pour retrouver temporairement leur vigueur naturelle, ce qui leur permet de reprendre le cours de la vie avec la même tension compulsive. L'histoire de Marcelle illustre bien ce syndrome. Pour sauver les apparences, autant pour elle que pour ses amis et sa famille, elle se sentait obligée de dissimuler ses symptômes d'épuisement. Elle dit à propos de son histoire :

> « J'étais toujours celle qui était au-dessus de ses affaires. J'avais toujours des A au collège et on me prédisait un avenir brillant. Mes amis avaient une certaine estime pour moi, ce qui m'empêchait de leur dire que j'étais malheureuse au travail et dans ma vie ou que j'avais peur. Ils pensent que je suis maîtresse de moi et que je sais où je vais. Ce genre d'attitude ne permet pas qu'on vous prenne au sérieux. Si je dis la vérité, mes amis ne me croient pas ou ne veulent pas me croire... Cela leur enlève leurs illusions et leurs espoirs. C'est toute une responsabilité... Pour éviter de laisser tomber qui que ce soit, je dois me montrer forte. Quand je prends de la cocaïne, je n'ai pas à tenir compte de cela... »

La crise d'intimité de Marcelle se présentait dans sa vie sous un double aspect. Elle couchait avec des hommes pour éviter l'intimité avec eux et elle prenait de la cocaïne pour combler son important besoin d'intimité avec ses amis. L'accumulation des effets de son isolement provoquait d'autres symptômes de burnout. La cocaïne avait littéralement remplacé ses meilleurs amis. Elle lui paraissait fiable, toujours identique et très efficace pour obnubiler ses besoins réels.

Certaines femmes soulignent l'ambivalence de la cocaïne. Elles en décrivent les effets euphoriques avec exaltation, mais c'est avec répulsion qu'elles en évoquent les effets d'accoutumance et de dépendance. L'une d'elles disait, par exemple :

> « L'euphorie est tout simplement merveilleuse, mais je deviens souvent tellement frénétique que je ne peux dormir, et il me faut prendre des calmants, ce qui fait

que le lendemain j'ai la gueule de bois à cause des drogues. Cela veut aussi dire qu'il me faudra un autre coup de fouet pour me lever et aller travailler. Quand le manque de sommeil et la cocaïne me rendent nerveuse, je deviens volubile et impatiente... J'ai décidé que je devais faire quelque chose, ma personnalité était complètement transformée. Je ne savais plus qui j'étais... et j'avais plein de dettes envers mes amis... »

La cocaïnomanie est une dépendance parmi les plus difficiles à traiter. Cette drogue ayant atteint une certaine célébrité, les barrières sociales ont été levées et vous pouvez facilement retirer de son usage et du cérémonial qui l'entoure une espèce de sentiment élitiste. Pour les épuisées, la cocaïne est la drogue la plus séduisante. En masquant les symptômes et les conflits profonds, elle perpétue la compulsion de réussir, de se surpasser et d'entretenir l'intensité souhaitée.

Si vous prenez de la cocaïne et que vous pensez être intoxiquée, il est important d'admettre que vous en êtes dépendante et, comme Marcelle, prendre la ferme résolution de cesser. Au cours de son traitement, Marcelle a compris que sa cocaïnomanie cachait les symptômes de dépression et d'épuisement qu'elle devait surmonter. Sa résistance à abandonner la cocaïne était directement proportionnelle à sa peur d'avoir à remettre en question quelques-unes des idées qu'elle entretenait depuis longtemps concernant le fait d'être l'orgueil de sa famille et un modèle pour ses amies. Elle s'adressa à un médecin pour être soignée ; tout en poursuivant simultanément sa thérapie, elle participa à des rencontres chez les AA. Le point culminant de son traitement a été atteint lorsque Marcelle a vraiment compris qu'il y avait d'autres choix pour elle.

Les femmes qui souffrent de burnout peuvent ne pas percevoir elles-mêmes les choix qui leur sont offerts. Les symptômes déforment votre vision du monde, votre jugement et votre capacité d'entrevoir un avenir en dehors de votre routine. Si de plus vous camouflez par la cocaïne les causes de votre épuisement, vous refuserez souvent fermement de vous fier à des personnes ou à des moyens autres que la drogue. Ce n'est que lorsque Marcelle commença à entrevoir et à accepter une autre qualité de vie, d'autres possibilités d'amitié et une alternative à son attitude vis-à-vis le travail et l'affection qu'elle a pu se décider à abandonner la cocaïne.

La simple prise de conscience peut rarement résoudre un cas de cocaïnomanie. En fait, les cas sérieux sont autant un problème médico-pharmacologique qu'un problème psychologique et doivent être traités en conséquence. Il reste cependant que votre propre engagement est primordial dans votre décision d'abandonner l'usage de la cocaïne. La plupart des villes possèdent maintenant des centres de traitement pour toxicomanes et des services professionnels spécialement équipés pour soigner les abus de cocaïne. Si vous ne voyez pas de solution ou si vous êtes trop gênée d'en parler à votre médecin ou à vos amis, vous pouvez téléphoner, à Montréal, à Cocaïne anonyme (514) 481-8511 ou Narcotiques anonymes (514) 845-1035, mais aussi aux Alcooliques anonymes pour obtenir de l'information concernant les services de consultation, les hôpitaux et les programmes de désintoxication de votre région.

L'usage de l'alcool comme palliatif au burnout est un problème souvent évoqué par les femmes. Contrairement à la cocaïne, le comportement d'une femme qui consomme de l'alcool est mal vu socialement, ce qui n'est pas le cas pour les hommes. À cause des attitudes sexistes qui continuent de subsister touchant la femme et l'alcool, il vous sera difficile d'admettre que vous avez un problème de surconsommation d'alcool. Vous devrez être très prudente avant de révéler votre alcoolisme. Malgré tous les changements qu'a subis notre société, y compris la multiplication des occasions de boire au travail ou en société, « trop boire n'est pas féminin », comme le disait une intervenante.

C'est pour cette raison que les épuisées qui consomment de l'alcool pour calmer leurs angoisses admettent difficilement la gravité de leur problème et qu'elles se cachent souvent pour boire. Caroline, rédactrice pour un grand périodique illustré, aborde son problème de surconsommation d'alcool qui, comme elle le laissait entendre, la prit par surprise il y a quelques années alors qu'elle tentait anxieusement d'affronter à la fois sa solitude et ses « sentiments personnels d'insécurité et de détresse ».

« Je n'avais jamais bu seule auparavant, déclarait-elle. Puis mon mari et moi, nous nous sommes séparés... je devrais dire plutôt qu'il m'a quittée et je ne pouvais supporter l'angoisse terrible d'être abandonnée. J'étais dans un tel état d'agitation et de peine que j'ai commencé à boire seule pour faire disparaître ces sentiments cauchemardesques. Mais je voulais que personne ne me *voit* consommer de l'alcool ou sache à quel point il me fallait boire pour affronter le monde. Cela m'aurait fait paraître un peu... minable. Une femme peut prendre un verre dans des lieux et à des moments reconnus ; en dehors de ces occasions, c'est véritablement tabou. »

Pour des femmes comme Caroline, il est socialement admis de prendre un verre à l'heure du déjeuner, après le travail, avant et après le dîner, « mais jamais avant midi et jamais seule », ajoutait-elle.

« Quand quelqu'un venait à l'improviste et qu'il traînait un verre sur la petite table basse, je mentais et disais que quelqu'un venait justement de partir... Je vidais parfois ce verre dans l'évier, puis j'en offrais à quiconque entrait chez moi, en prétendant que c'était mon premier. À d'autres moments, je craignais qu'on sache que j'avais bu à mon haleine ou à ma façon perceptible de bredouiller légèrement. Je disais alors que je revenais tout juste d'une petite fête avec un ami... n'importe quoi pour cacher à quel point j'avais besoin d'alcool pour oublier ma peine... »

Quand les émotions disparaissent, l'alcool peut aider au refoulement des désirs de protection. La séparation et le divorce qui a suivi ont provoqué chez Caroline la crainte d'avoir à assumer entièrement ses responsabilités.

« Je devais continuer d'aller au travail, gérer mes affaires, terminer ma tâche, avoir un esprit créateur, assister à des déjeuners... J'étais dépassée par ces responsabilités et avais le sentiment d'une désolation complète... Je buvais jusqu'à ce que je ressente cette petite pulsation, j'avais alors l'impression d'être transformée... émotivement harmonieuse. Quand la pulsation se produit, je me sens jolie, séduisante, comme moins isolée... moins seule et moins indifférente aux événements... »

La consommation d'alcool comme antidote au burn-out aboutit à l'abus et à l'abandon de soi-même. Comme pour la cocaïne, il est impossible de détecter et de traiter les symptômes cachés du stress, de l'angoisse ou de l'isolement, ces sentiments étant étouffés. Vous pensez prendre un verre pour prendre un verre ; mais en réalité vous savez que ce qui vous manque, c'est de pouvoir parler à quelqu'un, de partager une intimité, de créer un lien et peut-être d'échanger des caresses. La confusion qui entoure la surconsommation d'alcool est encouragée par l'idée que si vous souffrez d'insatisfaction sexuelle ou d'absence de plaisir, vous pouvez compenser par l'alcool votre manque d'excitation et de sensualité. Ainsi disait Caroline : « Les relations sexuelles sont plus faciles quand je prends de l'alcool.» Une autre femme déclarait: «Je n'ai même pas besoin d'aimer un homme pour coucher avec lui, en autant que j'ai pris quelques verres... Ce que je n'aime pas, c'est me réveiller à côté de quelqu'un qui m'est étranger...»

Si vous avez un problème de surconsommation d'alcool, vous n'êtes peut-être pas prête à l'admettre ou vous ne comprenez pas ce qui fait problème dans votre cas. Pensez aux motifs qui vous incitent à boire un verre d'alcool. Vous deviendrez encore plus consciente du rôle de l'alcool dans votre vie et vous serez peut-être en mesure de détecter pourquoi vous en consommez depuis si longtemps et comment vous en êtes arrivée à la surconsommation.

Les questions suivantes posées à un groupe de femmes, pour les fins de cet ouvrage, sur les motifs qui les poussaient à consommer de l'alcool, ont donné les résultats suivants:

— «Je bois quand les gens autour de moi m'ennuient. Quand j'ai un verre dans le nez, je ne me rends pas compte de ma nervosité ou de mon ennui.»
— «Cela m'aide à avoir confiance en moi.»
— «Boire m'aide à penser.»
— «Cela m'aide à communiquer.»
— «Je bois quand je suis en colère et que j'ai besoin de le cacher.»
— «Cela me calme et me donne l'apparence d'être maîtresse de moi.»
— «Je bois pour soulager mon angoisse, ma dépression et mon impatience.»
— «Je bois pour me détendre et avoir du courage.»
— «Cela me rend plus portée vers le sexe... et plus libre de m'y adonner.»
— «Cela diminue les tensions.»
— «Cela calme la douleur.»

— « Je bois pour m'endormir. »
— « C'est comme avoir quelqu'un à qui parler toute la nuit. »
— « Cela dissipe la solitude. »
— « Cela m'aide tout simplement à affronter mes problèmes. »

Les épuisées sont particulièrement prédisposées aux abus d'alcool et à la cocaïnomanie. La rapidité avec laquelle elles trouvent un soulagement à la fatigue, à la tension, à l'isolement et à la solitude a fait dire à une femme que l'alcool lui fournit un soulagement magique à l'angoisse et au stress dans sa vie. Il n'y a rien là de mystérieux : vos vrais conflits demeurent et vous avez en plus, habituellement, une gueule de bois carabinée. Après une abondante consommation d'alcool au souper et en soirée, vous avez dû le lendemain matin vous entendre dire plus d'une fois que vous renonciez à la bouteille. Mais si vous recommencez à boire le soir même, il est évident que vous êtes aux prises avec un grave problème de refoulement. Vous évitez probablement d'avoir à vous « souvenir » des effets d'un abus d'alcool survenu quelque 12 heures plus tôt.

Lorsque vous traversez une période difficile et que vous éprouvez des symptômes de burnout comme la dépersonnalisation, le vide intérieur ou la dépression, la surconsommation d'alcool n'accélère sûrement pas le processus de guérison. Au contraire, l'alcool étant un dépresseur, il aggrave le malheur, la peine et la colère. Une fois passée la période difficile, vous pourriez connaître un problème plus grave, comme cette femme qui déclarait :

« J'ai commencé à consommer de l'alcool pour noyer mes inquiétudes... J'étais incroyablement dépendante de l'homme que je fréquentais et je buvais pour me rendre plus agréable, vous savez ce que je veux dire, pour être moins inquiète quand j'étais avec lui. Mais je devenais plutôt larmoyante, éplorée... ma vie émotionnelle m'échappait. En l'espace d'environ un an, j'avais engraissé d'environ six kilos et je me suis mise à me détester... Alors j'ai bu pour oublier mon apparence. Quand j'ai décidé de cesser de boire, j'ai compris que j'étais coincée dans une autre forme de dépendance et que ma surconsommation d'alcool n'avait rien résolu. Je me demande encore pourquoi j'ai cessé de boire; parfois je pense que c'était une question d'orgueil... »

Chaque femme interprète, selon sa propre connaissance d'elle-même et sa mentalité, son problème de surconsommation d'alcool. Elle se trouvera confrontée dans la vie à quelque chose qui lui révélera l'étendue du problème. C'est parfois l'orgueil. Mais si l'alcool porte atteinte à votre travail, votre vie privée, votre famille, vos enfants, votre sexualité, vos relations ou votre santé et que vous persistez à boire, vous avez sans doute commencé, consciemment ou inconsciemment, à considérer l'alcool comme votre meilleure amie. Vous êtes probablement aussi victime du refoulement. Il serait sage de commencer à examiner les causes profondes de votre problème d'alcool. Si vous croyez que votre cas est grave, vous trouverez de l'aide en téléphonant à l'information publique des Alcooliques anonymes, à Montréal (514) 374-3688. Ce groupe publie des brochures spécialement dédiées aux problèmes d'alcoolisme chez les femmes. Que vous communiquiez avec les AA ou que vous demandiez l'aide d'un professionnel de la santé dans un hôpital, un CLSC ou dans le cabinet d'un médecin, le plus important, c'est de le faire le plus tôt possible. L'isolement augmentera votre dépendance à l'alcool et vous mènera encore plus rapidement vers la dépression liée à l'épuisement.

RESPONSABILITÉ NON PARTAGÉE ET BURNOUT

Il existe un stresseur propre aux divorcées, aux veuves et aux célibataires de plus de 35 ans qui, au cours des dernières années, a suscité à divers degrés une angoisse très répandue débouchant sur le cycle du burnout.

Qu'arrive-t-il si votre désir profond de partager votre vie avec un mari et des enfants ne se réalise pas ? Quelles craintes vous assaillent quand, ayant eu des parents traditionnels, vous comprenez que vous ne vivrez pas nécessairement selon les valeurs familiales transmises par votre éducation ? Quelles déceptions et quels chagrins éprouverez-vous si votre mariage se terminait par un divorce ou le décès de votre mari après de nombreuses années de vie commune ? En résumé, qu'arrive-t-il lorsque vous comprenez soudainement que vous aurez à assumer seule l'entière responsabilité de votre vie, une situation que vous n'aviez pas cru devoir envisager ?

Ces pensées sont lugubres, mais elles sont néanmoins des réalités pour plusieurs femmes. Qu'il s'agisse d'une femme au foyer, veuve, divorcée, avec de jeunes enfants ou des adolescents, d'une femme qui n'arrive pas à trouver un homme qui lui convienne pour se marier et fonder une famille, le problème d'avoir à assumer seule l'entière responsabilité de sa vie et peut-être celle de ses enfants n'a jamais été une idée que l'on envisage de gaieté de coeur. Souvent, une femme qui essaie d'assumer tout ce que représente réellement ou en imagination l'entière responsabilité de sa vie aura tendance au début à perdre ses énergies dans un état de panique, et se verra éventuellement sombrer dans un épuisement psychique. « C'est vraiment dur, disait Louise, une divorcée de 40 ans, monoparentale. Tout mon temps est pris... Comment trouver une solution de compromis quand vous comprenez que vous devrez peut-être tout faire seule le reste de votre vie ? »

Louise est mère de deux jeunes adolescents. Son expérience illustre bien l'instabilité des sentiments et des attitudes face à ce conflit. Elle disait :

« Je ne suis pas contente d'être seule à tout assumer. Si j'avais su que mon mariage se serait terminé de cette façon, je me demande si j'aurais donné naissance à deux enfants, acheté une maison, acquis tous les animaux... Je ne veux pas de toute cette responsabilité. Étant propriétaire de la maison, c'est moi qui dois téléphoner au service de réparations quand il y a quelque chose de brisé, c'est moi qui s'absente du travail pour rencontrer les ouvriers, négocier les prix et prendre des dizaines de décisions impliquant souvent beaucoup d'argent. C'est la même chose quand le toit coule, que la porte du garage se brise ou que le réfrigérateur fonctionne mal. Je n'ai pas voulu cela ! Dans la situation actuelle, c'est moi qui subviens aux besoins des enfants, qui paie la maison, les mensualités de la voiture, les primes d'assurance, qui achète les vêtements des enfants, qui surveille leurs activités, qui appelle le médecin et paie ses honoraires, qui nourris la famille, qui reconduis les enfants à l'école, qui supervise les devoirs et les leçons, qui les transporte en auto, qui demande à connaître leurs amis et à savoir où ils vont. Cela me met de mauvaise humeur. Si je m'appesantis sur ces difficultés, je deviens absolument furieuse. C'est pourquoi j'évite de le faire... Je ne tiens pas à ce que cela prenne des proportions monumentales au-delà de mes forces. Si je me laisse déborder, je souffrirai de nouveau d'épuisement... »

Lorsque le mariage de Louise a pris fin après 14 ans, son mari déménagea et finit par se remarier. Pendant la première année, sur le coup, l'isolement lui fit peur et la désorienta. Elle disait :

« J'étais acculée. Je ne pouvais pas cesser de m'affairer. Il n'était pas question de rester seule avec moi-même... Je devais fréquenter des endroits animés, sortir ou inviter sans arrêt des gens à la maison... J'étais si frénétique que je ne tenais pas en place. Il me semblait que je devais bouger pour survivre. Cela a duré six mois, puis j'ai fini par comprendre que j'étais complètement exténuée, vraiment épuisée. Je me suis débranchée pendant six mois et, pendant les six autres mois qui ont suivi, j'ai senti que j'avais encore changé. À ce rythme, à 100 ans, j'aurai une vie tout à fait nouvelle... ou j'aurai accepté de vivre en solitaire... »

La première expérience de burnout complet de Louise s'est produite à la suite d'un affrontement avec ses propres sentiments de perte et de détresse. Elle n'a jamais refoulé ces sentiments, mais elle les trouvait encombrants. En cherchant désespérément à entretenir l'illusion d'un attachement, elle a fait ce que beaucoup d'autres femmes avaient fait en pareille situation. Elle s'est débattue, surchargeant son horaire, s'encombrant d'activités, dressant son activité frénétique comme un mur contre ses angoisses et ses appréhensions. Elle poursuivait :

« Mais il y a des limites à s'affairer. Quand vos enfants ont les yeux fixés sur vous et que vous êtes consciente de leurs *besoins*, vous ne pouvez pas toujours vous en débarrasser en les envoyant chez McDonald parce que vous avez mal. Il vient un moment où, peu importe à quel point vous vous sentez épuisée ou folle, vous devez prendre vos responsabilités et faire face aux événements. Vous devez comprendre, que cela vous plaise ou non, que vous êtes maintenant pour eux et la bienfaitrice et la méchante. »

Au cours des six mois qui ont suivi, Louise abandonna sa course folle pour « survivre » et tourna son intérêt vers sa maison. Elle devint « un tyran domestique qui maintient l'ordre et l'exactitude ». Elle avait préparé un horaire pour elle et ses deux enfants et avait confié des tâches à chacun. Elle disait :

« Il le fallait. Je ne connaissais pas d'autre façon de tout organiser. J'avais besoin d'une structure... J'ai appris à devenir disciplinée. J'avais tellement l'impression d'être claquée, d'avoir été roulée par ce divorce et toute cette fatigue, que j'ai commencé à me voir comme une machine. Et les enfants portaient le poids de ces sentiments. »

Elle se souvient que cette période de tyrannie a pris fin graduellement et, avec l'aide de la thérapie, elle a pu rassembler ses sentiments éclatés et comprendre le sens de son naufrage émotif. Elle poursuit :

« Le plus important a été de comprendre que j'étais épuisée *avant* mon divorce... mais les symptômes étaient différents. Il n'y avait rien de spectaculaire... qu'un manque de vitalité. C'était monotone... personne ne changeait... Je tenais le coup autant que je le pouvais pour me protéger contre ces sentiments maladifs de solitude, mais je ne prenais plaisir à rien, ni à mon mari, ni à moi-même ou à nous tous. J'étais devenue « Madame au foyer » qui détenait une série de règles sur ce qu'il faut faire et ne pas faire, penser et ne pas penser. Il y avait une coupure en moi. Quand j'étais au bureau, je prenais mon travail au sérieux, mais je ne me prenais pas au sérieux. Je ne me considérais pas comme étant compétente, assurée ou particulièrement douée. Je n'ai jamais pu assumer cette partie de moi-même. Je parlais rarement de mon travail à la maison ; cela ne faisait pas partie du rôle de l'épouse parfaite. »

Forte de ses découvertes sur la nature de son dernier mariage, Louise étendit son enquête à sa vie actuelle. Elle découvrit qu'elle entretenait plusieurs préjugés qui l'empêchaient d'agir et qui l'effrayaient. « J'avais intériorisé plusieurs jugements de valeur à propos de ce qu'une « vraie » mère ne doit jamais faire, de ce qu'une « charmante » épouse ne doit pas dire, et de ce qu'une « bonne » petite fille obtient quand elle est polie. » Tous ces préjugés lui avaient été inculqués par sa dynamique familiale. Comme elle le disait : « J'étais conditionnée pour devenir soit une enfant, soit une mère, mais je n'avais jamais appris à être une femme. »

La colère que Louise manifestait en évoquant le problème d'avoir à assumer seule l'entière responsabilité de sa vie constituait un virage récent dans sa vie. Auparavant, elle se percevait comme une victime de la domination et de l'inconstance masculines, ce qui faisait ressortir ses sentiments d'impuissance et d'incapacité. Elle dit :

« Je pense qu'il est sain de se mettre en colère et je pense que c'est juste. Désormais, je ne m'apitoie plus sur moi-même, parce que je me suis ouverte à l'idée du changement. Je m'affole parfois à l'idée d'être seule et même si je fréquente quelques nouveaux hommes, j'essaie de les voir comme des amis et non comme des maris en puissance. La relation émotive avec un homme me manque, mais je sais maintenant que cela n'est qu'une partie de ce dont j'ai besoin, même si c'est une partie vitale. C'est quand je désespère que je reprends les ornières du burnout. Je deviens alors très fragile, pessimiste et pleine de ressentiment. Il n'y a plus d'harmonie... »

Les sentiments de Louise touchant son avenir sont repris par bon nombre de femmes, des divorcées monoparentales qui font face au défi d'avoir à assumer seules l'entière responsabilité de leur vie. Si vous n'avez jamais appris à vivre de façon autonome, à utiliser vos ressources, à tenter des expériences, à étendre vos activités, à dépendre de vous-même ou à rechercher la sympathie et l'intimité chez des amis, l'éventualité de vivre sans conjoint peut atteindre les proportions d'une crise. L'odyssée de Louise vécue à travers son divorce et ses répercussions illustre les diverses phases d'une telle crise, y compris l'action des stresseurs et des amplificateurs de stress qui mènent au burnout.

Pour plusieurs femmes qui vivent les suites d'une brouille, puis d'un divorce, se refaire une image de soi est la clé pour renverser le processus de l'épuisement. La terreur d'avoir à assumer seule l'entière responsabilité de votre vie devrait être pour vous un signe que pendant votre mariage une partie de vous-même menait une existence clandestine. Le sentiment d'impuissance que vous éprouvez est peut-être une suite naturelle de votre dépendance excessive à un mode de vie. La transformation recherchée des réactions émotives peut être souvent favorisée par l'utilisation de certaines techniques simples.

Lorsque l'épuisement est le résultat d'un affolement, le stress qui l'accompagne «commande» souvent au corps de se fermer, comme s'il «faisait le mort». Les constituants physique, mental et psychique du moi étant intimement reliés, les pensées et les sentiments sont frappés de la même léthargie. Cet état est assez typique de la dynamique du burnout. Vous pouvez toutefois vous aider à surpasser cet affolement en assurant la maîtrise de votre corps.

Commencez par votre posture. Vous avez sans doute commencé à courber les épaules dans une attitude d'échec. Essayez de marcher bien droite et de vous asseoir comme si vous étiez responsable de cette personne sur la chaise. Si vous ne participez pas déjà à un programme d'exercices, vous pourriez commencer à faire des étirements ou de l'aérobic à la maison ou, si vous le pouvez, dans un cours organisé. Une fois que votre corps se sera réanimé, vos pensées, vos attitudes et vos sentiments connaîtront un renouveau. Vous apprendrez peut-être ou vous réapprendrez à vous exprimer directement et clairement, peut-être en écoutant l'enregistrement de votre voix au magnétophone. La dépression liée au burnout est souvent perceptible dans le timbre et l'expression de la voix qui deviennent plus ou moins vagues et ternes. Vous n'avez pas à suivre des cours de personnalité pour commencer à exprimer votre colère. Si votre colère est étouffée au profit de sentiments de culpabilité, rappelez-vous que c'est le ressentiment qui alimente habituellement la culpabilité. Si vous pouvez retracer la source de ce ressentiment vous serez en mesure de libérer un peu de l'énergie réprimée.

Quand la perte se fait-elle le plus vivement sentir ? À quel moment de la journée et durant quelle activité ? Si vous arriviez à identifier ce qui provoque ces affreux sentiments d'isolement, vous pourriez trouver les moyens d'intervenir vous-même. Avez-vous cessé de communiquer avec des amis ou des collègues ? Vous êtes-vous retirée et isolée ? Vous êtes-vous sentie plus souvent malade dernièrement ? Cherchez-vous de plus en plus fréquemment à oublier la réalité dans le sommeil ? Ces symptômes indiquent que vos perceptions sont bloquées et votre façon de voir déformée. Vous devrez peut-être réapprendre à imaginer des plaisirs. Les jours les plus sombres suscitent souvent des idées affreuses de suicide et de destruction. Si vous avez souvent de ces idées noires, il est important de vous rappeler que *le suicide est une solution permanente à une situation temporaire.* Ce que vous voulez tuer en réalité, c'est la partie en vous qui souffre, et non pas votre être tout entier. Ces fantasmes peuvent être renversés.

Quand vous sentez que vous vous laissez flotter dans une rêverie destructrice, détournez-vous-en. Remplacez-la par des idées positives, par la projection d'un avenir riche de possibilités pour une vie enrichissante et équilibrée. Vous n'arriverez pas en une nuit à vous soustraire de l'abîme du désespoir. Il faut d'abord en prendre la décision et, peu à peu, vous ferez des progrès. Il faut aussi pouvoir apprendre à négocier votre propre valeur avec vous-même et peut-être avec vos enfants. Apprendre comment pallier les humeurs sombres par des idées plus réjouissantes, réapprendre à rire, à vous amuser et à reconnaître vos exigences les plus profondes envers vous-même et envers le monde extérieur.

Comme Louise le faisait brièvement remarquer, les expériences de burnout se répètent, mais ne se ressemblent pas toujours. Dans son cas, il y eut la période apathique de l'épuisement qu'elle a vécue durant son mariage ; l'épuisement produit par le choc de la séparation et le combat contre ses sentiments qui s'ensuivit ; l'épuisement d'avoir à concilier tous les rôles et toutes les responsabilités reliés à son foyer, ses enfants, son travail et elle-même. Celui enfin qu'elle tente présentement de réduire qui résulte des sentiments d'isolement provoqués par le fait d'avoir à assumer seule l'entière responsabilité de sa vie. Comme plusieurs, Louise se perçoit comme une femme faible et ignoble devant la crise, mais les choses se sont déroulées différemment. Elle a expérimenté des méthodes de défense et a compris ce qui pouvait la ramener à la réalité. Même si elle ironise en disant qu'elle aura une toute nouvelle vie... quand elle aura 100 ans, l'humour et le pathos de son témoignage illustrent bien son désir de changement et sa persévérance.

Bernadette a été elle aussi prise dans la même situation, mais avec des antécédents différents. À 37 ans, elle commençait à se percevoir comme une personne nerveuse et agitée... incomplète, comme si elle avait été démunie. Peu lui importait que ses réussites comme journaliste-pigiste l'aient assurée d'une excellente réputation parmi ses collègues, le fait de n'avoir ni mari, ni enfant, que l'horloge biologique de la maternité tictaquait chaque jour de plus en plus rapidement et qu'elle n'avait aucune structure sur le plan financier l'empêchait de se percevoir comme une femme qui a réussi. Elle déclarait :

« Intellectuellement, je comprenais que mon accomplissement personnel avait peu en commun avec mes réussites professionnelles. Je suis bonne dans mon métier... j'ai toujours aimé faire des reportages, être au coeur de l'action. Mais je ne me sentais pas motivée... je me sentais fatiguée, déprimée. Ce poids que je portais me faisait peur. Dans mon métier, vous devez continuellement vous imposer et imposer vos idées. Il faut trouver des sujets de reportage et monter des dossiers, se faire donner des assignations et écrire tous les jours pour se faire un revenu. Vous n'êtes pas payée si vous êtes malade, si vous prenez des vacances, ni les jours où votre santé mentale est chancelante ou les jours où vous êtes épuisée... »

Bernadette en est venue à identifier son problème d'avoir à assumer seule toutes les responsabilités, à celui de l'absence d'un foyer et au renversement d'une série de valeurs incrustées. Elle déclarait :

« Je viens d'un milieu traditionnel. Ma mère n'a jamais travaillé à l'extérieur. Même quand l'argent se faisait rare, il n'a jamais été question pour elle de se trouver un emploi... Ce n'est qu'au moment où j'étais au collège que j'ai compris que non seulement je voulais travailler, mais que je désirais faire carrière dans l'écriture. Il était entendu que plus tard je me marierais et que j'aurais des enfants, mais pas immédiatement. Mais ce plus tard était déjà là, dans le présent, et cela n'allait pas... »

Bernadette prit son agitation pour une dépression. C'était en fait une forme de burnout. La peur de l'avenir suscite une angoisse intérieure qui se transforme rapidement en affolement. Les sentiments extrêmes d'affolement qui se manifestent par une nervosité et une agitation intérieures consommaient son énergie et drainaient sa créativité. Elle poursuit :

« J'ai commencé à m'en faire pour de petits événements. Un jour, je me suis étiré un muscle en jouant au tennis. Le lendemain matin, j'avais une douleur terrible au milieu du dos. Il fallait que je me frotte avec un anti-douleur musculaire, mais j'étais incapable d'atteindre l'endroit douloureux... C'est à ce moment-là que je me suis affolée. C'était un problème mineur, mais dans mon esprit il prit la proportion d'un symbole d'impuissance et d'isolement. Plus tard, dans la journée, un ami est passé chez moi et m'a aidée, mais je ne pouvais cesser d'être obsédée par tous ces « si jamais ». Que m'arriverait-il si jamais j'étais gravement malade ? Si jamais il m'était impossible de travailler ? Si jamais je ne pouvais atteindre le téléphone ? Toutes ces questions ne cessaient de me harceler... Je me sentais parfois tellement vulnérable que c'en était devenu déprimant... »

La plupart des gens qui vivent seuls connaissent ces moments de vulnérabilité. Chez Bernadette, ils étaient aggravés du fait qu'elle se percevait elle-même comme « démunie », sentiment qui favorise l'impuissance face à l'imprévisible. L'épuisement d'avoir à assumer seule l'entière responsabilité de sa vie avait commencé à se manifester par des symptômes qu'elle-même et d'autres percevaient dans ses sautes d'humeur et d'exaltation.

« Il y eut et il y a encore de ces jours où je désire être seule... Je ne peux rassembler mes énergies pour m'adonner à des conversations polies ou même penser... Je dors beaucoup et j'abuse de fast-food. Quelques jours plus tard, je déborde d'activité, je suis en pleine forme et me lance comme une folle pour maintenir mon énergie créatrice. Pendant quelque temps, je courais de façon compulsive, 10 km chaque jour sans motif valable. J'avais l'impression de réaliser quelque chose et je ne me sentais en plein contrôle de moi-même que dans cette activité. Après quelques mois, je me suis épuisée à courir. Parfois, je souhaitais ne pas désirer secrètement que tout cela change. Que je puisse prendre les moyens nécessaires, quels qu'ils soient, pour que la possibilité réelle de me marier et d'avoir un enfant se réalise. Je n'arrêtais pas de penser que je pouvais agir de façon à y arriver et que si j'en étais incapable, c'est qu'il y avait quelque chose qui n'allait pas en moi. »

Comme plusieurs femmes dans la même situation, Bernadette caressait l'idée de changer de métier, pensant qu'elle pourrait rencontrer un homme dans un autre milieu de travail ou dans une autre ville. En attendant, afin de se procurer un semblant d'intimité, elle avait des aventures avec des hommes mariés, incapables de s'engager, ou des hommes qui ne répondaient pas à ses critères. Elle poursuit :

« Rendue à ce point, je pense que je peux sûrement affirmer que la recherche d'un conjoint a aussi été pour moi un facteur de burnout. J'étais fatiguée du rituel qui entoure les fréquentations et je me suis mise à projeter sur les hommes l'idée d'avoir un enfant d'eux, en dehors du mariage. Je continue de croire que je n'ai pas l'audace de poser un tel geste, mais j'y pense... Ce qui m'arrête, ce sont mes préoccupations à propos de l'argent. »

Ce moment critique des célibataires de 35 ans et plus est vécu par plusieurs femmes. Elles éprouvent une fati-

gue intérieure née de la déception ou du désenchantement du manque d'harmonie entre le travail et l'amour
dans leur vie. Toutes les femmes ne ressentent pas cette
crise. Certaines ont trouvé et entretiennent un sentiment de solidarité et de conscience d'elles-mêmes en relation avec leur travail, leurs amis ou leurs arrangements familiaux. Quelques-unes ont fait le saut et ont
mis au monde des enfants en dehors du mariage,
d'autres ont décidé d'en adopter, alors que certaines ne
se sentaient pas obligées d'avoir un enfant. Chaque femme est motivée par son propre ensemble de besoins particuliers. Mais celles qui sont profondément troublées à
l'idée d'avoir à assumer seules l'entière responsabilité de
leur vie admettent parfois qu'elles éprouvent un sentiment d'inutilité, une incapacité à réaliser des objectifs
familiaux. Chez plusieurs, les symptômes de burnout
augmentent proportionnellement au rythme du passage
des années favorables pour une grossesse ou au degré
d'insécurité financière. Le fait d'assumer seule l'entière
responsabilité de sa vie réunit souvent trois craintes importantes sous la même bannière : l'absence d'un conjoint pour partager sa vie, le désir insatisfait d'avoir un
enfant et les crises intermittentes d'angoisse à propos de
l'argent.

Les femmes n'accordent pas toutes la même importance à ces trois points. L'intention d'avoir un conjoint
et un enfant peut être moins importante dans votre vie,
alors que vos angoisses actuelles portent sur les questions d'argent. Toutefois, l'absence d'un foyer aggrave
l'insécurité financière. Bernadette disait à ce propos :

> « J'ai un métier financièrement instable, mais ce
> n'est que lorsque j'ai eu 35 ans que j'ai commencé à
> me tracasser sérieusement au sujet de l'argent. Aupa
> ravant, je présumais au fond de moi-même que je fon
> derais éventuellement une famille où il y aurait un
> double revenu et qu'aux temps difficiles nous pour-

rions compter sur l'un ou l'autre. Je ne voyais pas l'importance d'économiser ou d'investir en vue de l'avenir. Comme la plupart des pigistes, mon revenu était trop irrégulier... un gros chèque un mois, puis rien pour les deux mois suivants. Pendant mes insomnies, je me répétais toujours la même litanie financière touchant l'assurance-maladie, les taxes, l'augmentation du loyer, les dettes, les honoraires du dentiste et du médecin... même le prix d'une coupe de cheveux... Quand vous ne gagnez pas assez d'argent, vous ne pouvez pas aller en vacances, partir un week-end, suivre un cours, toutes ces activités nécessaires pour se détendre. J'ai beaucoup paniqué pour des questions d'argent. Je sens que je dois me sécuriser. S'il se trouvait que je doive vivre seule, je ne veux pas que cela m'appauvrisse en plus... »

Les femmes salariées n'échappent pas aux soucis de Bernadette quant au rôle de l'argent pour une personne seule. Même s'il est prévisible, contrairement à celui de Bernadette, leur revenu est parfois insuffisant. Ici encore, la dénégation pourrait vous empêcher de faire une juste évaluation de vos besoins financiers.

« Dans la vingtaine, dit Bernadette, je pense que j'ai vécu comme dans un conte de fées. J'étais ambitieuse, mais sans contrainte. Je voulais avant tout être reconnue. Si je pensais en termes d'argent, c'était en relation avec mes besoins immédiats. Cela ne faisait qu'un tout avec l'idée du mariage et de la maternité. Tôt ou tard, tout finirait par s'organiser. »

Les messages familiaux sur la responsabilité financière servent ordinairement de guide intérieur et se greffent subtilement sur votre propre vision du monde. Dans l'ancienne organisation familiale, les filles n'étaient pas toujours éduquées ou conditionnées en vue de mener une vie financièrement indépendante. Si l'idée d'avoir à assumer seule l'entière responsabilité de sa vie constitue pour vous un stress émotif gênant, même si vous vous comportez comme si vous aviez saisi et accepté l'idée d'être financièrement indépendante, vos espoirs secrets pourraient être tout à fait différents. Si, comme Bernadette, vous devez faire face à la réalité d'avoir à assumer seule l'entière responsabilité de votre vie, cette soudaine prise de conscience sera probablement suivie d'une période d'ajustement difficile et déroutante. C'est alors que vous vous sentirez épuisée sous le poids de l'angoisse, la colère, le désenchantement ou l'obsession d'avoir à compenser pour le temps que vous croyez avoir perdu. Toutefois, la façon dont cette réalité est perçue décide souvent de votre perception de vous-même comme étant une femme démunie ou en pleine possession de ses moyens.

Vos impressions déterminantes concernant l'âge, le statut, la sécurité financière et l'attachement aux autres peuvent devenir d'étonnants catalyseurs de croissance et de changement. Le sentiment d'isolement et de désespoir cherche à être reconnu, mais il ne veut pas rester sans conséquences. Bernadette est un bon exemple de la femme qui s'est servi de sa peur et de ses sentiments de nervosité et d'agitation pour modifier le cours de sa vie. Elle commence à comprendre que son besoin de dépendance est le produit d'une façon de penser acquise depuis longtemps.

« J'ai dû apporter des changements importants à ma façon d'aborder la vie. J'essaie de ne pas dépendre de la gentillesse d'éventuels étrangers pour me rendre justice. Professionnellement, j'ai modifié mes choix... en choisissant mieux les assignations et en refusant ceux qui ne payaient pas assez. Ce qui en soi m'a donné un nouveau sentiment d'autorité et de contrôle. Puis vient un moment où vous devez cesser de déprécier vos talents et comprendre que l'insécurité fait partie de tout le milieu professionnel... Il vous faut cesser de regarder ce que vous n'avez pas et réévaluer ce que vous faites...»

En plus de prendre les rênes de sa vie professionnelle, Bernadette a fait appel à un conseiller financier, cette démarche l'a forcée à prendre des mesures pour assurer son avenir. Elle a fait un testament, ce qui a eu pour effet d'éveiller en elle des réminiscences émotives surprenantes.

«J'ai abordé la question du testament avec un peu de tristesse, mais au bout de quelques semaines, en pensant aux personnes qui comptaient dans ma vie, ma famille, mes parents, mes amis et à ce que je désirais leur léguer, j'ai acquis une nouvelle vision de moi-même. De simples objets comme des livres, des disques, des rubans enregistrés, des manuscrits, des journaux, un pupitre ancien, une bague de famille... des choses qui ont une valeur pour moi... trouvaient place chez des personnes que j'aimais, qui m'étaient proches, mais que j'avais tendance à oublier... Quand j'eus terminé mon testament, je me suis sentie plus attachée à ces personnes. Depuis, je me sens bien moins seule...»

En s'assurant une base solide qui lui permettait de fonctionner, Bernadette avait de moins en moins tendance à se laisser aller à l'affolement et à la dépression. Elle est une des nombreuses femmes pour qui le problème d'avoir à assumer seule l'entière responsabilité de sa vie s'est avéré un facteur positif de croissance. En désapprenant la dénégation, Bernadette a pu acquérir un contrôle qu'elle avait auparavant recherché dans la fuite. En conséquence, ses crises de burnout ont diminué et elle admet se sentir émotivement en meilleure position pour entretenir une relation avec un homme.

RENCONTRES ET BURNOUT

Il n'est pas surprenant que la quête d'un conjoint, homme ou femme, puisse devenir un facteur stressant d'épuisement. Avec l'âge, vous pourriez ressentir un besoin de plus en plus pressant d'intimité. «Je ne sais pas ce que je ferai si je ne rencontre pas quelqu'un prochainement» est une plainte que l'on entend fréquemment, une plainte qui souligne à juste titre le besoin primaire d'un accomplissement émotif. Quand ce besoin n'est pas comblé et que vos tentatives pour rencontrer de nouvelles personnes sont continuellement décevantes, la recherche de solutions à ce problème de rencontres peut devenir attristante. Une femme déclare :

> «Pourquoi tous ces efforts pour rencontrer quelqu'un ? Tout est tellement devenu prévisible... Je commence à croire qu'il n'y a personne en bout de ligne pour moi. Je vois toute cette série de soirées perdues qui ne mènent à rien et je suis crevée de tourner en rond avec de grands espoirs qui sont finalement déçus.»

Cette lassitude qui caractérise le burnout est souvent provoquée, dans ce genre de situation, par la fatigue de ces sorties continuelles pour trouver un conjoint et par l'appréhension de faire encore une fois une rencontre qui «ne mène à rien».

Rita, une femme au début de la trentaine, décrit son pessimisme à l'égard des rencontres de la façon suivante :

> «D'une vieille et populaire émission de télé, je me souviens d'un épisode qui illustre bien cette situation. L'héroïne est invitée à dîner au restaurant par un nouveau prétendant. Quand ils reviennent à son appartement, elle va dans la cuisine préparer du café...

Quand elle revient au salon, son prétendant est en train de se déshabiller. Indignée, elle lui demande ce qu'il fait en lui disant : « Ça suffit ! » L'homme la regarde et d'un air protecteur lui dit : « Eh bien, vous n'avez certainement pas été jusqu'au bout depuis longtemps. » L'héroïne plisse les yeux. « J'ai 37 ans, dit-elle. Je fréquente des hommes depuis 20 ans, environ deux fois par semaine. Cela fait deux mille rencontres. NE ME DITES PAS QUE JE NE SUIS PAS ALLÉE JUSQU'AU BOUT ! »

« C'est comme cela que je me sens, poursuit Rita. J'ai vécu tous les genres de rencontres possibles... Je connais toutes les histoires, tout le rituel, toutes les tensions sexuelles, la fatigue de retour à la maison où enfin je peux quitter mon sourire, puis les attentes devant le téléphone qui ne sonne pas. Je ne suis plus excitée, ni même parfois intéressée par la perspective de rencontrer un « nouveau » prétendant. Le rituel est énervant. Si tout cela ne m'a pas encore épuisée, je ne suis pas loin de le devenir... »

La plainte de Rita est sans cesse reprise par d'autres femmes qui proposent leur version sur le même thème :

— « C'est tout simplement trop de travail. Je suis fatiguée de m'en faire au sujet de mon apparence, de faire le ménage de l'appartement, de changer les draps, d'être agréable, en forme, drôle, intéressante et de soutenir l'ego masculin, quand je veux tout simplement savoir si je lui plais... s'il me plaît et, si ça marche, voir ce que nous avons d'autre en commun... ne pas fuir. »

— « Je déteste raconter sans cesse mon histoire... ou de me sentir comme si je faisais une entrevue. Vous consommez beaucoup d'énergie à encourager un prétendant que vous connaissez à peine et à entretenir l'illusion de la camaraderie pendant toute une soirée. J'ai fait tellement de premières rencontres qui se sont terminées en queue de poisson et qui m'ont coûté beaucoup de travail. Je suis fâchée et fatiguée. Je commence à croire que lorsqu'un homme me dit à quel point il me trouve intéressante ou merveilleusement indépendante, c'est un signe que je ne le reverrai jamais. »

— « J'ai toujours rêvé de rencontrer un homme et lui dire sur-le-champ : « Prétendons que nous sommes tous les deux de vieux et estimables amis. » Ainsi, je pourrais éviter d'avoir à poser des questions qui ne mènent nulle part comme celle de savoir quelle école il a fréquentée. J'ai envie d'une relation intime avec un homme, mais je ne pense pas que les choses se passent ainsi. Et maintenant, je commence à avoir la peur presque maladive d'être rejetée... Je ne sais pas si je dois paraître très réservée et indépendante ou me contenter d'être moi-même. Tout cela me mêle... »

Si ces témoignages vous rappellent vos propres expériences, c'est probablement que vous ne savez trop comment faire et vous vous demandez si la situation peut être changée. Votre désenchantement provient en grande partie de l'effort que vous mettez à animer ce que vous craignez être par ailleurs qu'un événement purement mécanique ; ce qu'une femme appelle « le mystère du comportement masculin » en est partiellement responsable. Il n'existe pas de remèdes miracles pour les conflits normaux entre les hommes et les femmes ; cette dynamique des rencontres peut toutefois être explorée en essayant de maximiser le plaisir de la situation et d'en minimiser le drainage d'énergie.

LES FAUX ESPOIRS : MESURES PRÉVENTIVES DANS LE BURNOUT ET LES RENCONTRES

Même s'il n'existe pas de méthode pour prévoir ou contrôler les sentiments ou le comportement des personnes que vous rencontrez, il y a certains conflits que vous pourriez essayer vous-même de résoudre.

Le burnout lié aux rencontres est la conséquence d'espoirs démesurés que vous échafaudez vous-même en grande partie. Les femmes ont tendance à trop investir dans leurs relations et certaines en font beaucoup trop. Si vous établissez vos critères de réussite pour une soirée sur le fait « d'être agréable, en forme, drôle et intéressante » et sur celui d'entretenir « l'illusion de camaraderie » ou de paraître « réservée et indépendante », votre enthousiasme pour le rituel des rencontres s'éteindra fatalement.

Comme pour tous les autres types de burnout, vous assumez inconsciemment la responsabilité du succès ou de l'échec de chaque situation. Un rendez-vous devient un « travail », un événement répétitif, prévisible, insatisfaisant dont les résultats sont habituellement mesurés d'après la réaction positive ou négative d'une personne quasi étrangère.

Les femmes qui ont des tendances à la surprotection sont particulièrement portées à se forger de tels espoirs et à souffrir du drainage des énergies émotives qui en résulte. Si vous avez des tendances protectrices, vous vous sentirez probablement obligée de prendre soin d'un homme, d'être certaine qu'il ne s'ennuie pas et de lui prouver votre valeur en devinant ce qui lui plaît ou lui déplaît. En bref, les surprotectrices manquent souvent de confiance en elles et dissimulent leurs angoisses en donnant plus que la situation ne l'exige vraiment.

Une bonne façon de contrer cette tendance est de faire un effort conscient en vue de contenir votre désir d'anticiper ce qui arrivera ou pas, de découvrir intuitivement les besoins de l'autre. Essayez de vous en tenir à vos propres besoins. Commencez par démêler vos propres motifs pour accepter le rendez-vous. Lors du prochain rendez-vous, posez-vous cette question : « Qu'est-ce que j'attends en particulier de cette soirée ? » Si vous avez l'intention de l'impressionner par votre nature généreuse, il se peut que vous vous soyez faite une image imprécise de vous-même. Peut-être vous occupez-vous de lui pour cacher vos propres besoins de protection ? Comme on croit communément que les hommes fuient devant la moindre exigence féminine, vous pourriez penser dominer la situation en vous dépensant au-delà de vos forces.

Il est encore plus important de savoir ce qu'il représente pour vous. Avez-vous naturellement de l'affection pour cet homme ? Êtes-vous attirée par lui ? Est-il intéressant et vous apparaît-il comme quelqu'un avec qui vous vous sentez à l'aise ? Une fois que vous aurez saisi vos principaux motifs, vous serez en meilleure position pour rejeter sur lui une partie de la responsabilité de la soirée. Rappelez-vous qu'aussi longtemps que vous êtes prête à assumer tout l'effort, il se tire d'affaire en vous laissant vous démener pour deux.

Plusieurs femmes et plusieurs hommes essaient de diminuer les tensions liées à une rencontre en adoptant prématurément une attitude d'intimité. Le désir d'intimité est une réaction humaine normale. Toutefois, le besoin d'une intimité gratifiante dès la première rencontre est souvent la conséquence de besoins négligés et repoussés. Vous voudrez répondre à de très profondes privations, mais elles seront rarement comblées en une seule soirée. Une intimité instantanée pourrait se retourner contre vous. C'est souvent le masque qui recouvre une angoisse profonde et qui se révèle souvent n'être qu'un feu de paille. Si vous essayez d'éviter d'autres déceptions, vous souhaiteriez peut-être commencer à distinguer les personnes qui sont d'accès facile de celles qui deviennent trop rapidement intimes. La différence est importante.

Même si vous voulez court-circuiter les « histoires ennuyeuses » et la politesse de circonstance qui président aux rencontres, il serait sage de vous méfier d'un homme dont les sentiments débordent trop rapidement et d'éviter vous-même cet excès. Cette dynamique peut être excitante, mais elle peut aussi se montrer décevante. Une femme qui raconte avec animation l'histoire d'une première rencontre, décrivant l'homme comme « étant tout à fait *présent,* sans secrets, ni restrictions », s'étonne souvent de n'avoir pas de ses nouvelles pendant plusieurs mois. L'intimité instantanée peut servir à dissimuler de multiples craintes dont, ironiquement, la peur de l'intimité n'est pas la moindre.

Apprendre à connaître une autre personne est une longue démarche qui doit se dérouler lentement. Et ce n'est pas une démarche à sens unique. Si la réciprocité que vous recherchez ne vous est pas accordée, retirez-vous. Quand vous vous rendez compte que vous faites plus que votre part ou que vous prenez l'initiative de l'intimité, faites un effort conscient pour vous arrêter sur cette pente. Rappelez-vous que ce n'est pas ce qu'on attend de vous. Vous éviterez beaucoup de fatigue et de désenchantement liés à l'épuisement causé par les rencontres si vous évoluez selon votre propre rythme, votre personnalité et si vous restez attentive à vos propres besoins.

BURNOUT ET RENCONTRES :
PRÉCAUTIONS CONTRE LA PEUR
DU REJET

Assez souvent, on attend trop de soi-même par peur d'expérimenter un autre rejet réel ou imaginaire. Afin de parer à cette éventualité, vous pourriez être tentée de neutraliser votre moi véritable au profit de votre moi-façade, ce qui vous amènerait à la longue à prendre en aversion l'idée même de « sortir ». Dans ce cas, l'anticipation du rejet pèse plus lourd que l'anticipation du plaisir. Vos efforts pour vous accorder à l'autre en adoptant une attitude soit réservée, soit enthousiaste, pourraient vous laisser découragée et épuisée.

Simone, une femme dans la trentaine, raconte une anecdote qui illustre le coeur de ce problème :

> « La semaine dernière, je suis sortie avec un nouveau. Nous sommes allés au cinéma de répertoire voir *Le choix de Sophie*. Ni l'un, ni l'autre n'avait vu ce film. Plus tard, en sortant du cinéma, il me demanda ce que je pensais du film. Je l'avais détesté, mais lui l'avait aimé. C'est à ce moment-là que j'ai commencé à faire des compromis. « C'est vrai, ce n'était peut-être pas *si* mal après tout, disais-je, je réagis ainsi parce que j'ai lu le livre avant de voir le film... » Cela allait de mal en pis, j'avais l'impression que je devais être du même avis que lui pour retenir son intérêt. Le reste de la soirée, je suis devenue la femme que je pensais qu'il aurait aimé que je sois et je me suis entièrement perdue. J'ai fini par coucher avec lui, ce qui n'a rien amélioré... Parfois, quand je sors avec un nouvel ami, je me sens comme dans un congélateur. Si l'homme m'attire, je me perds et je deviens figée. L'idée d'être rejetée me terrifie, j'en viens même à oublier ce que j'aime et ce que je n'aime pas... »

La peur du rejet se manifeste aussi dans bon nombre d'autres attitudes. Une femme en est arrivée à la conclusion que les rencontres étaient trop risquées parce que son amour-propre était menacé à tout moment. Une autre parle de sa grande angoisse : « Je finissais par trop parler pour éviter les moments de silence, parce que je ne savais pas ce qu'il pensait. » Une troisième s'attendait à être rejetée parce qu'elle croyait qu'elle était probablement inscrite sur une liste avec une centaine d'autres femmes à qui on téléphone systématiquement pour les inviter à dîner et à coucher.

La peur du rejet est un stresseur potentiel. En tentant de vous transformer pour l'occasion, vous précipitez souvent son action. Il n'existe évidemment pas de méthode sûre pour vous prémunir contre l'expérience du rejet, mais vous pouvez prendre quelques mesures pour protéger vos sentiments et retrouver une perspective viable.

Avoir des amis masculins peut aussi vous aider à démystifier les confusions et les complexités du comportement masculin. Héloïse, une femme divorcée dans la quarantaine, avoue qu'elle aurait complètement abandonné l'idée de se trouver un nouveau partenaire si elle n'avait pas eu d'amitiés masculines.

« Après tous les tourments du divorce, je n'aurais jamais pu supporter un autre rejet. J'étais trop vulnérable. À mon âge et ayant été mariée, il est dégradant d'avoir à jouer ce jeu et vous avez l'impression que l'on vous comparera à toutes ces belles jeunes femmes. J'en ai parlé avec mes amis masculins qui m'ont comprise. Ce fut une période intéressante. Mon amitié avec deux d'entre eux en particulier est devenue plus profonde et beaucoup plus intime. Nous en sommes venus à mieux connaître nos problèmes réciproques et avons pu rire de beaucoup de nos bêtises.

Nous avons passé beaucoup de temps ensemble et même si nous n'avons pas franchi la barrière sexuelle, j'ai commencé à comprendre que ce que je vivais avec eux, je le recherchais chez un conjoint. J'ai fait de sérieux efforts pour aborder les hommes comme des amis. J'ai cessé de me comporter comme si le rejet était une question de vie ou de mort. J'ai aussi connu d'autres hommes qui m'ont aidée non seulement à comprendre les terreurs et le narcissisme masculin, mais aussi à me rappeler ma propre valeur... »

Arlette est une autre femme qui a trouvé une méthode pour faire face au rejet. En tant qu'adjointe à la distribution des rôles d'un important réseau, elle est en rapport avec bon nombre d'acteurs et d'actrices qui chaque jour expérimentent le rejet. Elle dit :

« J'ai commencé à imiter leurs attitudes envers le rejet. Quand vous n'êtes pas la bonne personne pour un rôle, vous n'en faites pas une question personnelle et vous poursuivez votre route. Vous pouvez être trop petite, trop grande, brunette, pas blonde, lui rappeler son ex-femme ou tout simplement être au bon endroit, mais au mauvais moment... Je ne veux pas être trop désinvolte à ce sujet, mais cette attitude m'a aidée et je crois qu'elle est très réaliste... »

Héloïse et Arlette ont pu mettre en échec leur peur du rejet, mais aucune de leurs méthodes ne peut satisfaire un besoin d'attachement physique et sexuel. Comme Simone, vous vous trouverez peut-être à coucher prématurément avec un homme pour écarter la peur du rejet.

Normande a découvert une autre solution contre la peur du rejet lors des rencontres. Elle dit :

« J'ai commencé par adopter ce que j'appelle « une attitude mâle ». Je commence d'abord par tenir compte de mes propres besoins sexuels. Cela peut paraître cru, mais j'ai eu des hommes dans ma vie uniquement pour coucher... Nous nous amusions ensemble, sans illusion concernant l'avenir. Puis j'ai eu des amours platoniques, des hommes que je fréquentais ou avec lesquels je sortais. Je ne ressens plus cet acharnement désespéré d'impressionner quiconque, je ne suis plus affamée d'affection. Je ne suis pas non plus émotivement satisfaite, mais au moins je suis en mesure de prendre mon temps pour connaître un homme... Depuis que j'ai commencé à prendre soin de moi, je découvre que c'est moi qui rejette l'autre... »

La peur du rejet est tout aussi importante pour les femmes que pour les hommes. Elle devient un problème de burnout quand les femmes commencent à se sentir angoissées, surmenées et qu'elles éprouvent le désintéressement de leur moi véritable que Simone a décrit de façon si vivante. Il serait bon de prendre le temps d'étudier les mesures préventives et les solutions que d'autres femmes ont découvertes et de commencer à vous soulager d'une partie du stress associé aux rejets anticipés.

Et tandis que vous y êtes, vous pourriez obtenir encore plus d'éclaircissement sur le burnout lié aux rencontres en interrogeant vos propres normes d'acceptation du partenaire. Pourquoi ne feriez-vous pas une liste de toutes les caractéristiques que vous espérez trouver chez un conjoint ? Êtes-vous prête à accepter un compromis à ces normes ? Les femmes rejettent souvent catégoriquement tout homme qui (1) ne gagne pas assez d'argent, (2) qui n'a pas cinq ans de plus qu'elles, (3) qui ne réussit pas dans son domaine, (4) qui n'est pas aussi expérimenté qu'elle, (5) qui n'est pas tout à fait sûr de lui, (6) qui n'extériorise pas sa sensibilité et, (7) qui s'habille mal, qui mastique bruyamment, qui rit au mauvais moment, qui ne joue pas au tennis. La liste des raisons pour échapper à de nouvelles possibilités est interminable. En refusant de ramener vos normes à un niveau acceptable, vous risquez de prolonger votre recherche et de vous fatiguer pour rien.

Les efforts déployés pour trouver un partenaire acceptable et la fatigue qui s'ensuit contribuent largement au burnout chez les femmes. Si cette quête est devenue le principal objectif de votre vie, vous avez peut-être développé une attitude compulsive qu'il vous faudra abandonner pour retrouver votre équilibre et votre lucidité. Vous y arriverez en cessant de croire qu'il n'existe qu'une seule façon de trouver satisfaction.

Si vous pouvez commencer à vous impliquer dans d'autres activités, il se pourrait, paradoxalement, que vous soyez en meilleure posture pour trouver un conjoint. L'attitude compulsive est un blocage qui tend à éclipser les possibilités inhabituelles de plaisir. Comme la découverte d'un partenaire peut prendre un certain temps, vous seriez avisée de trouver d'autres sources de satisfaction. Autrement, comme l'affirmait une femme, «il y a trop de temps et de vide à remplir». C'est en trouvant votre rythme, jour après jour, que vous éviterez finalement le stress de la solitude et que vous aurez l'occasion de créer une harmonie entre le travail et l'amour.

Chapitre VII

Burnout relationnel

« Je ne pouvais faire appel à aucun sentiment envers lui... Faire l'amour était devenu une corvée. Je ne couchais avec lui que pour lui faire plaisir, mais je ne coopérais pas... J'étais épuisée par la routine, par l'aspect automatique de la sexualité, la monotonie de tout... Cette merveilleuse intensité était disparue... »

Virginie

« Sa torpeur a eu finalement raison de moi... Je pouvais voir qu'il ne faisait que m'engourdir. Le seul domaine où il manifestait quelque émotion, c'était quand on faisait l'amour, mais autrement, nous nous sentions désaccordés... Je ne pouvais plus accepter cette absence de vitalité — mon épuisement était devenu *contagieux*... Je me voyais sombrer... »

Céline

« Quand j'ai été victime de burnout... j'étais tellement épuisée par mon travail, les cours que je suivais, mon fils, la préparation des repas, les courses dans les magasins... J'étais aussi trop épuisée pour me conduire en partenaire sexuelle passionnée. Mon épuisement ne cessait de monter en spirale... Notre mariage est devenu ennuyeux et j'étais trop fatiguée pour m'en préoccuper...»

Aline

Le burnout relationnel possède un caractère unique fait de détours curieux et de revirements. C'est l'un des quelques rares types d'épuisement auquel on réagit globalement et rapidement, dès l'apparition des symptômes, par une dénégation générale ou par un brusque retrait. Les sentiments déprimants peuvent se manifester par rapport à n'importe quelle relation intime : votre mari, votre amoureux, vos amis et quelquefois vos enfants. C'est une forme complexe d'épuisement et ce n'est pas toujours vous qui en souffrez. Assez souvent, on se trouve dans un éloignement émotif mutuel ; votre partenaire pourrait être le premier à en souffrir et l'épuisement est aussi contagieux que la grippe.

Il existe trois principaux types de burnout relationnel : le burnout par intensité, le burnout contagieux et le burnout en spirale.

On reconnaît généralement le burnout par intensité à un sentiment de déception devant les vraies possibilités de votre partenaire, son inaptitude émotive ou souvent le fait qu'il ne puisse promettre de vous offrir une vie conforme à vos goûts. Quand l'intensité prend fin et que l'on voit les choses objectivement, les faux espoirs s'effondrent et les divergences sont trop décevantes pour accepter d'en prendre conscience. Les relations échouent du fait de leur propre intensité. *Ce genre d'épuisement peut être renversé.*

La contagion du burnout est directement reliée à l'aspect contagieux des symptômes de votre partenaire. L'effet débilitant de l'épuisement de votre partenaire a souvent tendance à vous vider de votre propre vitalité. Généralement, quand vous avez à vivre pendant un certain temps avec une personne déprimée et dépourvue de vitalité, vos propres ressources s'anémient. Si vous n'écoutez pas votre désir de fuir, vous pourriez succomber à la léthargie ambiante et souffrir vous-même de burnout. *Ce genre d'épuisement peut être prévenu.*

Le burnout en spirale est un phénomène qui est devenu assez courant. Lorsque trop d'activités et de moments difficiles minent vos forces psychiques et physiques ou encore lorsque l'isolement et l'ennui drainent votre moral, vous projetterez sur votre partenaire l'irritabilité et les sentiments de désintéressement qui en découlent. Les symptômes de burnout rebondissent et montent en spirale dans votre vie privée. Votre conjoint est peut-être la personne la plus exposée à subir votre désenchantement. Écorchée vive par des exigences qui vous paraissent excessives, vous pourriez consciemment ou inconsciemment le blâmer pour votre tristesse et votre relation pourrait commencer à se défaire. *Ce genre d'épuisement peut être stoppé.*

Que vous soyez affligée d'un burnout par intensité, contagieux ou en spirale, les symptômes de ce genre d'épuisement lié aux relations sont ressentis de la même manière. Toutefois, même si les attitudes qui se rattachent à ce genre de burnout vous sont familières, vous pourriez néanmoins ne pas en saisir le sens ni savoir pour quelles raisons vos sentiments ont cette lourdeur insupportable. Lorsqu'une relation est chargée de stress et de tension, l'intimité entre les partenaires est souvent mise à dure épreuve. Le drainage de l'énergie est un défi, même pour la meilleure des relations, et assez tristement, il arrive trop souvent que les symptômes de l'épuisement soient pris pour un échec émotif irréversible. Certaines femmes pourraient se hâter «d'abandonner la lutte» avant d'avoir exploré les causes profondes de la perte d'intimité.

Il est assez facile de comprendre qu'on prenne des mesures irréfléchies et prématurées contre un état de burnout relationnel, qu'il soit par intensité, contagieux ou en spirale. Les sentiments qu'il suscite ne sont pas agréables. Il se produit une absence d'enthousiasme, d'excitation, d'attachement ou d'intérêt au sort de l'autre, au fur et à mesure que progresse l'épuisement. Mais le plus grave, c'est qu'il y a souvent perte d'énergie sexuelle. La relation devient routinière et terne. Ce qui paraissait stimulant autrefois est maintenant perçu comme un lieu commun, une affaire prévisible. L'intérêt et la participation à la vie de votre partenaire se transforment subtilement en indifférence. Les sentiments d'intensité laissent place à l'apathie. Les plaisanteries habituelles et les échanges mutuels d'humour apparaissent désormais comme des contrariétés. Les efforts d'intimité sont ressentis comme de l'ingérence et les manifestations du désir sexuel sont interprétées comme des « pièges » assommants. Même le désir de se bagarrer est absent. La relation devient terne. Assez souvent, vos sentiments s'alourdissent de culpabilité et de ressentiment. Virginie, une femme qui partage la vie de son amoureux depuis un peu plus de deux ans, déclare :

« Le feu s'est éteint. Je ne pouvais plus faire appel à aucun sentiment pour lui. Notre relation est devenue machinale, sans plaisir. Je savais que j'obtiendrais certaines réponses si je disais ceci ou si je faisais cela. Tout était à peu près prévisible... et ennuyeux. Faire l'amour était devenu une corvée. Je couchais avec lui que pour le rendre heureux, mais je ne collaborais pas. Je me sentais coupable de mon indifférence ce qui donnait lieu à du ressentiment et à de la colère. J'étais épuisée par la routine, l'aspect mécanique de la sexualité, la monotonie de tout. Mon état s'aggravait parfois, puis je n'étais plus que fatiguée. Je dormais beaucoup à la maison. Rien ne me faisait plaisir. Cette merveilleuse intensité était disparue. Je me suis fermée à ce que me disait mon amoureux. À ce point, j'ai su que ma relation était en train de se terminer... »

Les symptômes dont Virginie parle commencent par la diminution de l'ardeur sexuelle et se développent graduellement en sentiment d'impatience et d'insatisfaction. Elle disait :

« La sexualité et le ressentiment ne vont pas ensemble selon moi, surtout si mon partenaire n'est plus sur la même longueur d'ondes. Je ne rêvais même pas d'une autre personne... Je me demandais avec quelle rapidité nous nous en sortirions afin que je puisse revenir à mes pensées et à ma solitude. Je souhaitais parfois qu'il s'en aille et qu'il vive une aventure, mais cela m'effrayait et je me mettais à prétendre que je participais à notre relation. C'est un terrible blocage... Nous devenions de plus en plus méfiants et éloignés l'un de l'autre.»

D'autres femmes sont d'abord devenues sensibles à la possibilité d'être victime d'un burnout par manque d'intérêt aux conversations de leur partenaire. (Le manque d'intérêt sexuel passant au second plan.) En pareil cas, vous êtes gênée par une absence d'enthousiasme et d'intérêt réciproques et vous vous désintéressez de ce qui est dit. Même si vous agissez «comme si» vous étiez attentive et que vous participiez, en réalité, vous vous laissez mentalement glisser vers une autre image ou l'absence de pensée. Il peut vous arriver d'«oublier» que ce soir-là vous aviez promis d'aller au cinéma ou d'aller manger au nouveau restaurant Szechuan. Vos relations risquent alors d'être troublées par de fréquentes récriminations : «Ne savais-tu pas que c'était le jour où je t'ai dit que j'allais à Québec ?» ou «Je t'ai parlé de cette fête il y a trois jours, c'est inscrit au calendrier !» ou encore «Tu savais que je les avais invités à souper ce soir, pourquoi as-tu accepté ces billets ? » Si de tels reproches résonnent souvent dans votre maison, c'est signe que l'un de vous deux n'écoute plus, n'est plus en accord avec l'autre et que vos relations sont peut-être sur la voie du burn-out.

LE CYCLE DES SYMPTÔMES ET LE BURNOUT RELATIONNEL

Si vous craignez que vos relations se transforment en un problème de burnout, vous devriez peut-être vérifier l'état de vos sentiments ou les changements notables de comportement chez votre partenaire, en consultant le cycle des symptômes du burnout dont il est question au chapitre IV, «*Les symptômes de burnout chez la femme*». Les sentiments, le comportement et les attitudes qui s'apparentent au burnout par intensité, contagieux ou en spirale, se manifestent plus ou moins dans l'une ou l'autre des phases de ce cycle. Consultons de nouveau le cycle. (Voir illustration à la page 300.)

Si vous ou votre partenaire êtes victimes d'un burn-out, rappelez-vous le début de votre relation. Était-ce un coup de foudre à la limite du désir compulsif de vous «fusionner»? Au plus fort de ce besoin compulsif de s'affirmer (phase 1), la passion et l'engagement mutuels atteignent habituellement une intensité (phase 2) caractérisée par un sentiment d'urgence et d'obstination. Plusieurs femmes craignent cette phase. Elle est souvent décrite comme une «période d'affliction», lorsque les frontières instables de l'ego s'écroulent et qu'il ne demeure qu'une mince séparation entre le moi et la réalité extérieure *. Dans le burnout relationnel d'intensité,

---

* À propos des frontières de l'ego, voir le chapitre VI, «Si peu de temps, si peu d'amour ».

c'est une phase critique où s'instaurent souvent des conditions favorables au développement des symptômes.

Il est important que vous compreniez que *toutes les relations qui débutent avec ces sentiments et ces symptômes ne conduisent pas nécessairement au burnout*! Toutefois, si jamais vous ou votre partenaire avez tendance à vous sentir impuissants en présence d'une émotion forte, vous pourriez être victimes des déficiences qui apparaissent dans les phases 1 et 2. Généralement, à mesure que progresse la relation, l'un ou l'autre perdra de vue l'ensemble de sa vie et se concentrera uniquement sur le désir profond de se «fusionner». C'est ici que par la dénégation et la force de la compulsion vous commencerez peut-être insensiblement à vous priver d'apports réconfortants extérieurs à votre relation (phase 3). Ces privations ne sont pas nécessairement perçues comme de l'oubli de soi, mais souvent comme un désir d'échapper à la réalité quotidienne. Votre travail en souffrira peut-être, vous mettrez une distance entre vous et vos amis, vous accorderez moins d'attention à votre maison, à votre santé et même à vos enfants. Des aspects importants de vos besoins quotidiens pourront paraître générer des conflits gênants (phase 4). Même si vous êtes tout à fait consciente d'être la proie d'un désir compulsif de maintenir cette relation, vous repousserez rapidement cette pensée. Le désir inconscient de «fusion» éclipse souvent des aspects plus pratiques et vous aveugle sur l'aptitude de votre partenaire à répondre à vos besoins.

Au cours de ces phases, les sentiments, le comportement et les attitudes ne sont pas tout à fait différents de ceux qui sont vécus dans le burnout en milieu de travail. Tout comme la poursuite du succès en milieu de travail, le désir de réussir une relation est aussi compulsif. Et à ce point, comme dans le cas du burnout en milieu de travail, un sentiment d'égarement submerge souvent les

LE CYCLE DES SYMTPÔMES DU BURNOUT

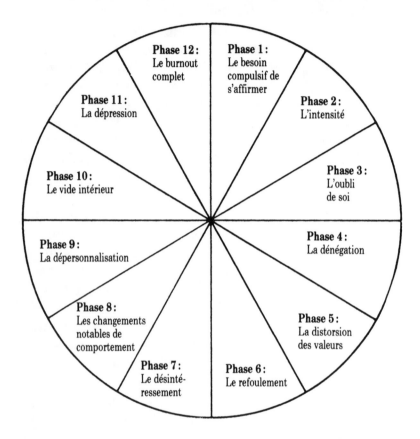

valeurs que vous aviez acceptées et intériorisées, les déformant ou les rejetant.

(Phase 5). Encore une fois, ce phénomène peut être expérimenté par l'un ou l'autre des partenaires. Il arrive que chacun ignore le cheminement secret ou inexprimé de l'autre. Vous pouvez même ignorer votre propre cheminement. L'un de vous deux pourrait considérer les exigences de votre relation comme de bons compromis à faire, faisant fi, au nom d'une sécurité chancelante, d'aspects importants de vos propres valeurs et de plusieurs de vos besoins véritables.

Il se pourrait aussi que l'un ou l'autre ou les deux ensemble souffriez de burnout au travail et commenciez insensiblement à vous priver mutuellement d'attention. Dans ce cas, la personne qui tiendrait son épuisement d'une source extérieure pourrait l'introduire dans la relation ce qui vous conduirait lentement vers un burnout contagieux ou en spirale. Les exigences du travail ou des études drainant vos énergies, vous ou votre conjoint pourriez sentir les effets de la privation d'intimité.

Le rôle que joue la phase 5, celle de la distorsion des valeurs se situe au centre du processus du burnout. Dans certaines relations, les différences de valeurs sont immédiatement perçues comme d'immenses barrages sur une longue route. Il faut y faire face et les examiner pour en venir à un compromis acceptable. Si les différences sont trop grandes ou trop difficiles à contourner, comme dans des cas de croyances religieuses, d'idées politiques ou d'ambition personnelle, souvent la relation prendra fin. Cependant, des différences moins évidentes ne sont pas aussi facilement identifiables et sont fréquemment étouffées, oubliées et refoulées pendant des années. Lorsqu'elles se déclarent, vous ou votre partenaire pourriez secrètement ou ouvertement accuser ou blâmer l'autre de l'avoir trompé si longtemps et chercher à fuir. C'est parfois très long avant de se rattraper et de prendre conscience de la dénégation que vous vous êtes imposée par rapport au comportement de votre partenaire. C'est un problème qui s'étend sur une longue période. Une femme parle de sa dénégation et de la dépression liée à l'épuisement qui s'ensuivit :

« Pendant cinq ans, j'ai évité cette explosion en moi. C'est tellement dur de changer les choses quand vous les avez laissé aller depuis si longtemps... Elles ont l'air si insignifiantes quand on les verbalise, mais elles m'ont rongée... J'ai toujours aimé vivre là où il y a de l'action, en ville. Il voulait vivre à la campagne. Alors j'ai cédé et j'ai abandonné ce que je préférais pour satisfaire ses besoins. J'aime avoir beaucoup de gens autour de moi ; il aime la vie calme et contemplative. J'aime discuter, il maintient que c'est là de l'énervement. Il a toujours pensé que mon rythme était trop rapide et que nous manquions de synchronisation. Je me suis ralentie pour parer à cette menace... Maintenant, j'en ai assez, je suis fatiguée et je me sens comme étrangère à moi-même... Je ne me suis pas affirmée au début et maintenant, je m'en fiche... c'est fini. »

Une autre femme racontait une autre histoire :

« Pendant 12 ans, nous avons été l'un près de l'autre et j'ai toujours été satisfaite, indépendante et heureuse de ma vie. Dans l'ensemble, le pouvoir a toujours été de mon côté dans cette relation... mais cela a changé. Il commença à me dire qu'il n'était pas heureux, qu'il n'était pas sexuellement attiré et qu'il était déprimé. Je n'avais jamais su qu'il était malheureux avant qu'il ne m'en parle ; il avait toujours paru aussi satisfait que je l'étais de notre entente. Il est sur le point de craquer et je ne sais que faire... Il dit que nous n'avons pas les mêmes valeurs et que je l'ai toujours pris pour acquis sans le lui demander. Il y a beaucoup de mécontentement chez lui... Tout est très difficile... »

Ces deux femmes vivent les conséquences de la phase 5 du cycle, mais de façons opposées. Leurs histoires fournissent des exemples du déclenchement du burnout à un moment critique et dont les effets se manifestent quelques années plus tard, après un long mûrissement. L'ampleur et le degré de distorsion des valeurs sont différents dans chaque cas d'épuisement, mais les causes profondes peuvent souvent remonter à ce moment des relations où les conjoints ont commencé à déformer et à refuser de reconnaître leurs valeurs et leurs besoins véritables. Ces deux exemples mettent en évidence les conséquences de leur dénégation.

La phase 6 du cycle se rapporte au refoulement parce qu'elle fait la lumière sur la volonté de foncer, de s'entêter et d'ignorer certains aspects de vous-même ou de votre conjoint qui éventuellement s'immisceraient dans votre relation et nuiraient à son harmonie. Vous pourriez refuser de reconnaître votre propre fatigue ou même des malaises si votre conjoint accepte mal la maladie. Inversement, il se peut que vous souffriez des sautes d'humeur de votre partenaire, de son mauvais caractère ou de sa fatigue et refusiez de reconnaître les symptômes qu'il ou qu'elle manifeste. Si l'un ou l'autre sabote votre fragile équilibre plutôt que de tirer les choses au clair, vous risquez d'augmenter votre dénégation, en prétendant que tout va bien. Quand on vous demande comment vous allez, si vous répondez « Nous sommes bien », cette réponse est peut-être une façon de signaler que *vous-même* n'allez pas bien et que vous ne vous percevez plus comme un individu, mais comme l'aspect complémentaire de quelqu'un d'autre. Vous déniez probablement votre individualité pour dissimuler une menace évidente.

Les femmes racontent souvent qu'elles insistent auprès de leur conjoint pour qu'ils discutent de leurs problèmes relationnels et qu'ils s'ouvrent à des dialogues plus francs. Mais il arrive fréquemment que, même après une « bonne conversation », les problèmes soulevés ne trouvent pas de solutions satisfaisantes, par crainte d'aller trop loin et trop profondément. Vous parviendrez éventuellement à un arrangement dans lequel l'un paraît dominer la relation tandis que l'autre devient faussement soumis. La dénégation de ces complexités intérieures s'aggravant, vous vous sentirez de plus en plus désintéressée de vous-même, tout en continuant néanmoins à entretenir par une complicité implicite les mythes propres à toute relation.

Le désintéressement (phase 7) est caractérisé par un désir de demeurer en accord avec votre partenaire tout en étant dans l'incapacité de maintenir votre participation. Vous pourriez ne pas vous sentir aussi sexuellement attirée qu'auparavant et ne pas être aussi attentive aux besoins du conjoint. Vous vous comporterez de façon correcte pour ne pas éveiller de soupçons, mais vous devrez lutter pour sauver vos énergies et votre intérêt. Une femme a dit à ce propos : « J'ai compris que je devenais indifférente, mais comme j'étais de plus en plus inquiète de mon propre épuisement émotif, j'ai redoublé mes attentions pour me tromper moi-même... Je refusais d'admettre que c'était moi qui s'écroulait. Si je l'avais admis, j'aurais eu à intervenir et c'était trop compliqué et trop effrayant. » Quand vous devenez désintéressée de vous-même, vous vous sentez comme branchée sur l'« automatique ». Votre relation est devenue un mode de vie familier et même si cette dynamique vous désenchante ou vous stresse gravement, vous continuerez probablement à agir « comme si » rien n'allait mal.

Phase 8. Ce sont souvent les autres qui attirent votre attention sur les changements notables de votre comportement. Des amis vous diront qu'ils s'inquiètent de ne pas vous voir aussi souvent, de votre fatigue évidente, de votre manque de spontanéité et d'humour ou du souci que vous vous faites pour votre conjoint. Vous vous êtes peut-être lancée à corps perdu dans votre travail pour éviter le dérangement à la maison ou vous vous êtes coupée des gens. Une autre femme décrivait ainsi les changements qu'elle a observés dans son comportement :

« Mes amis me disaient que je n'avais pas l'air de m'amuser ou que je ne semblais pas très heureuse dernièrement. Des gens me disaient aussi que je prenais tout trop au sérieux et qu'ils ne me voyaient pas assez souvent. J'étais trop affligée pour les écouter parler de leur vie. J'étais trop obsédée par mes propres problèmes et j'envoyais promener quiconque me critiquait. Mon équilibre était très précaire et il s'en serait fallu de peu pour que je bascule. Ma vie de couple était étouffante, mon conjoint et moi entretenions une politesse de guerre froide et je m'enfermais dans la salle de bain pour pleurer. J'aurais voulu qu'on me dise que j'avais tort.

Si vous êtes aux prises avec le burnout relationnel, rendue en phase 8, comme dans les cas de burnout en milieu de travail, vous interpréterez comme un jugement le souci que les autres se font pour vous. Vous vous priverez de ce qu'il vous faudrait précisément, la sympathie, la tendresse et l'intimité. Cela se fait de plusieurs façons. Vous pourriez fréquenter des amis, mais vous vous montrez inconsolable et impénétrable. Ou encore, si vous acceptez de discuter avec des amis, ce sera pour qu'ils approuvent votre position de victime et non pour leur demander conseil et réconfort. D'une façon ou d'une autre, vous considérerez vos amis comme des personnes qui «ne comprennent pas» ce que vous vivez et vous les jugerez inaptes à vous aider. C'est ce qu'on appelle fréquemment un «barrage».

La dépersonnalisation (phase 9) est un état tout à fait désagréable et déroutant. La vie quotidienne avec votre partenaire est devenue stricte et monotone. Les conversations se limitent à l'essentiel et la relation sexuelle devient une «corvée». Pour vous donner une illusion d'intimité, vous prendrez des attitudes extérieures conventionnelles, tout en ayant l'impression que quelqu'un d'autre habite votre corps. La dépersonnalisation est souvent marquée par une coupure entre le sentir et l'agir. Le ressentiment et les sentiments de colère et de culpabilité s'estompent et cèdent la place à la léthargie, une lassitude particulière qui indique que l'esprit est vidé et le moral à plat. Vous commencerez sans doute à dormir plus longtemps ou à être frappée d'insomnie. Vous aurez de la difficulté à vous concentrer ou à « entendre » ce que les gens vous disent. Rendues à cette phase, certaines femmes sont incapables d'atteindre l'orgasme et plusieurs hommes deviennent temporairement impuissants. Parfois, survient le désir de partir et d'avoir une aventure, mais l'infidélité n'est habituellement pas le principal problème. Le désir sexuel est absent ou ne sert que d'excitant, de panacée pour revitaliser les émotions. Il arrive souvent que dans une relation de couple si l'une des personnes souffre de burnout, l'autre l'« attrape » et connaisse progressivement la même fadeur de sentiment. C'est la nature même du burnout contagieux.

Le vide intérieur (phase 10) suit de près la dépersonnalisation. Pour combler le vide, le partenaire qui est sur le point de craquer pourrait envisager d'autres sphères d'intérêt, mais pas nécessairement une autre personne. Dans cette phase, les femmes et les hommes deviennent souvent des adeptes inconditionnels de la télé. Plusieurs femmes choisissent l'orgie alimentaire ou s'adonnent à l'alcool ou aux drogues. Les mordues de l'exercice allongeront le parcours de leur course à pied ou la durée de leur aérobic et de leur classe de conditionnement physique. Les achats extravagants qui dépassent la limite de la carte de crédit sont aussi un autre signe du vide intérieur. Toute activité sera bonne pour vous distraire de ces sentiments désagréables, pour éviter d'affronter les problèmes importants avec votre conjoint et renforcer votre dénégation. « Je veux tout simplement mettre une distance entre lui et moi », disait une femme aux prises avec la phase 10. « Je lis des romans minables, l'un après l'autre, pour masquer cette crise... Je sais que je devrais faire quelque chose de positif, mais je n'en ai plus l'énergie. Je veux tout simplement m'en aller seule... »

Ces sentiments mènent rapidement vers la dépression liée (phase 11) au burnout, une phase qui s'apparente à celle du vide intérieur. À ce stade, la vision de l'avenir n'existe plus et il n'y a aucun désir de changement. Vous pourriez vous considérer réciproquement comme des « accessoires » et vraiment perdre toute aptitude à percevoir le point de vue de l'autre. Comme il n'y a plus d'ouverture et que vous avez épuisé vos énergies à vous adapter aux déficiences de votre relation, vous en viendrez à être complètement désintéressée. Votre amour-propre est probablement au plus bas et si vous vous sentez désespérée, vous êtes trop exténuée pour réagir. Vos espoirs excessifs ayant été balayés, vous pourriez entretenir par moments des idées suicidaires qui sont étroitement liées à la dépression du burnout.

La dépression liée au burnout n'est pas toujours vécue comme un deuil. Elle se manifeste parfois par une nervosité extrême. Ce n'est pas que vous vous fichiez de tout, mais votre trop grande sollicitude a suscité une dangereuse réaction d'angoisse maintenue sous pression depuis trop longtemps. Dans ce cas, votre dépression n'est pas vécue comme léthargie, mais comme agitation. Le poids du stress a pu drainer vos énergies et vous êtes devenue extrêmement sensible à tout dérangement. Peut-être éprouvez-vous une intolérance nerveuse et émotive caractérisée par de fréquentes crises de larmes, des mouvements d'humeur et même un besoin constant de bouger, de taper du doigt, de remuer la jambe, de vous ronger le tour des ongles ou de vous mordre la lèvre, comme si votre moteur s'était coincé en quatrième vitesse.

Les femmes qui ont connu la dépression liée au burnout se rappellent à quel point la plus insignifiante perturbation de la vie quotidienne les rendait impatientes.

Une femme disait qu'elle s'affolait quand les machines à laver de l'immeuble où elle habitait étaient toutes occupées. « Je prenais mon sac de linge sale et je le lançais dans le fond d'un placard où il restait pendant deux semaines... » Une autre déclarait qu'elle ne faisait jamais de dépôts à la banque s'il y avait une petite file. « J'étais vexée, je mettais les chèques dans le coffre à gants de ma voiture et je démarrais en furie. Je n'arrivais pas à me calmer. Je me sentais gravement offensée... »

La dépression liée au burnout qui se manifeste sous forme d'agitation fait qu'on attache une importance disproportionnée à l'événement le plus bénin. Mais qu'il s'agisse de léthargie ou d'agitation, à cette phase de la dépression, vous n'êtes plus protégée et votre résistance aux malaises et aux maladies n'est probablement pas très forte.

Comme nous l'avons vu au chapitre IV, « Les symptômes de burnout chez la femme », la phase 12, le burnout complet, est un état dangereux qui met la santé en péril. Il doit ête considéré comme un cas d'urgence et être traité immédiatement. Il ne se limite plus à un problème relationnel. Votre santé tant sur les plans physique, psychique et mental est peut-être dans un état d'équilibre précaire. Vous avez probablement besoin de l'aide et des conseils d'un médecin ou d'un professionnel de la santé.

Notez toutefois que le burnout relationnel atteint rarement la phase du burnout complet. Ce type particulier d'épuisement impliquant deux personnes, le processus est habituellement arrêté avant d'atteindre ce stade. Dans certains cas, cependant, des années de refoulement et de dépression liée au burnout mènent à cette phase ultime. Si on n'y remédie pas, ces symptômes de vide intérieur et de dépression peuvent vous mener au burnout complet.

Si vous souffrez de burnout relationnel, vous pourriez demeurer dans la même phase un certain temps et ne jamais vous rendre à la suivante. Vous pourriez également vivre simultanément plusieurs phases. Il est important de comprendre que le burnout relationnel n'est pas nécessairement progressif. Quand vous aurez identifié vos symptômes, vous serez en meilleure position pour prévenir les éventuelles crises d'épuisement ou renverser entièrement le processus. Il existe plusieurs solutions. Le fait d'être bloquée ne signifie pas que vous ne pouvez pas bouger.

TROIS TYPES DE BURNOUT RELATIONNEL

Avant de chercher des solutions, il serait peut-être prudent d'identifier le type de burnout relationnel que vous vivez. Vous avez saisi les signaux des symptômes, jetons maintenant un coup d'oeil à leur dynamique sous-jacente.

Il existe trois principaux types de burnout relationnel :
1. Le burnout d'intensité
2. Le burnout contagieux
3. Le burnout en spirale

Chacun possède ses causes et sa dynamique propres. Leurs effets sont identiques. Tentez d'identifier votre cas.

1. *Le burnout d'intensité*

L'extinction des sentiments envers une personne importante dans votre vie fait fréquemment suite à une période forte et intense d'attirance et d'enthousiasme. Vous avez probablement commencé par partager des sentiments passionnés et vous étiez tous les deux assurément à votre mieux. Après cette période, vos relations ont amorcé une descente. Quand des sentiments atteignent le sommet d'une excitation fébrile, ils doivent nécessairement redescendre et, à la lumière froide de la réalité, les plaintes indirectes et le ressentiment annonçant l'épuisement commenceront à se faire entendre. C'est une phase critique pour les couples, surtout si leur relation est uniquement basée sur l'attraction sexuelle. L'image idéalisée du sauveur s'est dissipée. Plusieurs mariages et aventures de courte durée sont les produits du burnout d'intensité. L'un ou les deux partenaires se lancent dans l'aventure amoureuse avec des attentes conscientes ou inconscientes, disproportionnées et présument qu'ils resteront indéfiniment dans ce paradis de félicité sexuelle, libres de toute contrainte.

Vous n'êtes pas toujours consciente de ces attentes, mais elles sont néanmoins des éléments actifs de votre psychisme. Afin d'identifier ces attentes, vous devez faire la différence entre ce que vous avouez attendre d'un partenaire et ce que vous croyez devoir en attendre. La dichotomie entre les deux est souvent considérable. Par exemple, vous pourriez déclarer vouloir vivre en partenaires égaux et indépendants, mais vous vous sentirez blessée et trahie si votre partenaire abandonne son comportement protecteur. Ou encore, il se peut que consciemment vous vouliez un conjoint favorisé par le pouvoir, mais que vous soyez contrariée s'il (ou elle) ne peut vous prodiguer toute l'attention dont vous avez besoin. Inversement, il est possible que vous décidiez que vous voulez quelqu'un de protecteur et de sensible, mais vous pourriez être dérangée par son besoin d'intimité, du fait que votre propre vie professionnelle accapare votre temps, votre attention et votre énergie. Ce gouffre entre vos attentes et vos exigences se révèle habituellement quand la ferveur sexuelle magique du début se stabilise. C'est à ce moment que la désillusion se cristallise et que l'un des partenaires, souvent incapable de souffrir soit le manque ou la profusion d'intensité, profitera de l'occasion pour s'en aller. Vous avez probablement découvert que cette dynamique particulière a tendance à se répéter dans vos relations ou peut-être vous considérez-vous comme la victime innocente de ces fugues capricieuses de vos partenaires.

Les attentes sont encore plus exacerbées quand inconsciemment, vous ou votre partenaire faites miroiter des projets d'avenir qui ne se réaliseront pas. Dans l'euphorie sexuelle et romantique, les réussites éventuelles alimentent l'intensité. Il y a le roman que l'un de vous va écrire, le commerce à ouvrir, la situation à décrocher, la célébrité, la fortune ou l'exploitation d'un talent remarquable, ces succès étant magnifiés par la présence de l'autre. Toutefois, même si l'ambition, le talent et les espoirs existent, la volonté de les réaliser ne viendra peut-être jamais. Dans ce cas particulier, chacun percevra l'autre comme étant plus grand, plus fort et peut-être plus discipliné qu'il ne l'est en réalité. Dans le feu de l'intensité du début, les amoureux s'inventent l'un l'autre et seront véritablement étonnés de découvrir que l'autre n'est ni plus grand que la moyenne, ni la personne qui « fera tout pour que ce soit au mieux pour vous ». Si la connaissance normale de l'autre en début de relation a été escamotée ou si les « imaginations » dégénèrent en désillusions et en amertume dissimulée, les phases du burnout se prolongent parfois pendant des années.

Dans une autre version du burnout d'intensité, l'un des partenaires croit qu'il ou qu'elle peut transformer le comportement émotif ou sexuel de l'autre et se donne comme mission de se créer un conjoint parfait. Dans ce cas, l'être aimé devient une « personne-projet », quelqu'un à qui vous consacrez toute votre énergie créatrice. Au début, sous l'effet de cette surabondance d'énergie, vous pourriez vous sentir indispensable et protégée, mais vous commencerez éventuellement à vous sentir contrainte et constamment poussée à agir et à réagir conformément au rêve de votre partenaire. Vous perdrez de plus en plus de votre spontanéité. Avec le temps, la contrainte d'avoir à être quelqu'un d'autre vous fatiguera. Vous commencerez à vous désintéresser et à vous esquiver et l'épuisement affectif s'amorcera.

Si toutefois vous étiez vous-même en proie à cette épuisante intensité pour transformer le comportement de l'autre, vous pourriez désirer consciemment ou inconsciemment à la fois dominer et vous rendre sexuellement et émotivement indispensable. Les femmes protectrices sont souvent prises à ce piège. La plus grande insécurité se dissimule fréquemment sous les apparences d'une générosité insatiable. Cette générosité devient étouffante et importune, mais le plus important, c'est que cette attention incessante, comme prendre soin d'écouter, de prévenir, d'amuser, de faire la cuisine, de se vêtir pour plaire, de donner des explications et des conseils, épuise peu à peu vos énergies et se métamorphose en un fardeau stressant. Si ce n'est pas vous qui devenez épuisée, ce pourrait être votre partenaire. La pression exercée sur vous deux est trop absolue.

Une femme aux prises avec le burnout d'intensité déclare :

> « Je travaillais pour deux. Je me sentais responsable de maintenir l'émoi entre nous... mais tout venait de moi et j'obtenais bien peu en retour. Je refusais cette évidence parce que je ne voulais pas le perdre... et parce que je n'ai jamais senti que j'étais assez... »

La relation s'épuisant d'elle-même, l'intensité est remplacée par un vide émotif et la personne protectrice, qui se sent dans son tort, entretient souvent un amer ressentiment.

La possessivité est un autre élément du burnout d'intensité. Encore une fois, ce sentiment peut se manifester chez l'un ou l'autre partenaire. L'un de vous jouera le rôle du « captif », l'autre, celui de l'accapareur.

Une femme dans la situation de captive déclare :

« Pour moi, la façon la plus rapide de m'épuiser dans une relation et de m'en défaire, c'est lorsque je me sens comme un lièvre pris au piège. Quand il commence à me demander où je suis allée, à qui j'ai parlé, où j'étais quand il a téléphoné et combien de temps j'ai parlé à un autre homme, je commence à me sentir prise au piège et cernée. Comme en état d'arrestation, comme si mes pensées étaient surveillées et qu'à moins de me débrancher, j'aurai affaire à toute sa colère réprimée... Je veux lui crier : Ferme-la ! Parle-moi plutôt que de m'interroger ! »

Une autre femme dit à propos de ses sentiments d'accapareuse :

« Je suis une personne très intense et je demande qu'on réponde à cette intensité. Je n'ai jamais réussi à être modérée dans mes relations. Je veux savoir ce qu'il pense, ce qu'il ressent et j'ai besoin d'être rassurée. Il faut que nous soyons d'accord pour que je me sente sécurisée. Il faut beaucoup de temps avant que je me sente détendue, puis il survient toujours quelque chose qui me menace... Je n'ai pas beaucoup confiance en moi... »

L'expérience de se sentir étouffée par son partenaire est aussi débilitante que l'angoisse opprimante de ne pas être constamment rassurée. Dans l'une ou l'autre situation, vos sentiments sont assombris par le stress ; vous souffrez souvent de culpabilité et en fin de compte d'épuisement. Ces deux femmes font état de relations qui ont commencé dans l'euphorie sexuelle et évoquent la déception qu'elles ont connue quand les passions se sont stabilisées et qu'elles ont voulu imposer leur point de vue. L'intensité de la première femme la fait échapper à la réalité des partenaires qu'elle choisit et l'intensité de la seconde la rend aveugle au fardeau des exigences qu'elle impose à ses partenaires.

Il y a autant de variations sur le thème du burnout d'intensité qu'il existe de couples, mais si cette dynamique vous est familière, vous devriez commencer à explorer votre comportement en vue de préciser vos besoins et de modérer vos attentes.

Prévenir et renverser le burnout d'intensité

L'épuisement se nourrit d'intensité. Une fois cette idée bien assimilée, vous voudrez peut-être évaluer à quel point votre propre intensité règle votre vie émotive et comprendre pourquoi vous souffrez de burnout relationnel.

L'intensité des sentiments n'est pas en soi dangereuse. Toutefois, si les sentiments obscurcissent ou déforment la réalité ou s'ils sont le fruit de l'angoisse, vous pouvez commencer à mettre en doute l'objectivité de vos perceptions au sujet de votre conjoint. L'intensité sans répit est énervante. Une fois qu'elle s'est relâchée, vous ou votre partenaire pourriez facilement être amenés à vous dévaloriser aux yeux de l'autre. Pour cette raison, le premier pas à faire afin de prévenir le burnout relationnel, c'est de vous avouer immédiatement que vous êtes victime d'intensité et que plusieurs des idées que vous entretenez au sujet de votre partenaire sont peut-être le produit de votre imagination.

Décrivez-vous votre partenaire avec un enthousiasme délirant ? Ce pourrait être un signal d'alarme. Vous refusez peut-être ces idées fugaces qui vous passent par la tête, ces éclairs de lucidité qui servent d'avertissement et de défense ? Construire une relation, ce n'est pas un événement, c'est une longue démarche. Si vous découvrez que vous vous dissimulez certains traits de personnalité qui pourraient devenir problématiques, c'est vous et non l'autre qui souffrez d'intensité. La démarche est faussée ; la réalité de votre partenaire n'a pas été intégrée dans vos « imaginations ». Quels sont les aspects de sa personnalité ou de son comportement qui vous gênent ? Cette question n'a pas pour but d'encourager une critique méfiante et pointilleuse, mais de désencombrer vos « imaginations » pour avoir une vue plus objective de vos sentiments. Comme une femme le disait en parlant d'elle-même :

> « Sous le coup de l'intensité, je prétends que je ne sais rien de ce qui pourrait nuire à mon plaisir... Je transforme la réalité pour qu'elle réponde à mes désirs immédiats. Plus tard, lorsque la relation tourne mal, je suis habituellement furieuse contre moi pour avoir refusé de reconnaître mes propres intuitions... »

Ce que cette femme décrit, c'est une forme de dénégation, une suppression consciente. Même si le désir de réussir une relation est parfois très grand, vous devriez, pour éviter l'épuisement rapide, tenter de reconnaître ces intuitions et commencer à en tenir compte. Plusieurs femmes ont peur des éclaircissements ou d'un dialogue plus poussé avec leur conjoint, par crainte qu'il ou qu'elle se retire en prenant ces démarches pour des exigences. Il y a toutefois une différence qualitative entre s'informer et assommer quelqu'un de ses questions.

L'autre côté de la médaille est également important. Votre partenaire vous décrit-il avec un enthousiasme délirant ? Est-ce qu'il vous considère comme le sauveur idéal ? Comme généralement vous montrez tous les deux le meilleur de vous-mêmes, votre partenaire pourrait ne pas savoir ce que vous aimez, désirez ou attendez au bout du compte.

Examinez vos attentes longuement et sérieusement. Cette personne est-elle en mesure de les combler? Si vos attentes sont démesurées, vous aurez peut-être à les modifier. Les hommes comme les femmes cherchent souvent des partenaires qui possèdent les qualités qu'ils croient leur manquer. Si vous vous sentez impuissante ou manquez d'assurance dans vos relations avec autrui, vous pourriez choisir un partenaire qui paraît plus fort que vous. Cela revient à dire qu'il faut dévorer le coeur du lion pour devenir un lion. Toutefois, si cette force que vous recherchez venait à manquer, vous pourriez être désabusée et vous sentir trahie. Une actrice qui cherche à percer raconte son mariage qui a duré deux ans :

« Quand nous nous sommes rencontrés, chacun de nous tentait d'obtenir un rôle dans un film. J'ai eu le mien, mais pas lui et il commença à me considérer avec respect. Après notre mariage, j'ai connu des refus, les uns à la suite des autres. Aucun de nous n'arrivait à percer et notre mariage devenait chancelant. Puis il me quitta. Plus tard, il m'a dit qu'il croyait que j'allais devenir célèbre... Cela m'a blessée et mise en colère... mais je comprends maintenant pourquoi il croyait que mon ambition et mon succès auraient pu lui profiter et que j'aurais tout arrangé pour lui. »

Cette dynamique ne cesse de se répéter chez les couples dont l'attente de l'un envers l'autre consiste essentiellement en ce que tout aille bien pour lui-même. Pour éviter ce sentier du burnout, il est important que vous saisissiez le sens de cette attente avant qu'elle ne s'amplifie.

Pouvez-vous réciproquement tolérer vos particularités? Aux prises avec l'intensité, les femmes adoptent souvent les goûts et les préférences de leur partenaire. L'une d'elles disait :

« Je n'aime pas la musique de chambre, mais comme ma partenaire l'aimait, j'ai prétendu que je l'aimais aussi. Je ne voulais pas qu'elle sache que mes goûts n'étaient pas aussi raffinés, que j'étais folle de musique *country*, de rock et de jazz. Mais il est difficile d'entretenir ce genre d'illusions ; vous devenez fatiguée, pleine de ressentiment et toujours énervée. Vos particularités apparaîtront éventuellement et l'être aimé se sentira roulé... »

Les particularités ne sont pas toujours faciles à déceler. Elles sont souvent enveloppées de vagues mécontentements ou de contrariétés à peine avouées. Pour éviter l'épuisement, il est important de savoir qui vous êtes, ce que vous aimez et quels sont vos goûts.

Pouvez-vous rire ensemble ? Le sens de l'humour partagé allège beaucoup le drame et l'intensité entre les partenaires et permet de maintenir leur intimité. Quand des divergences d'opinion, de style ou de comportement choquent vos sentiments, la possibilité de s'amuser de ces accrochages contribue à réduire les tensions. Il est difficile de s'épuiser quand on s'amuse.

Surprotégez-vous votre partenaire ? Dans l'affirmative, c'est le bon moment d'apprendre à vous en détacher. L'énergie que vous investissez dans la relation pourrait facilement se révéler décevante et débilitante. Peut-être vous rendez-vous indispensable, mais vos besoins s'en trouvent peut-être gravement négligés. Les femmes protectrices nient inévitablement leurs propres besoins « au nom de la relation » et éprouvent par la suite de l'amertume et du ressentiment. Si vous êtes une femme protectrice, vous pourriez vous habituer à cesser de l'être avant de trop donner inutilement. Si vous vous surprenez à prévenir les humeurs de votre partenaire, son appétit, son besoin de repos, son désir d'une présence ou toute autre situation possible, arrêtez-vous ! Si vous constatez que vous ne cessez de déplacer vos priorités afin qu'elles s'harmonisent aux siennes, arrêtez-vous! L'agitation physique et mentale continuelle n'aide pas à maintenir une relation. Peut-être devriez-vous rédiger une liste de vos activités et de vos intérêts avant que vous ne formiez un couple et consulter cette liste de temps à autre pour vous rappeler que vous aussi, vous existez. Une femme interviewée décrivait la technique qu'elle utilisait pour faire échec à sa tendance protectrice excessive:

> «J'ai une amie qui a exactement la même tendance que moi. Nous avons établi entre nous ce que nous appelons des «appels de freinage». Si l'une ou l'autre se sent angoissée par le besoin de trop en faire, ou si l'une de nous est en période prémenstruelle et particulièrement démunie, nous nous téléphonons pour nous consulter. Nous nous sommes suivies au cours de quelques aventures et nous savons toutes les deux que nous avons été amenées à devenir de parfaites partenaires... de véritables superfemmes. Cela nous a été très utile. Parfois, je n'ai même pas à téléphoner, je connais son avis.»

Cela ne signifie pas que vos qualités de sensibilité et d'attention à autrui soient indésirables, mais que lorsqu'elles deviennent compulsives et sont l'effet de l'angoisse, l'art de savoir se détacher avec élégance peut mettre fin à un processus de burnout.

Essayez-vous de transformer les comportements émotifs et sexuels de votre partenaire? Si vous pensez qu'avec vos tentatives courageuses et bien intentionnées vous viendrez à bout du refus évident de votre partenaire d'exprimer ses émotions profondes, de répondre à votre désir de dialoguer, de respecter votre espace vital, de s'accorder à votre rythme et à votre style de vie, ou de refléter votre sensibilité, vous êtes, vous ou votre partenaire, mûrs pour le burnout. Plusieurs femmes croient que leur influence et leur ascendant sont assez puissants pour modifier des années de réflexes conditionnés chez leurs amoureux. Ceci s'applique aussi aux hommes, mais les femmes ont tendance à recourir à ces tentatives vouées à l'échec dans plusieurs autres situations. S'attacher à un alcoolique ou à quelqu'un qui abuse de la drogue sont des exemples extrêmes qui révèlent toutefois ce mécanisme. Vous pourriez vous engager envers une personne qui semble posséder un potentiel caché et que vous croyez pouvoir transformer en lui redonnant confiance en elle-même. Lorsque vous planifiez en vous-même trop de changements pour votre partenaire, vous ne le (ou la) considérez plus comme une personne autonome, mais comme un « projet » ou une « solution ». À ce point, vous n'êtes sûrement pas en quête d'une relation d'intimité, mais plutôt d'une solution à vos propres tensions. Mais les tensions ne seront pas résolues. Elles s'aggraveront et se transformeront en symptômes de stress, de fatigue et de ressentiment. Pour prévenir l'épuisement en pareille situation, vous devriez réévaluer de façon réaliste vos propres attentes et celles de votre partenaire, et commencer à valoriser ses différences ou à vous détacher. Peut-être vous servez-vous de ses présumées faiblesses pour camoufler les vôtres ?

Votre trop grande possessivité est-elle un facteur d'intensité dans le burnout relationnel ? Si c'est vous qui êtes possessive, vous devriez vérifier si ces sentiments sont reliés au présent et à votre partenaire actuel ou s'il s'agit d'une réaction de transfert qui remonte à votre passé et qui ne s'applique pas à la nouvelle situation. Ces amplificateurs de stress dissimulés que sont la colère étouffée, la culpabilité, les conflits affectifs refoulés, les besoins négligés et le manque d'estime de soi vous habitent et favorisent l'inquiétude et la méfiance entre les partenaires. La force du stress dissimulé accapare beaucoup d'énergie positive aux dépens de vos émotions et de vos idées.

Une seule personne ne suffit pas à combler le besoin constant d'être rassurée. Toutefois, cette vision étroite est souvent le produit du burnout d'intensité. Vous pouvez croire que votre partenaire est votre seule et unique source de réconfort. C'est une grave erreur et de nombreuses femmes souffrent du burnout d'intensité pour cette seule raison. « Si je ne l'obtiens pas de lui, je ne pourrai l'obtenir ou je n'essaierai pas de l'obtenir de personne d'autre », ce commentaire exprime bien le sentiment de privation. Si votre partenaire ne peut combler votre besoin de réconfort, vous aurez peut-être à faire appel à vos amis, à votre travail et à vos propres ressources. Si votre ego et votre confiance en vous sont à leur plus bas, vous avez peut-être besoin de consulter un professionnel de la santé. De toute façon, la possessivité est le symptôme d'un besoin qui déborde la capacité de votre partenaire à le satisfaire. De multiples angoisses s'immiscent souvent dans la possessivité. Ce sont là des problèmes qu'il faut résoudre pour renverser le processus de l'épuisement.

« Ma peur fondamentale, déclarait une femme, c'est d'être rejetée... C'est pourquoi j'ai besoin qu'il me dise souvent comment il nous voit. » « Être rejetée », voilà une expression forte qui signifie que le problème est plus ancien que la relation actuelle. Si vous rapportez cette expression à votre passé, vous pourriez éveiller le souvenir d'un parent qui vous avait menacée de vous abandonner ou qui vous avait effectivement quittée psychiquement ou physiquement. Ce traumatisme s'est transposé dans votre vie adulte et vous le projetez maintenant sur votre partenaire. Peut-être vous sentirez-vous entourée de menaces irréelles : cette femme à qui votre partenaire a parlé une minute de trop au cours d'une réception, l'appel téléphonique qu'il n'a pas fait pour dire à quelle heure il rentrait, sa préoccupation pour quelque chose ou quelqu'un en dehors de vous, son désir de se coucher tôt... pour dormir. Si c'est là le paysage de votre vie intérieure, il est urgent que vous commenciez à distinguer le réel de l'imaginaire dans votre vie. Vous seriez ainsi peut-être en mesure de protéger votre relation contre le burnout d'intensité et peut-être vous délivrer vous-même de la constante et angoissante menace de rejet.

Si vous étiez par contre victime vous-même de la possessivité, vous pourriez vous sentir comme «un lièvre piégé» et décrire votre relation en termes peu flatteurs. Votre partenaire souffrant probablement des angoisses décrites plus haut, si vous désiriez sauver votre relation, vous trouveriez peut-être essentiel non seulement de le rassurer, mais aussi de lui dire à quel point ses incessantes demandes d'attention vous éloignent de lui. Vous voudriez lui faire des suggestions en vue de satisfaire vos besoins réciproques.

Encouragez votre partenaire à renouer les liens avec ses amis, à participer à des activités sans vous, à reprendre cette partie de sa vie qu'il a abandonnée au nom de votre relation. Vous pourriez lui expliquer que ce n'est pas un trop grand engagement que vous craignez, mais une trop grande intensité qui tuera éventuellement tout enthousiasme pour vous deux. Il n'y a pas de méthode absolument sûre pour éviter de faire de la peine à votre partenaire. S'il est en proie à l'angoisse, il se sentira blessé. Cela pourrait toutefois éviter les conséquences plus pénibles d'une perte, d'une relation qui se brise.

Il n'y a pas non plus de remèdes sûrs contre le burnout d'intensité. Mais la conscience de soi et la volonté de cesser votre dénégation, de récupérer vos intuitions et de reconnaître vos sentiments et vos besoins pourraient vous permettre à tous les deux de recommencer à neuf.

2. *Le burnout contagieux*

Le burnout est-il contagieux ? Dans certains cas, oui. Cela dépend de l'état de votre santé émotive et de la force de votre résistance physique à la maladie. Vous ou votre partenaire pourriez devenir contagieux, tout dépend de votre comportement par rapport à l'épuisement de l'autre.

Vivre avec un cas de burnout, ce n'est pas réjouissant. Si l'épuisement de votre partenaire agit sur ses sentiments, ses attitudes et son comportement et si les symptômes s'amplifient et se prolongent, au bout d'un certain temps vous pourriez être contaminée et commencer à adopter son humeur.

Envisagez le scénario suivant. Vous vous êtes affairée au travail toute la journée à régler des problèmes, à assister à des réunions, à organiser des rendez-vous. Portée par le rythme, vous revenez à la maison, vous vous attendez à lui raconter votre journée, à souper ensemble, à partager peut-être une bouteille de vin, à vous raconter des blagues, à rire et, finalement, à faire l'amour. Mais la réalité est tout autre, vous vous trouvez devant une personne sans énergie, souriant à peine, réagissant machinalement, trop réservée, assise sur le divan devant une télévision tonitruante. Comment maintenir votre vivacité devant son humeur sinistre ? Imaginons la conversation suivante : « Comment te sens-tu ? — Bien. — Ta journée a été bonne ? — Oui. — As-tu faim ? — Non. — Veux-tu qu'on se parle ? — Fiche-moi la paix ! »

Reprenons le même scénario au bout d'une semaine, d'un mois ou de six mois et essayez d'imaginer vos réactions. Serez-vous capable de conserver votre bonne humeur face à l'attitude de votre partenaire ? Il y a fort à parier qu'en moins de quelques semaines, en plus de vous sentir rejetée, vous commenciez à vous sentir épuisée, impuissante, irritable et en furie. Suivront le désintéressement, la dépersonnalisation, le vide intérieur et enfin, la dépression. Vous aurez « attrapé » l'épuisement de votre partenaire.

Renversez maintenant ce scénario. Vous tenez tête à un burnout relationnel, vous avez passé toute la journée à la maison avec les enfants, vous êtes accablée par trop de tâches ingrates, par un sentiment de culpabilité face à votre désir d'échapper à vos enfants, par trop de demandes désagréables et le plus jeune arrive avec un rhume. Vous avez le cafard, vous êtes troublée, stressée à l'extrême, surchargée et votre mari entre à la maison avec ce que vous percevez être un droit à votre attention. Il veut que vous écoutiez les dernières politiques du bureau et il met du désordre dans le vivoir dont vous venez de faire le ménage, empilant sur un fauteuil son journal, sa serviette et sa veste. Il veut retenir votre attention, mais vous désirez qu'on vous laisse seule. La conversation pourrait être la suivante : « As-tu passé une bonne journée ? — Qu'en penses-tu ? — Les enfants sont bien ? — Jérôme a attrapé le rhume. — As-tu téléphoné au médecin ? — Il n'a pas besoin de voir le médecin. — Tiens, pourquoi n'irions-nous pas souper au restaurant ? — Parce que ça ne me dit rien de m'habiller. — Allons... — Laisse-moi en paix ! »

Revivez ce même scénario pendant des semaines, un mois, six mois, et essayez d'imaginer les réactions de votre partenaire. Il pourrait à son tour succomber à vos symptômes et commencer à adopter une attitude similaire et éprouver des sentiments de désintéressement, de dépersonnalisation, de vide intérieur et de dépression. Il aura «attrapé» votre épuisement.

Si vous ou votre conjoint souffrez d'épuisement, l'apathie et le manque d'enthousiasme à communiquer tendent à provoquer chez l'autre des sentiments de rejet ou même d'abandon. La réciprocité au sein de votre relation est sérieusement compromise et l'équilibre de l'amour et de l'énergie est dangereusement rompu.

Les superprotectrices sont particulièrement prédisposées au burnout contagieux autant qu'au burnout d'intensité. Il peut arriver que le manque de sensibilité de votre partenaire paraisse un affront à vos élans de générosité. Vous pourriez ne pas comprendre ce qui arrive ou ce qui est exigé, tout en croyant que c'est votre responsabilité de voir à ce que tout aille bien. Qu'importe ce que vous faites pour soulager la détresse de votre partenaire, il n'y a rien qui fonctionne. La situation est devenue explosive. Céline, femme au foyer, disait :

« J'essayais de lui parler, mais sa léthargie a eu finalement raison de moi. Je faisais appel à toutes mes forces pour entamer des discussions qui auraient pu me fournir un indice, mais il insistait pour dire que tout allait bien ou il se fâchait et quittait la pièce ou encore il s'absorbait dans les journaux ou devant la télévision. Je me sentais blessée, alors je le laissais seul et il m'accusait d'être insensible. J'ai commencé à le ménager en le protégeant des enfants, essayant de le remonter... Je lui faisais même des surprises en lui offrant un livre pour lequel il avait manifesté de l'intérêt, une cassette, son mets préféré. Il y eut quelques remerciements polis, puis il sombrait de nouveau. Je pouvais voir qu'il ne faisait que m'engourdir. Les seuls moments où il manifestait une émotion, c'était pendant les relations sexuelles, autrement, nous étions désaccordés. Au bout de quelques mois, j'ai commencé à me sentir très fatiguée. Je redoutais les soirées et je me couchais tôt la plupart du temps. J'ai commencé à le considérer comme un enfant de plus dans la maison. Je ne pouvais plus supporter cette indifférence, son épuisement devenait contagieux. Puis, j'ai commencé à souffrir de maux de tête, de douleurs prémenstruelles inhabituelles, de rhumes, de n'importe quoi ! Mais le pire, c'était les accès de fatigue extrême... C'était ridicule, mais j'étais en train de sombrer dans mon propre épuisement... »

Si comme le mari de Céline votre partenaire ne sait pas ce qui lui arrive, qu'il refuse de l'exprimer et qu'il met chaque jour de plus en plus de distance entre lui et vous, il se peut qu'il blâme le travail, les enfants, le manque d'argent, la politique, le pays, le monde, la température ou vous-même, mais rien de précis pour vous aider. Ce genre de blâme qui lui sert de couverture vous rend insatisfaite et suscite chez vous frustration et impatience. Il ne sert habituellement qu'à brouiller la piste pour vous empêcher tous les deux de trouver les véritables causes du burnout. En tant que superprotectrice, vous tenterez de vous servir de ces faux indices et commencerez à inonder votre partenaire d'attentions qui ne sont ni opportunes, ni désirées, ni même requises. Après une période de temps, ces démonstrations inutiles dilapideront vos énergies. Sans récompense ou réciprocité, vous commencerez à vous sentir en colère, éreintée, affaiblie et, par moments, ce sera comme si vous étiez deux épuisés dans la maison.

Même les femmes qui n'ont pas de trop grandes tendances protectrices peuvent « attraper » l'épuisement de leur partenaire. Marthe, une femme chez qui on a diagnostiqué un burnout contagieux, commença par se lasser de l'attitude déprimante de son conjoint.

« J'entrais dans la maison le soir et je savais tout de suite que ce serait encore *une de ces* soirées... des bécots sur la joue sans lever les yeux, pas d'émotion, pas d'excitation, juste de l'*indifférence* ! Nous prenions beaucoup de temps à discuter de son problème, mais c'était difficile, il buvait trop et il donnait un autre sens à mes paroles pour montrer que j'étais responsable de tous ses malheurs. C'était très inquiétant... J'avais l'impression qu'il ne s'intéressait plus à moi, nous n'avions pas fait l'amour depuis des semaines et ma confiance en moi était très ébranlée. J'avais besoin qu'il fasse quelque chose pour moi, mais rien ne se produisait. J'ai commencé à le détester de plus en plus et je fantasmais au sujet d'autres hommes. J'avais envie de foncer. Puis, je me suis mise à dormir beaucoup. Au commencement, je pensais que c'était pour ne pas voir son attitude déprimante. Puis, j'ai réalisé que je m'épuisais moi-même en me faisant du mauvais sang pour les discussions interminables et pour mon sentiment d'impuissance. J'avais attrapé sa maladie... »

Plusieurs femmes ont fait allusion à leur envie de dormir, relativement au burnout contagieux. Parfois, comme le suggérait Marthe, l'envie de dormir sert à « ne pas voir son attitude déprimante », mais d'autres fois, ce peut être une invite à recevoir l'attention qui vous est refusée, une façon de montrer à votre partenaire l'effet de son attitude sur vous. De toute façon, ce geste devrait être pour vous un signal d'alarme. Lorsque la joie, l'énergie ou la vitalité sont remplacées par l'indifférence, le repliement et la mauvaise humeur, il n'y a plus d'apport émotif, ni de motivation pour maintenir la dynamique de votre couple. Il est assez courant qu'une hypocondrie symptomatique se manifeste face à l'épuisement de votre partenaire. Pour rétablir la communication, la maladie peut parfois sembler pour vous deux la seule méthode que vous puissiez accepter, utiliser et comprendre, mais elle perpétue vos symptômes.

Quant à Marthe, ses accès de burnout contagieux ont pris fin de façon inhabituelle mais non surprenante :

« Je marchais, confuse, dans la maison. Puis en me rendant à l'arrière, j'ai fait un faux pas dans l'escalier et je me suis brisé un os du pied. C'était affreusement douloureux, mais l'urgence a su raviver son intérêt pour moi. L'accident l'a temporairement poussé à sortir de lui-même, mais cela n'a pas duré... Il n'était pas allé jusqu'au bout... »

Le mari de Marthe accepta finalement de demander les conseils d'un professionnel, mais ce ne fut pas avant que leur relation n'atteigne un seuil critique.

Si votre partenaire est sur le point de craquer, il n'est pas nécessaire de vous casser une jambe ou même de souffrir de maux de tête répétés, de douleurs au dos, de rhumes ou de tout autre symptôme hypocondriaque pour tenter de diminuer votre angoisse ou de vous réconcilier. Vous n'avez pas non plus à vous esquiver dans un épuisement parallèle à celui de votre partenaire. Il existe des mesures que vous pouvez prendre pour prévenir chez vous un double épuisement.

Prévenir et renverser le burnout contagieux

Il faut se rappeler dès le début que le burnout se définit comme «... un affaiblissement et une usure de l'énergie vitale provoqués par des exigences excessives qu'on s'impose soi-même ou qui sont imposées de l'extérieur : famille, travail, amis ou relations amoureuses, qui minent nos forces, nos mécanismes de défense et nos ressources. C'est un état émotif qui s'accompagne d'une surcharge de stress et en vient à influencer notre motivation, nos attitudes et notre comportement. »

Dans un burnout relationnel contagieux, les mécanismes de défense et les ressources sont affaiblis par le manque de renfort émotif que devrait vous apporter la personne importante dans votre vie. Ce genre d'épuisement suppose un autre conflit et pose de ce fait une nouvelle question.

Pouvez-vous conserver votre santé mentale, physique et psychique si votre principale source de réconfort, votre partenaire, s'achemine vers le burnout ?

Il est important que vous soyez en mesure de prendre sur-le-champ des précautions contre la contagion du burnout. Vous pourriez vous aider de ces quelques suggestions :

(1) Si leur mari ou leur amoureux devient distant, taciturne et indolent, plusieurs femmes ont immédiatement tendance à s'effrayer et à percevoir ce repliement comme un rejet de leur personne. Même si cette période peut être pénible et irritante, vous devez néanmoins protéger votre propre bien-être. C'est pourquoi il est important pour vous de bien vous reposer, de bien manger et de rester attentive à vos besoins physiques. Il est tout aussi important que vous protégiez vos énergies émotives en étant doublement présente à vous-même et que vous vous agrippiez fermement à votre vie en dehors de cette relation.

(2) Vous ne devez pas hésiter à demander encouragement et support. Ce n'est pas le moment de vous séparer de vos amis ou de continuer à leur dire que tout va bien. Au contraire, il est d'une importance vitale que vous restiez en contact avec une amie sûre ; vous aurez besoin de réconfort émotif. Si votre conjoint se dirige vers le burnout, vous pouvez gérer votre stress et refaire le plein d'énergie en ayant des contacts avec autrui. Vous avez besoin d'appartenance et d'intimité avec vos amis. Autrement, vous pourriez mal interpréter l'état de vos relations avec votre partenaire, manquer de l'objectivité qui vous est si nécessaire et intensifier mentalement l'échec de votre union.

Les vieux amis sont souvent bien placés pour vous rappeler votre passé et vous éloigner de toute pensée destructrice. Ils peuvent aussi vous éclairer sur certains aspects du comportement de votre partenaire qui vous ont échappé. Un ami tendre et perspicace pourrait aussi attirer votre attention sur votre propre état, vous venir en aide pour équilibrer vos besoins et éviter un épuisement similaire.

(3) Pour demeurer saine, essayez de distinguer vos besoins de ceux de votre partenaire. Si vous êtes dans le même état d'épuisement et d'angoisse, il vous faudra

beaucoup d'attention, de soin et de sympathie. Votre partenaire pourrait se sentir étouffé par trop d'attention et incapable d'exprimer ses contrariétés autrement que par le blâme. Cette attitude pourrait augmenter votre indice de stress, accroître votre sentiment d'être rejetée et vous enfoncer encore plus dans le burnout.

(4) Un certain degré de détachement peut, dans le burnout contagieux, vous permettre de tenir votre bout et vous empêcher d'«attraper» les symptômes. Cela ne veut *pas* dire que vous devez vous comporter avec froideur et réserve en abandonnant votre partenaire à ce moment critique. Cela veut dire que la compassion est beaucoup plus utile que la pitié ou le blâme envers vous-même. Vous pouvez vous montrer sympathique aux sentiments de votre conjoint sans pour autant vous y identifier. La compassion vous permettra d'agir pour le mieux dans une situation difficile sans vous tenir entièrement responsable des sentiments de votre conjoint, ni vous reprocher de n'en pas avoir assez fait.

Rappelez-vous que si vous commencez à prendre votre conjoint en pitié, vous adoptez une attitude de supériorité. C'est une position de défense qui pourrait contribuer à vous rendre exagérément indispensable et à vous fournir une autre raison de vous dépenser pour répondre avec excès aux besoins de votre conjoint, ce qui drainerait encore plus votre énergie et vos ressources.

(5) Si votre partenaire s'épuise de plus en plus, le drainage psychologique de votre propre vie émotive pourrait sembler insurmontable. C'est pourquoi il est important que vous sachiez distinguer le blâme dont on vous accable des autres aspects inquiétants de la vie de votre partenaire. Il (ou elle) est peut-être à la recherche de ses erreurs et vous accable de son cynisme. Encore une fois, un certain degré de détachement vous sera nécessaire. Vous devez tenter de démêler les éléments du

problème de burnout de votre conjoint et faire la part entre ceux qui relèvent de vous et ceux qui proviennent d'ailleurs. (Voir « Le burnout en spirale », page 332.)

Il arrive assez souvent que la dépression liée à un épuisement survienne immédiatement après la rédaction d'une thèse de doctorat, la phase finale d'un projet à long terme, un retour de vacances ou d'un voyage d'affaires très important. Votre conjoint pourrait inconsciemment s'attendre à des gratifications ou chercher en vous le prolongement de son intensité. S'il n'y a ni gratification, ni intensité, il (ou elle) pourrait vous attribuer l'effrondrement de ses sentiments, sa frustration et la suppression d'un grand objectif. Vous ne devez pas assumer la responsabilité de cet état de choses. Essayez de trouver ce qui a provoqué le burnout *sans vous y impliquer.* (À ce sujet, consultez le chapitre VIII, « Comment aider une personne atteinte de burnout ».)

(6) Essayez d'éviter les conversations stressantes qui se poursuivent tard dans la nuit, qui tournent en rond et qui visent une « analyse » mutuelle. Ne faites pas de psychologie ou de diagnostic à propos de son comportement. Ces conversations tendent à favoriser une attitude de défense. Vous ne pouvez discuter à fond du burnout avec qui que ce soit, mais vous pouvez préserver vos propres forces en évitant les répétitions épuisantes, les pleurs, l'angoisse et la tension émotive qui accompagnent toujours ces conversations. Les femmes souffrant de burnout contagieux parlent souvent de ces longues discussions qui aggravent plutôt la situation et qui poussent à leurs limites leur tendance à l'épuisement. La fatigue déformera votre jugement et vous enfoncera encore plus dans le processus de l'épuisement.

(7) Si, par ailleurs, votre conjoint se fait réservé, poli à l'excès, indifférent et distant, la recherche incessante d'un point de rencontre avec lui vous épuisera tout autant. L'indifférence de votre conjoint ne s'applique

peut-être pas uniquement à vous, mais à lui également. En ne cessant d'insister pour être rassurée et obtenir des réponses, vous pourriez drainer vos propres réserves et alimenter le processus de votre propre épuisement.

(8) N'essayez pas d'adopter l'humeur de votre partenaire. Si la fausse gaieté est épuisante, la moquerie cynique l'est tout autant. Pour construire un pont qui comblera le gouffre qui existe entre vous deux, vous serez inconsciemment portée à imiter les attitudes et le comportement de votre partenaire. Cette dynamique particulière est un aspect important de la contagion du burnout entre partenaires, selon l'idée reçue que si on ne peut vaincre un ennemi, il vaut mieux s'y rallier. Si en fin de compte vous vous ralliez à votre partenaire, vous réussirez peut-être à *ressentir* ce qu'il ressent, mais vous aurez de la difficulté à distinguer ce qui est réel de ce qui est inventé. Essayez de conserver intacts vos propres valeurs, vos sentiments, votre sens de l'humour et la conscience de vos besoins.

(9) Adaptez-vous au rythme de votre partenaire. Mais rappelez-vous que vous avez des rythmes et des ressources qui vous sont propres. Votre corps vous dira quand vous devez vous abstenir et quand vous pouvez être utile. Vous ne pouvez pas vous laisser dépérir. Il est important de trouver du réconfort auprès d'amis, des intérêts, des activités, tous ces contacts chaleureux avec le monde extérieur. Vous avez peut-être délaissé justement ce qui répondait le mieux à vos besoins, sans vous rendre compte à quel point vous êtes devenue exténuée. Essayez de voir ce que vous gagnez à paraître comme un modèle de force et de courage. Cela vous porterait à croire que vous ne devez démontrer aucune faiblesse par rapport à l'état de votre partenaire. En jouant les dures, vous vous épuiserez à coup sûr.

(10) Si vous avez toujours compté sur votre partenaire pour vous réaliser, vous devriez peut-être commencer

à scruter cette dépendance et la remettre en question. N'oubliez surtout pas que ce n'est pas le moment d'abandonner votre conjoint. Si toutefois, à cause de son attitude distante et de son irritabilité, vous commencez à comprendre que votre bien-être et votre stabilité dépendent de ses humeurs, vous devriez profiter de ce temps pour réévaluer cette dépendance totale. Au fur et à mesure que votre partenaire surmontera son épuisement, vous serez peut-être tentée d'élargir vos horizons.

(11) Finalement, il serait prudent d'admettre que vous affrontez un stress véritable et de trouver des méthodes pour y faire échec. Si vous déniez la situation, vous augmentez la tension. Le burnout relationnel contagieux est désagréable et souvent difficile à identifier. Il peut toutefois être prévenu. Vous pouvez protéger vos propres ressources intérieures sans vous sentir égoïste et vous placer finalement dans une situation plus favorable pour éviter un double épuisement dans votre foyer.

3. *Le burnout en spirale*

Le burnout relationnel peut être aussi la conséquence d'une surcharge imposée de l'extérieur et projetée sur votre partenaire. Il s'agit de sentiments de burnout souvent mal interprétés par des femmes qui assument trop de fonctions et de rôles, s'épuisant à «tout réussir», mais ressentis aussi par toutes ces femmes qui s'épuisent à cause de leur isolement de mères et de femmes au foyer. Dans cette situation, votre conjoint devient le «bouc émissaire». La véritable source de l'épuisement est refoulée. Les sentiments d'impuissance, de cynisme et d'intolérance montent en spirale et sont projetés sur le mari ou l'amoureux. Le fait de projeter injustement le blâme de vos sentiments négatifs crée une atmosphère d'indifférence et au bout d'un certain temps, votre relation commence à se désintégrer.

Dans le cas du burnout en spirale, votre relation, peut-être bonne au départ, s'est gâtée au fur et à mesure que d'autres aspects de votre vie commençaient à miner votre énergie et votre vitalité, et votre conjoint a peut-être fini par en porter le poids. Si vous êtes trop stressée, surchargée ou si vous assumez la responsabilité de trop nombreuses personnes, situations et obligations, si vous avez une difficulté financière, si vous avez subi une blessure d'amour-propre pour un manque d'avancement ou de reconnaissance, pour l'incapacité à être aussi parfaite que vous le souhaiteriez ou si vous êtes insatisfaite et frustrée dans votre vie de mère et de femme au foyer et que de trop nombreuses tâches quotidiennes commencent à vous submerger, consciemment ou inconsciemment, vous pourriez faire de votre conjoint un bouc émissaire.

Il arrive souvent qu'à la suite de contraintes extérieures qui vous poussent à vous dépasser ou de vos sentiments de solitude, la personne qui vous est la plus proche soit blâmée pour ne pas avoir fait que «tout aille bien» pour vous. Il devient impossible de dire avec exactitude pourquoi les relations dégénèrent. Vous pouvez vous sentir trop fatiguée par votre horaire quotidien pour vous occuper de votre partenaire le soir venu, trop épuisée par les tâches ingrates de la journée pour vous dépenser dans la soirée. Si «tout réussir» est devenu stressant pour vous, vous pourriez commencer à considérer votre conjoint comme une autre forme d'exigence pénible. Et si vous souffrez d'ennui et de solitude, vous pourriez le considérer comme le plus important rival de vos rêves et de vos espoirs.

De toute façon, votre partenaire finit par subir les contrecoups de l'agitation et des sentiments négatifs qui accompagnent le burnout. Aline, 34 ans, recherchiste, disait :

« Quand j'étais sur le point de craquer, je me durcissais avant d'entrer chez moi, le soir, afin de tenir mon mari à distance. J'étais tellement épuisée par mon travail, les cours que je suivais, mon fils, la préparation des repas, les courses, l'organisation de la vie. J'étais aussi trop épuisée pour me conduire en partenaire sexuelle passionnée. Mon épuisement ne cessait de monter en spirale. J'étais devenue boudeuse, distante, cassante et je blâmais mon mari pour mon burnout. C'est son besoin d'attention à lui que je commençais par éliminer. Notre mariage est devenu ennuyeux et j'étais trop fatiguée pour m'en préoccuper... »

Aline a admis avoir interprété, durant cette période, toute tentative d'intimité comme une demande exagérée d'énergie, cette attitude s'aggravait tout comme son épuisement et son ressentiment envers son conjoint. Elle disait :

« Je l'accusais secrètement de tout ce qui allait mal dans ma vie hors de la maison. C'était une période très troublée. J'allais au-delà de mes forces, mais je ne lui ai jamais dit à quel point je me sentais vidée par le rythme de mon travail, la tension pour obtenir la meilleure note à mon diplôme supérieur, ou l'inquiétude à propos du temps que je devrais consacrer au bébé et aux mille et une besognes quotidiennes à retenir. J'étais soumise à un stress épouvantable, mais je ne l'ai montré à personne, sauf à mon mari. Je traînais mon épuisement avec moi et je le rejetais sur lui. Nous sommes devenus exagérément polis l'un envers l'autre... Si j'avais quelque chose d'important à lui communiquer, je laissais une note sur la table de la cuisine et des messages sur le répondeur automatique. Il n'était plus une personne, mais un problème pour moi. Il m'était devenu indifférent... »

Durant les week-ends, Aline était trop fatiguée et trop amortie pour s'occuper de son mari. Elle dormait souvent pendant les deux jours. Quand elle ne somnolait pas sur le lit, elle consacrait toute son attention à son jeune fils, esquivant consciencieusement la tension qui montait dans la maison. «Si mon mari s'approchait pour me parler, je piquais une rage ou je devenais terrorisée... Je ne savais plus ce que je voulais de lui. C'est un miracle que nous ayons survécu...»

Le «miracle» ne s'est pas produit en une nuit. Les énergies d'Aline s'usant de plus en plus, elle commença à souffrir d'une grave dépression liée au burnout qui s'accompagnait d'envies de pleurer déconcertantes. Les pleurs jouaient dans son cas le rôle de catharsis. Le relâchement de la tension, grâce aux larmes, l'ont aidée à franchir le mur de dénégation qu'elle avait érigé. Elle a commencé tout doucement à comprendre qu'elle était incapable de répondre aux demandes excessives et épuisantes que sa vie lui imposait et qu'elle ne pourrait continuer à vivre avec les privations affectives qu'elle s'était elle-même imposées. Aline raconte ce qui se passa quand elle et son mari se sont mis à se parler:

> «Je sentais ces montées d'amour pour lui qui me faisaient encore plus pleurer. Je voulais qu'il me prenne dans ses bras... Je sentais que je brisais une barrière, que j'avais vécu dans une cage de fer et de béton et que je redevenais un être humain. J'ai aussi compris qu'il n'était pour rien dans mon épuisement. Je l'aimais, mais j'avais été amenée à en faire un coupable.»

Comme plusieurs autres femmes, Aline se sentait obligée de garder pour elle ses craintes, le stress et la tension de ses rôles multiples. Elle croyait qu'elle devait non seulement être parfaite au travail, dans ses études, mais aussi continuer d'être une mère et une épouse parfaites. C'était ce qu'elle croyait qu'on attendait d'elle et que pour justifier ses choix, elle se devait de ne montrer aucune faiblesse. Plus elle était stressée, plus elle se taisait. Quand la communication s'est rompue dans son foyer, une importante source de soutien a été supprimée. Heureusement, elle avait un mari qui a pu échapper à son burnout sans avoir à fuir ou à le partager.

Odile, femme au foyer et mère de deux enfants, est une autre femme qui a connu le burnout en spirale et qui l'a orienté vers son mari. Dans son cas, toutefois, l'épuisement provenait de l'ennui et de la solitude qu'elle se croyait obligée de supporter en vue d'être reconnue comme une épouse et une mère excellente et parfaite. Elle disait :

« Quand je me levais le matin, je ne voyais pour moi que du travail et encore du travail. Je n'ai jamais aimé tenir maison, faire le ménage et la cuisine, c'était un travail ingrat. Il n'y a rien de créatif dans le fait de faire reluire la cuvette des cabinets. Ce n'est qu'une perte de temps. Je me souviens que ma décision la plus importante de la journée était de savoir quoi préparer pour le souper. Cela ne me satisfaisait pas. Puis, il fallait conduire un enfant à temps pour son cours de religion et un autre à la bibliothèque, il y avait les espadrilles à acheter, le four à nettoyer, la vaisselle à laver... Quand il me restait du temps, j'étais trop fatiguée pour en profiter ou je restais là à me demander qu'en faire... Je me sentais coupable si je ne m'affairais pas.

« Mon mari n'est pas loquace ; je pense qu'on pourrait le décrire comme un taciturne. J'avais l'habitude de le forcer à me parler pour couper la monotonie, mais je me suis fatiguée de le faire. J'ai commencé à le rendre coupable de tout ce qui n'allait pas dans ma vie. Je n'ai jamais voulu être un de ces couples qui mangent en silence au restaurant et voilà que cela m'arrivait. Quand nous sortions seuls, nous parlions des enfants, mais de rien d'autre. J'étais assise, rêvant d'être avec quelqu'un d'autre. Nous étions tous les deux blasés et ennuyés. Je ne pouvais vraiment plus endurer ma vie... J'imaginais qu'elle pourrait être différente avec un autre homme, qu'une aventure pourrait égayer mon existence. Cela allait de mal en pis. J'avais toujours envie de dormir et je n'avais pas d'énergie pour quoi que ce soit... »

Pour se défendre contre son indolence et sa solitude, Odile a commencé à prendre des stimulants, des pilules pour maigrir sans ordonnance et puis, elle se mit à boire de l'alcool durant la journée. Malheureusement, cette combinaison avait tendance à la mettre dans un état émotif instable, et à masquer plusieurs de ses besoins véritables. Elle s'emportait de plus en plus en présence de son mari et, avec le temps, commença à ne ressentir à son égard que de l'ennui, de l'irritation et de la colère.

« Je n'aimais pas sa façon de manger, je détestais sa façon de s'exprimer, j'étais indisposée à la vue de sa chemise qui sortait de son pantalon... Autrement dit, je ne l'aimais plus tout simplement et je voulais tout envoyer promener pour provoquer sa réaction. Tout en lui m'énervait, mes sentiments envers lui s'étaient totalement épuisés. Je voulais cet homme de mes rêves qui aurait tout fait à la perfection pour me faire une vie digne de moi... »

À ce point, le processus du burnout relationnel d'Odile était rendu incontrôlable. Sa soeur lui suggéra de faire appel aux conseils d'un professionnel de la santé et, rapidement, les causes de l'effondrement de ses sentiments envers son mari lui sont apparues clairement. Au cours de son traitement, elle a commencé à comprendre que la monotonie de sa vie quotidienne, associée à la nature renfermée de son mari, l'avait entraînée vers la dépression liée au burnout. Néanmoins, Odile se sentait incapable de changer son scénario traditionnel. Son conditionnement lui faisait croire que ses sentiments d'insatisfaction et de mécontentement étaient indignes d'une mère et d'une épouse, qu'il fallait absolument qu'elle continue à greffer un ensemble de fausses valeurs sur ses sentiments véritables.

En prenant conscience de la cause de son burnout relationnel en spirale, elle commença aussi à comprendre qu'elle avait chargé son mari de la responsabilité de rendre sa vie intéressante, excitante et complètement satisfaisante. Après un certain temps, elle fut capable de résoudre le véritable problème de son épuisement en s'ouvrant vers le monde extérieur, en se créant une vie à la fois stimulante et satisfaisante.

Jusqu'à maintenant, la relation d'Odile avec son mari est demeurée mouvementée. Toutefois, son ambivalence concernant le mariage n'a plus comme point d'appui le blâme, les fausses accusations ou les évocations fantaisistes. Elle commence à s'interroger sur les motifs qui l'ont poussée à épouser un homme distant, non communicatif et elle trouve des réponses ambiguës, mais intéressantes. Elle affirme :

« Je crois qu'il y a une partie de moi-même qui désire être encadrée. Je pense que j'avais peur d'aller vers des hommes plus spontanés, plus joyeux... Ils auraient pu être plus exigeants envers moi. Je ne sais pas... mais j'essaie de le savoir. En ce moment, je continue de chercher ce que mon mari et moi avons en commun... Cela prend du temps. »

Prévenir et renverser le burnout en spirale

Comme vous pouvez le constater, le burnout en spirale est difficile à cerner et c'est pourquoi il n'est pas toujours facile de l'identifier. Quand il s'abat sur votre conjoint, il est difficile d'admettre que vous avez eu tort.

Quand il y a eu trop de discussions enflammées et que les sentiments sont ravagés par trop d'angoisse, l'orgueil et la colère empêchent la prise de conscience. Toutefois, malgré les difficultés ambiantes, il y a des moyens que vous pouvez prendre pour découvrir l'origine de vos émotions qui s'épuisent et peut-être aussi de faire le ménage dans ce qui reste de menaçant pour votre relation.

(1) Essayez d'abord de trouver avec précision quand et comment a commencé votre épuisement. À quels moments avez-vous commencé à vous sentir stressée, tendue, seule ou ennuyée ? En découvrant la cause de vos symptômes, vous serez en mesure de disculper votre partenaire et d'en faire porter la responsabilité à la situation appropriée.

(2) Si, comme dans le cas d'Aline, vos responsabilités et vos activités quotidiennes vous surchargent, vous pourriez essayer d'organiser une distribution équitable des tâches que vous pouvez partager avec votre conjoint. Si votre horaire demeure surchargé, si vous avez un travail compétitif et au rythme éreintant, si vous suivez aussi des cours en vue d'un diplôme, si vous avez la charge d'un enfant et des obligations sociales, vous devriez peut-être commencer à diminuer cette forte intensité que vous mettez dans tout ce que vous faites. Apprenez à freiner votre rythme. Évitez d'être trop perfectionniste. Votre burnout commencera à se renverser de lui-même et, rendue à ce stade, avec votre partenaire, vous pourrez commencer à établir de nouvelles priorités.

(3) Vous voudriez peut-être faire une liste de vos activités et responsabilités quotidiennes. Combien de temps réservez-vous pour les petits plaisirs de la vie avec votre partenaire ? Si la flamme s'est éteinte, les raisons en

sont moins complexes que vous ne le pensez. Vous pouvez vous sentir moins disposée sexuellement tout simplement parce que vous avez dépassé votre limite et que vous êtes fatiguée, et de ce fait, vous êtes trop absorbée pour vous laisser aller à l'insouciance, à la tendresse et à l'amour physique. Cette fatigue pourrait vous amener à reprocher à votre partenaire de vous placer encore une fois dans une situation où vous épuisez vos énergies. Consciemment ou inconsciemment, vous vous servirez de votre absence de libido comme preuve de votre burnout relationnel. Consacrez dès aujourd'hui du temps à revoir votre liste et à trouver ce qui vous épuise véritablement.

(4) Il faut absolument que vous restiez en communication avec votre mari ou votre amoureux. Quand vous commencez à vous sentir indifférente, distante et obstinée, vous déniez peut-être votre besoin d'intimité et de rapprochement et vous refusez en même temps à votre partenaire l'occasion de vous apporter son soutien. Vous ne risquez pas de perdre la face en admettant votre fatigue et votre confusion. Votre partenaire sera probablement soulagé d'apprendre qu'il ou qu'elle n'est pas rejeté(e).

(5) Si vous avez chacun votre carrière, vous et votre partenaire avez peut-être des horaires surchargés et vous pouvez succomber tous les deux au burnout en spirale. Pour éviter l'effondrement de votre affection réciproque, avant que le burnout en spirale ne s'abatte sur vous ou votre partenaire, vous pourriez vous entendre pour vous consacrer, à vous deux, une soirée de la semaine. Prenez une gardienne et choisissez une sortie: film, pièce de théâtre, concert ou événement sportif qui vous plairait et qui ranimera peut-être la flamme entre vous. Si vous dialoguez moins, allez dîner ensemble dans un restaurant dont l'ambiance sera propice pour discuter des aspects difficiles de vos vies, sans être dérangés.

Réapprenez à partager vos sentiments en évitant de vous brancher sur les tâches et les responsabilités quotidiennes. Vous aurez ainsi une meilleure occasion de rester en contact avec vos sentiments réciproques et d'empêcher éventuellement l'épuisement d'atteindre votre relation.

(6) Si toutefois, comme dans le cas d'Odile, votre vie quotidienne est essentiellement monotone et sans défi, vous pourriez faire la liste des besognes et des tâches dont vous êtes responsable, puis essayer d'évaluer le temps que vous consacrez à fréquenter des gens ou à vous livrer à des activités plus stimulantes. Vous découvrirez probablement que vos sources de plaisir se sont appauvries. Vous pourriez noter quelles sont dans votre vie les activités dont vous avez besoin pour entretenir votre inspiration et vos espoirs, en dehors des attentions de votre conjoint.

(7) Essayez de déterminer le moment où vous commencez à blâmer uniquement votre conjoint pour votre ennui et vos angoisses. Si vous croyez que quelqu'un d'autre peut « faire que tout aille bien pour vous » et qu'il (ou qu'elle) n'est pas à la hauteur de votre attente, vous vous abandonnez à une pensée magique. Le mieux que votre partenaire puisse faire, c'est de vous aider à trouver les origines de l'épuisement et vous offrir son soutien émotif quand vous commencerez à modifier le scénario sur lequel vous modelez votre vie. Il (ou elle) ne peut pas vivre à votre place ou changer de personnalité. Vous avez toutefois en vous-même le pouvoir de changer votre vie. En prenant une quelconque initiative inattendue, vous pourriez vous surprendre. Vous pourriez découvrir qu'en même temps que vous retrouvez votre identité, votre relation paraît aussi s'affermir.

(8) Prendre une initiative signifie prendre des mesures pour élargir vos horizons en dehors du foyer. Les

débutantes pourraient se renseigner sur le genre d'emplois qui correspondraient à leurs capacités et au défi qu'elles recherchent, un emploi à temps partiel, par exemple. Mais évitez à tout prix les emplois qui vous isolent dans un petit bureau.

Si vous avez de jeunes enfants à la maison, faites venir les programmes des cours qui se donnent dans votre ville ou votre village et inscrivez-vous à des cours du soir. Ces cours et les personnes avec lesquelles vous partageriez des intérêts communs pourraient être une source de stimulation.

Si la politique vous intéresse, pourquoi ne pas proposer vos services au parti de votre choix et consacrer un peu de votre temps à travailler pour un candidat ou dans un comité ?

Il s'agit d'élargir vos horizons, de soutenir votre amour-propre et de vous aider à découvrir quelques-uns de vos talents et de vos ressources qui autrement demeureraient inexploités. Tout en ayant l'occasion de profiter de nouvelles expériences, vous pourriez ainsi réduire certaines tensions dans votre vie matrimoniale.

(9) Si votre partenaire, comme celui d'Odile, est renfermé et qu'il a tendance à se replier en présence d'un conflit, vous pourriez lui dire franchement à quel point vous avez besoin de soutien. Votre franchise pourrait augmenter sa confiance en vous. S'il (ou elle) était toutefois inébranlable dans son laconisme et se sentait mal à l'aise devant l'intimité en dehors des relations sexuelles, vous devrez, comme Odile, demander conseil à un professionnel de la santé ou à des amis compréhensifs de vous aider à désamorcer une partie de l'irritabilité entre vous et à démêler le conflit.

(10) Soyez prudente. Ce n'est pas le moment de prendre des décisions importantes touchant votre relation. Le burnout en spirale suscite souvent des réactions

compulsives. Évitez de donner des ultimatums et de quitter le navire avant d'avoir eu l'occasion de chercher les causes véritables de votre colère et de vos sentiments d'impuissance ou de frustration. Si vous réagissez à votre conjoint par la sévérité ou la froideur, ou en claquant les portes, vous devriez soupçonner que les causes de votre irritation n'ont rien à voir avec votre conjoint, mais relèvent plutôt de problèmes extérieurs à votre relation.

(11) Et finalement, il est important d'apprendre à distinguer l'essentiel de l'accessoire dans votre vie. Le burnout relationnel en spirale vous amène habituellement à faire de votre conjoint la victime de vos symptômes, du seul fait de sa présence et de son attachement. Le stress lié à votre relation peut être soulagé et le processus de l'épuisement renversé, mais pas avant que les véritables conflits qui dominent votre paysage intérieur ne soient clairement identifiés.

Le burnout relationnel, qu'il soit d'intensité, contagieux ou en spirale, est souvent la conséquence d'une dénégation chez un partenaire ou l'autre ou encore chez les deux. Si la dénégation resserre son étreinte, les passions sont étouffées et le conflit émerge rapidement. Au fur et à mesure que vous commencerez à faire face aux causes profondes et véritables de votre épuisement émotif, vous pourrez non seulement retrouver l'état originel de votre relation, mais aussi, éventuellement, l'approfondir. Comme le disait Aline : « Une fois que j'ai compris ce qui me poussait à travailler comme une folle, c'était comme si j'étais libérée d'une prison. En apprenant à mieux régler mon rythme, notre relation est devenue beaucoup plus sécurisante... Qui sait, peut-être durera-t-elle éternellement... »

CHAPITRE VIII

Comment aider
une personne atteinte
de burnout

Jusqu'à maintenant, dans *Le burnout chez la femme*, on a voulu vous permettre d'identifier vos propres symptômes de burnout et vous suggérer des moyens pour vous soigner vous-même. Espérons que les indices et les signaux qui marquent le début d'un état grave d'épuisement ont été suffisamment assimilés pour que vous puissiez vous assurer de sa prévention, de son renversement et de sa guérison définitive.

Toutefois, étant bien informée et mieux préparée pour traiter les symptômes du burnout dès leur apparition dans votre vie, vous aimeriez peut-être savoir comment aider une personne que vous croyez être sur le point de craquer.

Dans notre société trépidante, il n'est pas surprenant que l'épuisement ait atteint les proportions d'une épidémie. Une foule de personnes se plaignent des symptômes de burnout, mais peu de gens prennent ces plaintes au sérieux. Il en existe encore moins qui sont entraînés à déceler les symptômes de l'épuisement, à prendre des mesures préventives pour en arrêter le processus ou à donner des conseils lorsque les signes révélateurs se manifestent.

Vous êtes maintenant en mesure d'offrir une forme de soutien, d'information ou d'aide à ceux qui vous sont proches : ami, parent, conjoint ou amoureux, à un membre de votre personnel ou à un collègue qui manifestent des symptômes de stress et de fatigue propres à l'épuisement.

Disons, par exemple, que vous avez une amie qui depuis quelques semaines ou quelques mois, est devenue plutôt distante et repliée sur elle-même, sujette à des crises de larmes, se plaignant fréquemment de rhumes, de maux de tête et de fatigue. Elle est devenue soucieuse et a perdu son sens de l'humour et son ironie ; elle se plaint d'insomnies et consomme peut-être beaucoup plus d'alcool que d'habitude. Vous avez aussi remarqué qu'elle est devenue intransigeante dans ses opinions et ses jugements, qu'elle insiste de plus en plus pour « faire les choses comme il faut » et qu'elle commence à parler avec une amertume cynique de l'attitude des personnes de son entourage et du monde en général.

Si vous n'aviez pas été au courant de la dynamique du burnout, vous vous seriez contentée d'attendre que cette amie redevienne « elle-même » ou vous auriez réagi et essayé de la « sauver » tout en étant solidaire de la mauvaise tournure que prenait sa vie. Toutefois, comme vous connaissez maintenant les attitudes, le comportement, les sentiments et le langage de l'épuisement, vous agirez autrement. Vous savez ce qui lui arrive, mais le sait-elle ? Comment pouvez-vous l'aider sans l'enfoncer encore plus ?

Voici quelques suggestions pour aider une personne atteinte de burnout. Mais avant de passer à l'action, *lisez attentivement l'avertissement qui suit.* Si en offrant votre aide à une amie, vous vous imposez un fardeau additionnel de stress et de pression et allez au-delà de vos limites, il vous faudra d'abord tenir compte de vos propres besoins. Ces suggestions ne visent pas à vous surcharger d'un autre rôle de protectrice, ni à exploiter vos bonnes intentions. Cependant, si vous-même n'êtes pas épuisée, n'hésitez pas à offrir votre soutien et vos lumières à cette personne.

1. Adressez-vous à votre amie avec sincérité et compassion. Vous aborderez le problème en lui suggérant peut-être qu'elle est en train de craquer et que vous êtes probablement en mesure de l'aider. Si vous avez vous-même vécu un épuisement, vous pourriez lui décrire quelques-uns de vos sentiments et de vos attitudes qui ressemblaient aux siens, ce qui du même coup la mettra en confiance et à l'aise.

2. Il faut absolument que vous *écoutiez* ce qu'elle dit et que vos réponses ne soient ni sévères, ni moralisatrices. Pressez-la de donner libre cours à ses sentiments de colère, de frustration, de douleur, de solitude, d'incapacité, de dépendance et de peur. Laissez-la les répéter. Sa fatigue et son irritabilité sont peut-être tellement intenses qu'elle sentira le besoin de se répéter.

Vous pourriez en même temps l'encourager à parler des aspects positifs de sa vie, de ses réalisations, de sa compétence, de son attrait comme amie, de sa personnalité et même de son charme, de son apparence, de ses cheveux, de ses vêtements, de son image ou de sa façon de s'exprimer. Même prise dans la confusion du burn-out, elle pourrait en son for intérieur réagir positivement à l'évocation de ses bons côtés et vous être reconnaissante de les lui avoir rappelés.

3. Soyez franche avec elle. N'écartez pas, ne déniez pas ou ne minimisez pas ses sentiments. N'essayez pas de la tromper avec une gaieté ou un optimisme feints. Les épuisées sont particulièrement sensibles aux façades fallacieuses des autres. Même si elle refuse d'admettre qu'elle se néglige, elle pourrait néanmoins répondre à un besoin inconscient de sincérité et de sympathie. Si, au

début, vous essayez d'en rire avec elle, elle pourrait paraître s'en amuser aussi, mais, intérieurement, elle pourrait se refermer et se sentir déçue.

4. Essayez de l'aider à s'orienter dans le labyrinthe de ses confusions. Évitez d'analyser, d'user de psychologie et de toute expression qui pourrait lui paraître supérieure, paternaliste ou condescendante. Elle lutte peut-être avec d'autres attitudes aussi désobligeantes à son travail ou à la maison et pourrait se soustraire à toute autre discussion ou s'en aller brusquement. Ses émotions sont à vif dans ces moments. Même si elle a besoin de s'épancher, elle luttera peut-être avec acharnement pour sauver sa dignité.

5. Ne l'inondez pas de conseils. Elle est peut-être incapable d'écouter ce que vous dites ou de l'accepter. Sa possibilité de concentration est probablement limitée. Lui donner trop de conseils l'accablerait et l'effrayerait. Elle pourrait faire comme si elle vous écoutait, mais secrètement vous trouver trop zélée et trop exigeante.

6. Encouragez-la à retrouver à quel moment et dans quelles circonstances elle a commencé à se sentir inquiète, stressée, effrayée et fatiguée. Demandez-lui d'identifier les événements qui se sont produits à ce moment-là, les personnes à qui il fallait plaire et qu'il fallait impressionner pour être approuvée. Quels modèles essayait-elle d'imiter? Que voulait-elle prouver? Et de quelle façon ces facteurs ont-ils favorisé son épuisement? Si cela pouvait l'aider à faire le point dans ses pensées, notez quelques-uns des principaux sujets de votre conversation ou tapez-les à la machine. Cela vous aidera toutes les deux à échanger vos réflexions.

7. Demandez-lui si elle se voit changée, différente de ce qu'elle était auparavant. Encouragez-la à parler des changements qu'elle perçoit dans ses attitudes, son comportement, ses sentiments et même son apparence. Sou-

lignez le fait que d'autres personnes ayant souffert de burnout ont connu les mêmes changements. Comme elle est épuisée, il n'est pas surprenant qu'elle les subisse. Cela contribuera à diminuer quelque peu son angoisse.

8. Suggérez-lui de commencer à examiner attentivement les situations, les personnes et les événements qui l'ont poussée à réagir avec excès ou à s'effacer. Demandez-lui d'essayer de trouver avec précision ce qui la met en colère, ce qui la déçoit, l'ennuie, la frustre et provoque son sentiment d'impuissance. Aidez-la à déceler les mêmes situations critiques à son travail, dans sa vie sociale, à la maison et dans ses relations intimes. Cela l'aidera à réduire un tant soit peu les contretemps et les mauvaises surprises qu'elle a plusieurs fois vécus.

9. Soulevez le problème des « je dois » et des « je devrais » qui a piégé tant de femmes. Aidez-la à parler de son enfance au sein de sa famille et de ce qu'on attendait d'elle. Vous pourriez lui expliquer que cette vieille dynamique familiale s'est transposée dans sa vie adulte et son rôle d'amplificateurs de stress. *SOUVENEZ-VOUS :* votre but, c'est d'aider cette personne à prendre conscience d'elle-même. Il faudra peut-être du temps avant qu'elle accepte ou qu'elle soit capable d'intégrer cette information.

10. Encouragez-la à parler de ses valeurs. Elle a peut-être été tenue trop éloignée de ses valeurs véritables pour distinguer entre le réel et l'essentiel et entre l'irréel et l'accessoire. En parlant, elle se rappellera ce qui lui était foncièrement précieux et ce qui lui a été imposé. Poussez-la à préciser de nouveau où elle veut aller, où elle doit aller et où elle va actuellement. Cela pourrait lui permettre de mieux se comprendre et l'aider à se remettre d'aplomb.

11. Aidez-la à se fixer des objectifs à long et à court terme. Soulignez l'importance de régler son rythme de

façon à équilibrer sa vie selon ses besoins. N'ayez pas peur d'exprimer votre inquiétude si, à la description de ses objectifs, vous comprenez qu'elle se fixe des tâches excessives, un perfectionnisme outré, des réalisations et des projets impossibles. Elle pourrait ne pas réagir sur le coup ou ne pas accepter votre point de vue, mais elle y réfléchira par la suite.

12. Vous pourriez lui demander de formuler ce qu'elle pense vraiment pouvoir changer dans sa vie et ce qui lui est impossible de changer. En faisant face aux réalités, elle pourrait commencer lentement à s'abstenir de lutter contre les aspects de sa vie qui sont immuables.

13. En discutant des changements possibles à apporter, aidez-la à examiner différents mécanismes de défense. À ce stade, vous pourriez introduire le sujet du refoulement et lui laisser entendre qu'en déniant son stress, elle ne fait que le perpétuer. Le refoulement est peut-être le seul mécanisme de défense qu'elle connaisse. *Au bout d'un certain temps,* vous pourriez lui expliquer comment le refoulement fonctionne, avec ses manifestations conscientes et inconscientes qui vont de la suppression au transfert. Vous pourriez lui suggérer aussi d'autres façons d'aborder ses problèmes, mais seulement si elle semble prête à les écouter.

14. Il est important qu'elle comprenne la valeur de l'appartenance, de l'intimité et de l'attachement. Il serait aussi très utile qu'elle se rende compte que son angoisse diminue lorsqu'elle en discute avec vous. Peut-être êtes-vous la seule à l'atteindre ? Indiquez-lui à quel point le partage, la communication et l'expression de ses sentiments contribuent à désamorcer la tension du burnout. Suggérez-lui de commencer à mettre au point, pour elle-même, une forme de soutien au travail et à la maison. Faites-lui connaître le rôle précieux que jouent l'aide, le soutien et le réconfort des autres dans le ren-

versement du processus de l'épuisement. Et pour finir, vous pourriez souligner la nécessité pour elle d'éviter l'isolement.

15. Encouragez-la à faire confiance à ses sentiments et à ne pas se dérober parce qu'ils sont politiquement, socialement ou traditionnellement incorrects. La correction n'a rien à voir avec les sentiments. Rappelez-lui qu'il ne faut pas de permission pour aimer, détester, être en colère, séduire, pour rire ou pour pleurer. Le bon ou le mauvais n'entrent pas en ligne de compte. Si elle soutient que ses sentiments l'empêchent d'explorer de nouvelles avenues, permettez-lui d'identifier ces sentiments qui l'effraient en essayant de faire disparaître les fragments émotifs qui en ont favorisé le développement.

16. Demandez-lui de découvrir ce qu'elle désire maintenant et ce dont elle pense avoir besoin. Si ses « désirs » sont plus vastes et plus grands que ses « besoins », vous pourriez lui faire remarquer à quel point ses besoins ont été éclipsés et négligés par la compulsion de ses désirs. Rappelez-lui une fois de plus l'importance de l'équilibre et du respect de son rythme dans sa propre vie. Si sa carrière retient presque toute son attention, demandez-lui de discuter des besoins de sa vie privée. Si une relation affective dominait tous ses autres intérêts, demandez-lui ce qu'il lui faudrait en dehors de cette relation pour en désamorcer un peu l'intensité.

17. Si c'est une femme qui travaille sans relâche, dites-lui qu'elle pourrait prendre son travail moins à coeur, et surtout, moins comme une affaire personnelle. Suggérez-lui des façons de se dorloter, de s'occuper de ses besoins négligés et de profiter des moments de loisir. Renseignez-vous sur ses heures de sommeil, s'alimente-t-elle convenablement et a-t-elle récemment fait faire un bilan de santé ? Au fur et à mesure qu'elle commence à reconnaître la nécessité de s'adonner à ces soins, son point de vue pourrait prendre un virage bénéfique.

18. Recommandez-lui de faire des lectures sur le stress, l'angoisse et le burnout. Ce n'est que lorsqu'elle aura fait ces lectures et reconnu ses symptômes qu'elle pourra établir un lien avec les suggestions que vous avez faites et les assimiler.

19. Si elle est encore trop prise dans les phases de l'épuisement pour réfléchir à ces idées, recommandez-lui un professionnel de la santé pour obtenir des conseils ou suivre une thérapie. Restez auprès d'elle quand elle prendra son rendez-vous par téléphone et si votre horaire le permet, offrez-lui de l'accompagner pour l'encourager.

20. De toute façon, dites-lui d'être courageuse. Il y a un grand nombre d'autres femmes comme elle qui ont, sans le savoir, frôlé le cycle du burnout et qui ont été non seulement capables d'en renverser le processus, mais aussi d'en prévenir les rechutes dans des circonstances similaires. En suivant quelques-unes de ces mesures simples, elle retrouvera sa gaieté, son humeur et son moral.

Quand vous aidez une personne atteinte de burnout, il est important qu'elle apprenne que son état est causé par le stress, la tension et par la fatigue qui en découle, et qu'elle n'a pas à en assumer tout le blâme. Plusieurs femmes en sont venues à croire qu'elles sont responsables des sentiments des autres, qu'elles doivent changer l'immuable et qu'elles sont coupables d'événements hors de leur contrôle. Il serait particulièrement utile de l'aider à se soulager de tout fardeau pouvant la culpabiliser. Comme vous avez vécu une telle situation, vous vous souviendrez sans doute que votre plus grande bataille contre le burnout a porté sur votre sévérité envers vous-même.

CONCLUSION

Liste de contrôle en 12 points pour la prévention et la guérison du burnout

Si vous pensez être au bord du burnout ou que vous êtes déjà aux prises avec l'une ou plusieurs de ses phases importantes, il sera utile de consulter la liste de contrôle ci-dessous. Elle pourra vous servir d'aide-mémoire, de guide de consultation rapide pour pouvoir en renverser les symptômes et rester aux aguets pour découvrir leurs causes.

Lisez cette liste attentivement et, si nécessaire, mémorisez-la. Les points qui ont le plus d'impact sur vous sont sans aucun doute ceux sur lesquels vous devrez davantage vous concentrer. Ne l'oubliez pas : le burnout peut être prévenu et renversé ; la prise de conscience en est la clé.

1. *Cessez la dénégation.* Écoutez la sagesse de votre corps. Commencez par admettre franchement les stress et les tensions qui se manifestent physiquement, mentalement ou émotivement.

2. *Évitez l'isolement.* Ne faites pas tout toute seule ! Favorisez ou revalorisez l'intimité avec des amis et des êtres chers. L'intimité ouvre non seulement de nouvelles perspectives, mais elle a l'agitation et la dépression en horreur.

3. *Changez les circonstances.* Si votre travail, une relation affective, une situation ou une personne vous entraînent malgré vous vers le bas, essayez d'agir sur les circonstances ou, si nécessaire, prenez la fuite.

4. *Diminuez l'intensité dans votre vie.* Cernez avec précision les moments et les aspects qui exigent une plus grande concentration d'intensité et faites un effort en vue de soulager cette tension.

5. *Cessez d'être surprotectrice.* Si vous vous chargez des problèmes et des responsabilités d'autrui, apprenez à vous en détacher avec élégance. Cherchez à vous faire réconforter vous-même.

6. *Apprenez à dire « non ».* Vous contribuerez à diminuer l'intensité en vous défendant. Cela signifie refuser les demandes ou les exigences supplémentaires qui requièrent votre temps et vos émotions.

7. *Commencez à vous dégager et à vous détacher.* Apprenez à vous faire représenter, non seulement au travail, mais aussi à la maison et auprès de vos amis. Dans ce cas, le détachement signifie que vous travaillez à votre propre survie.

8. *Révisez vos valeurs.* Essayez d'identifier les valeurs significatives des valeurs temporaires et passagères, l'essentiel de l'accessoire. Vous conserverez votre temps et votre énergie et commencerez à vous sentir plus équilibrée.

9. *Apprenez à régler votre rythme.* Essayez de vivre avec modération. L'énergie vous est comptée. Assurez-vous de ce que vous désirez et de ce que vous avez besoin dans la vie, puis commencez à établir un équilibre entre le travail et l'amour, le bien-être et la détente.

10. *Prenez soin de votre corps.* Ne sautez pas de repas, ne suivez pas de diètes sévères, tenez compte de vos besoins de sommeil, n'annulez pas vos rendez-vous chez le médecin. Surveillez votre alimentation.

11. *Diminuez l'inquiétude et l'angoisse.* Essayez de maintenir les fausses inquiétudes au minimum ; elles ne servent à rien. Vous aurez une meilleure prise sur votre situation si vous passez moins de temps à vous inquiéter et plus de temps à vous occuper de vos véritables besoins.

12. *Gardez votre sens de l'humour !* Mettez de la joie dans votre vie et réservez-vous de bons moments. Les gens qui savent s'amuser risquent moins d'être victimes de burnout.

BIBLIOGRAPHIE

BATTLE, C. « The Iatrogenic Disease Called Burnout, in Physicians », *Journal of the American Medical Women's Association*, 36(12), 1981, p. 357-359.

BECK, C. L., et GARGIULO, R. M. « Burnout in Teachers of Retarded and Non-Retarded Children », *Journal of Educational Research*, 73(3), 1983, p. 168-173.

BENSON, HERBERT et ALLEN, ROBERT L. « Le stress, nuisible ou nécessaire ? », Harvard Business Review n⁰ 20, printemps 1981, p. 101-108.

BERNIKOW, L. *Among Women*, New York, Crown Publishers, 1980.

BLOCK, A. M. « The Battered Teacher », *Today's Education*, 66(2), 1977, p. 58-63.

BORLAND, J. J. « Burnout Among Workers and Administrators », *Health and Social Work*, 6(1), 1981, p. 73-78.

BRAMHALL, M., et EZELL, S. *« How Burned Out Are You ? »*, *American Public Welfare Association*, hiver 1981, p. 23-27.

BRYAN, W. L. « Preventing Burnout in the Public Interest Community », *The Grantsmanship Center News*, mars-avril 1981, p. 15-28.

CEDOLINE, A. J. *Job Burnout in Public Education*, New York, Teachers College Press, 1982.

CHERNISS, C. *Professional Burnout in Human Service Organizations*, New York, Praeger Publishers, 1980.

CHESSICK, R. D. « The Sad Soul of the Psychoanalyst », *Bulletin of the Menninger Clinic*, janvier 1978, p. 1-9.

CLARK, C. C. « Burnout, Assessment and Intervention », *Journal of Nursing Administration*, 10(9), 1980, p. 39-44.

DALEY, M. R. « Preventing Worker Burnout in Child Welfare », *Child Welfare*, LVIII(7), 1979, p. 443-451.

DANIEL, S., et ROGER, M. « Burnout and the Pastorate : A Critical Review with Implications for Pastors », *Journal of Psychology and Theology*, 9(3), 1981, p. 232-249.

DINNERSTEIN, D. *The Mermaid and the Minotaur : Sexual Arrangements and Human Malaise*, New York, Harper Colophon Books, 1976.

DOWLING, COLETTE. *Le Complexe de Cendrillon*, Paris, Grasset et Fasquelle, 1982.

DUBRIN, A. J. « Teacher Burnout : How to Cope When Your World Goes Black », *Instructor*, 88(6), 1979, p. 55-62.

EDELWICH, J., et BRODSKY, A. *Burn-out : Stages of Disillusionment in the Helping Profession, New York,* Human Sciences Press, 1980.

EICHENBAUM, L., et ORBACH, S. *What Do Women Want: Exploding the Myth of Dependency,* New York, Coward-McCann, 1983.

EMENER, W. G. «Professional Burnout: Rehabilitation's Hidden Handicap», *Journal of Rehabilitation,* février-mars 1979, p. 55-58.

FARBER, B. A., éd. *Stress and Burnout in the Human Service Professions,* Elmsford, N.Y., Pergamon Press, 1983.

FARBER, B., et HEIFEZ, L. J. «The Process and Dimensions of Burnout in Psychotherapists», *Professional Psychology,* 13(2), 1982, p. 293-301.

FEINSTEIN, K. W., éd. *Working Women and Families,* Beverly Hills, Calif., Sage Publications, 1979.

FREUDENBERGER, H. J. «Burnout and Job Dissatisfaction: Impact on the Family», dans Hansen, T. C., éd., *Perspectives on Work and the Family,* Rockville, Md., Aspen Systems Corp., 1984.

————. «Burnout; Contemporary Issues, Trends and Concerns», dans Farber, B. A., éd., *Stress and Burnout in the Human Services Professions,* Elmsford, N.Y., Pergamon Press, 1983.

————. «Burnout: Occupational Hazard of the Child Care Worker», *Child Care Quarterly,* 6(2), 1977, p. 90-99.

————. «Burnout on the Job», IBIS Media Tapes, New York, 1982.

————. «Burnout Seen as a Problem for Alcohol Counselors», *National Institute of Alcohol Abuse, Information and Feature Service,* 96, 1982, p. 3-5.

————. «Burnout: The Organizational Menace», *American Society for Training and Development,* juillet 1977, p. 26-28.

————. «Coping with Job Burnout», *Law and Order,* 30(5), 1982, p. 64-68.

————. «Counseling and Dynamics: Treating the End-Stage Burnout Person», dans Paine, W. S., éd., *Job Stress and Burnout: Research, Theory, and Intervention Perspectives,* Beverly Hills, Calif., Sage Publications, 1982.

————. «Executive Burnout», conférence non publiée, Harvard Business Club, New York, 1981, p. 1-22.

————. «The Gay Addict in a Drug and Alcohol Abuse Therapeutic Community», *Homosexual Counseling Journal,* 3(1), 1976, p. 34-45.

————. «Hazards of Psychotherapeutic Practice», *Psychotherapy in Private Practice,* 1(1), 1983, p. 83-89.

————. «Impaired Clinicians: Coping with Burnout», dans Keller, P. A., et Ritt, L. G., éds., *Innovations in Clinical Practice,* Florida Professional Resource Exchange, 1984.

————. «New Psychotherapy Approaches, with Teenagers in a New World», *Psychotherapy: Theory, Research and Practice,* 8(1), 1971, p. 38-43.

—————. « Organizational Stress and Staff Burnout », *Dialysis and Transplantation*, 13(2), 1984, p. 104-106.

—————. «A Patient in Need of Mothering», *The Psychoanalytic Review*, 60(17), 1973, p. 8-13.

—————. « The Professional and the Human Services Worker: Some Solutions to Burnout Problems They Face in Working Together», *Journal of Drug Issues*, 6(3), 1976, p. 273-282.

—————. « Rabbinic Burnout: Symptoms and Prevention », in Central Conference of American Rabbis, Yearbook, XCII, 1982, p. 44-52.

—————. « Staff Burnout and Crisis Intervention », dans Freudenberger, H. J., éd., *The Free Clinic Handbook. Journal of Social Issues*, 30(1), 1974.

—————. « The Staff Burnout Syndrome », monographie, Drug Abuse Council, Washington, D.C., 1975, p. 1-30.

—————. « The Staff Burn-out Syndrome in Alternative Institutions », *Psychotherapy: Theory, Research and Practice*, 12(1), 1975, p. 73-83.

—————. «Substance Abuse in the Work Place », *Contemporary Drug Problems*, 11(2), 1982, p. 243-250.

FREUDENBERGER, H. J., et NORTH, G. *Situational Anxiety*, Garden City, N.Y., Anchor Press / Doubleday, 1982.

—————. *Situational Anxiety*, New York, Carroll & Graf Publishers, 1982.

FREUDENBERGER, H. J., et RICHELSON, G. *Burn-out: The High Cost of High Achievement*, Garden City, N.Y., Anchor Press / Doubleday, 1980.

—————. *Burnout: How to Beat the High Cost of Success*, New York, Bantam Books, 1981.

FREUDENBERGER, H. J., et ROBBINS, A. « The Hazards of Being a Psychoanalyst », *The Psychoanalytic Review*, 66(2), 1976, p. 275-296.

FRIEDAN, B. *The Second Stage*, New York, Summit Books, 1981.

GILBERT, L. et WEBSTER, P. *Bound by Love: the Sweet Trap of Daughterhood*, Boston, Beacon Press, 1982.

GILLIGAN, C. *Une si grande différence,* Paris, Flammarion, 1966.

GORNICK, V. *Essays in Feminism*, New York, Harper & Row, 1978.

GROESBECK, J. C., et TAYLOR, R. « The Psychiatrist as a Wounded Physician », *The American Journal of Psychoanalysis*, 37, 1977, p. 131-139.

HENNIG, M., et JARDIM, A. *The Managerial Woman,* New York, Pocket Books, 1978.

KAFRY, D., et PINES, A. « The Experience of Tedium in Life and Work », *Human Relations*, 33(7), 1980, p. 477-503.

KELSEY, J. E. « The Stress of Relocating: Helping the Employees Ease the Pain », *Occupational Health and Safety*, janvier-février 1979, p. 26-30.

LEVINSON, H. « Les dirigeants : une ressource qui s'épuise », Harvard Business Review, n⁰ 26, automne 1982.

McCONNELL, E. «How Close Are You to Burnout ? », *RN,* 44(5), 1981, p. 29-33.

MAHER, E. L. « Burnout and Commitment : A Theoretical Alternative », *The Personnel and Guidance Journal,* 61(7), 1983, p. 390-395.

MARSHALL, M. *The Cost of Loving : Women and the New Fear of Intimacy,* New York, G. P. Putnam's Sons, 1984.

MARSHALL, R. E., et KASMAN, C. « Burnout in the Neonatal Intensive Care Unit », *Pediatrics,* 65(6), 1980, p. 1161-1165.

MARTINDALE, D. « Sweaty Palms in the Control Tower », *Psychology Today,* février 1977, p. 71-75.

MASLACH, C. *Burnout : The Cost of Caring,* Englewood Cliffs, N.J., Prentice-Hall, 1982.

————. « The Client Role in Staff Burnout », *Journal of Social Issues,* 34(4), 1978, p. 111-124.

MILLER, J. B. *Toward a New Psychology of Women,* Boston, Beacon Press, 1977.

NIEHOUSE, O. L. « Burnout : A Real Threat to Human Resources Managers », *Personnel,* septembre 1981, p. 25-32.

NOVAK, W. *The Great American Man Shortage,* New York, Rawson Associates, 1983.

PAINE, W. S., éd. *Job Stress and Burnout : Research, Theory, and Intervention Perspectives,* Beverly Hills, Calif., Sage Publications, 1982.

PERLMAN, B., et HARTMAN, E. A. « Burnout : Summary and Future Research », *Human Relations,* 35(4), 1982, p. 283-305.

PFIFFERLING, J. H., BLUM, J., et WOOD, W. « The Prevention of Physician Impairment », *Journal of Florida Medical Association,* 68, avril 1981, p. 268-273.

PINES, A. « The Influence of Goals on People's Perception of Competent Women », *Sex Roles,* 5(1), 1979, p. 71-76.

PINES, A., ARONSON, E., et KAFRY, D. *Se vider dans la vie et le travail,* Montréal, Le Jour, 1983 (Actualisation).

PROCACCINI, JOSEPH, et KIEFABER, MARK W. *Parent Burnout,* Garden City, N.Y., Doubleday & Company, 1983.

RADDE, P. O. « Recognizing, Reversing, and Preventing Pharmacist Burnout », *American Journal of Hospital Pharmacy,* 39, juillet 1982, p. 1161-1166.

ROHRLICH, J. B. *Work and Love : The Crucial Balance,* New York, Summit Books, 1980.

ROLAND, A., et HARRIS, B. *Career and Motherhood : Struggles for a New Identity,* New York, Human Sciences Press, 1979.

SANDMAIER, M. *The Invisible Alcoholics: Women and Alcohol Abuse in America*, New York, McGraw-Hill, 1980.

SANGIULIANO, I. *In Her Time*, New York, William Morrow & Co., 1978.

SCARF, M. *Unfinished Business: Pressure Points in the Lives of Women*, Garden City, N.Y., Doubleday & Company, 1980.

SHERIDAN, E. P., et SHERIDAN, K. « The Troubled Attorney », *Barrister*, 7(3), 1980, p. 42-56.

SHUBIN, S. « Burnout: The Professional Hazard You Face in Nursing », *Nursing*, 8(7), 1978, p. 31-38.

SKELEV, D. L., et KLEIN, R. M. « Mental Disability and Lawyer Discipline », *The John Marshall Journal of Practice and Procedure*, 12, 1979, p. 227-252.

SURAN, B. G. « Psychological Disabilities Among Judges and other Professions », *Judicature*, 66(5), 1982, p. 184-193.

TAVERNIER, G. « Decruitment: A Solution for Burned-out Executives, *International Management*, avril 1978, p. 44-47.

VENINGA, R. L., et SPRADLEY, J. P. *The Work/Stress Connection: How to Cope with Job Burnout*, Boston, Little, Brown & Co., 1981.

VICKERY, H. B. « What Happens When the Chief Executive Burns Out ? », *Association Management*, août 1982, p. 69-73.

WATSON, K. W. « Social Work Stress and Personal Relief », *Child Welfare*, LVIII (1), 1979, p. 3-12.

WHITE, W. « Incest in the Organizational Family: The Unspoken Issue in Staff and Program Burnout », monographie, HCS, Rockville, Md., 1978.

WRIGHT, D., et THOMAS, J. « Role Strain Among School Psychologists in the Midwest », *Journal of School Psychology*, 20(2), 1982, p. 96-102.

ZAHN, J. « Burnout in Adult Educations », *Lifelong Learning — The Adult Years*, IV(4), 1980, p. 4-6.

TABLE DES MATIÈRES

Lithographié au Canada
sur les presses de
Métropole Litho Inc.